DSM-III-R

CAS CLINIQUES

DSM-III-R

CAS CLINIQUES

par

Robert L. Spitzer, Miriam Gibbon,
Andrew E. Skodol, Janet B.W. Williams,
Michael B. First,

Columbia University
New York State Psychiatric Institute

Traduit de l'anglais par
J.M. Dubroca et N. Ferrand

Paris   Milan   Barcelone   Bonn

1991

Traduction autorisée de l'ouvrage publié en langue anglaise
sous le titre : *DSM-III-R Casebook*. A Learning Companion to the Diagnostic and Statistical
Manual of Mental Disorders (Third Edition, Revised)
© 1989 American Psychiatric Press, Inc.

© *Masson, Paris, 1991* (Pour la traduction française)
ISBN : 2-225-82341-3

MASSON S.A.	120, bd Saint-Germain, 75280 Paris Cedex 06
MASSON S.p.A.	Via Statuto, 2, 20121 Milano
MASSON S.A.	Balmes 151, 08008 Barcelona
DÜRR und KESSLER	Maarweg, 30, 5342 Rheinbreitbach b. Bonn

AVANT-PROPOS

Ce recueil de cas est le fruit de notre expérience de l'enseignement du DSM-III et du DSM-III-R. Nous estimons que ces descriptions de patients réels, rédigées de façon à ne faire ressortir que les données utiles au diagnostic différentiel, sont le moyen le plus efficace (et le moins pénible), pour permettre aux cliniciens et aux étudiants de se familiariser dans l'application des principes de diagnostic du DSM-III-R, à partir d'un large éventail de patients.

Nous avons pris le parti de présenter des études de cas rédigées et réduites à l'essentiel, car notre expérience nous a appris que les habituels comptes rendus de cas peuvent donner lieu à des discussions sans grand intérêt, car encombrées d'une foule de détails inutiles à l'établissement du diagnostic. (Ces détails qui n'apportent pourtant rien au diagnostic doivent cependant ne pas être négligés lors de la rédaction de l'observation). A l'inverse, les résumés de cas cliniques qui nous sont habituellement proposés omettent souvent de mentionner une information d'une extrême importance pour le diagnostic, alors que, justement, ils ont été rédigés pour faire ressortir toutes les données utiles au diagnostic.

Les cas cliniques rassemblés dans ce livre ont été tirés de notre propre expérience et de la pratique d'un grand nombre de cliniciens, dont beaucoup sont d'éminents experts dans certains domaines bien particuliers du diagnostic ou du traitement. L'identité des patients a été rendue méconnaissable : des détails tels que l'âge, la profession et, occasionnellement, le lieu ont été changés. Souvent, nous avons dû demander à ceux qui nous avaient fourni le matériel clinique une donnée qui nous paraissait essentielle à l'établissement du diagnostic. Nous n'avons pas cédé à la tentation de fabriquer de toutes pièces les détails qui manquaient, ce qui nous a conduit, parfois et comme cela se produit en réalité à des diagnostics provisoires ou "d'élimination". Suivant en cela l'exemple de Freud, nous avons donné un titre à chaque cas, pour que l'on puisse plus facilement s'y rapporter.

Chaque cas est suivi par la discussion de notre diagnostic, conformément aux critères de la troisième édition révisée du Manuel Diagnostique et Statistique des Troubles Mentaux de l'Association Américaine de Psychiatrie (DSM-III-R). Ces discussions sont l'occasion de développer certains points particulièrement importants, comme l'explication de chacun des diagnostics, les autres affections à envisager et, pour certains cas, les raisons de l'incertitude du diagnostic par manque d'information, ambiguïté des signes cliniques ou problèmes liés à la classification elle-même. Chaque discussion se termine par l'établissement d'un diagnostic DSM-III-R avec son code chiffré. Chaque fois que cela était nécessaire, mais pas systématiquement, nous avons suivi la recommandation du DSM-III-R de noter la sévérité du trouble actuel : léger, modéré, sévère, en rémission partielle, ou état résiduel. Pour faciliter la lecture, nous avons indiqué entre parenthèses le numéro des pages des critères diagnostiques dans le Manuel du DSM-III-R.

Bien que la fiabilité soit améliorée par l'utilisation des critères diagnostiques, une certaine marge d'erreur est encore possible. Nous comprenons très bien que l'on puisse ne pas être d'accord avec tel ou tel diagnostic, car nous n'avons pas toujours été d'accord entre nous, et c'est souvent en changeant le diagnostic initial que nous avons résolu nos divergences d'opinion. Nous espérons que sans pour autant réduire à néant la validité de nos formulations diagnostiques, le lecteur ne se sentira pas obligé de les considérer comme infaillibles.

Ces cas cliniques peuvent être utilisés de différentes façons. Ils doivent permettre aux cliniciens expérimentés de mieux leur faire comprendre l'esprit et la terminologie du DSM-III-R. La description de cas correspondant à des catégories diagnostiques peu fréquentes en pratique courante, intéresserA la totalité des praticiens quelles que soient leur expérience et leur formation. Les professeurs et les étudiants en psychologie et en psychiatrie, les élèves infirmiers psychiatriques et les futurs travailleurs sociaux trouveront dans les cas qui sont proposés une illustration de la psychopathologie qui leur sera enseignée. Cet intérêt pour les cas cliniques doit s'étendre aux généralistes, aux internistes et même aux juristes. Ce livre doit permettre à l'étudiant de tester ses connaissances dans le cadre d'examens de spécialité ou d'unités de valeur, aux chercheurs de vérifier la validité des expertises et la fiabilité de leurs équipes dans leurs évaluations diagnostiques. Les discussions de cas ont également valeur de documents qui peuvent servir de référence quant à la façon dont les Américains établissaient leur diagnostic à la fin des années 80.

La plupart des cas cliniques contenus dans ce livre ne font pas référence à la thérapeutique ni aux autres systèmes de classification. Pourtant, ils peuvent très bien servir de matériel pour des discussions s'y rapportant (à ceci près que le type de données contenues dans ces cas est fonction du système diagnostique utilisé, les autres systèmes de classification demandant d'autres types de données). Pour certains cas, il nous a été possible de connaître le suivi du patient avec, la plupart du temps, la réponse au traitement. Souvent l'évolution est venue confirmer le diagnostic originaire ; plus rarement, il a soulevé des doutes ou conduit à une modification du diagnostic.

La première édition des cas cliniques, qui se rapportait au DSM-III-R, a été publiée en 1981, une année après la publication de cette classification. Dans cette version révisée, nous avons ajouté à la précédente plus d'une centaine de cas nouveaux, souvent plus longs que ceux de notre premier recueil. Nous avons éliminé plus d'un tiers des cas de la première édition et révisé complètement les discussions diagnostiques de deux cas parmi ceux que nous avions conservés, de façon à les rendre conformes aux critères de diagnostic du DSM-III-R.

Chacune des trente nouvelles catégories diagnostiques qui ont été ajoutées dans le DSM-III-R, parmi lesquelles les Troubles du sommeil et les catégories "controversées" demandant des études complémentaires sont illustrées par de nouveaux cas. Il en est ainsi des Troubles du rythme veille-sommeil, de la Dépendance à la Cocaïne, du Trouble : peur d'une dysmorphie corporelle, de la Trichotillomanie, de Personnalités à conduite d'échecs et sadique, du Trouble dysphorique de la phase lutéale tardive. Avec les cas nouveaux, toutes les affections sont désormais représentées ; pour chaque catégorie de diagnostic du DSM-III-R existe au moins un cas clinique permettant de l'illustrer.

Robert L. Spitzer, M.D.
Miriam Gibbon, M.S.W.
Andrew E. Skodol, M.D.
Janet B. W. Williams, D.S.W.
Michael B. First, M.D.

Note du traducteur

Afin de restituer à la version française la facilité de lecture et l'attrait qui caractérisent le texte américain, la traduction des récits de cas cliniques s'est parfois, dans sa forme, sensiblement écartée de la version originale.

Certains titres ont même été remaniés chaque fois que l'allusion ou le jeu de mots qu'ils contenaient demeurait sans équivalent en français. Par contre, la traduction des discussions diagnostiques a suivi le texte au plus près, et la terminologie psychiatrique est celle que les traducteurs de l'édition française du DSM-III-R ont choisi d'adopter.

Remerciements

Nous sommes reconnaissants aux Confrères dont la liste suit de nous avoir fourni le matériel clinique nécessaire à la rédaction de ce livre.

Gene Abel, M.D.
Henry David Abraham, M.D.
Hagop Akiskal, M.D.
Nancy Andreasen, M.D., Ph.D.
Rena Appel, M.D.
Robert Arnstein, M.D.
Lorian Baker, Ph.D.
Stephen Bauer, M.D.
Robert Benjamin, M.D.
Fred S. Berlin, M.D., Ph.D.
Joan Brennan, Ph.D.
Allan Burstein, M.D.
Dennis Cantwell, M.D.
Mark Chalem, M.D.
Paula J. CLayton, M.D.
David E. Comings M.D.
Anthony J. Costello, M.D.
George C. Curtis, M.D.
Carlo C. DiClemente, Ph.D.
Robert L. Custer, M.D.
Park Elliot Dietz, M.D., M.P.H., Ph.D.
Norman Greenspan Doidge, M.D.
Armando R. Favazza, M.D.
Leslie M. Forman, M.D.
Allen J. Frances, M.D.
Richard Friedman, M.D.
Abby J. Fyer, M.D.
Martha Gay, M.D.
Paul H. Gebhard, Ph.D.
Salvatore Mannuzza, Ph.D.
Lynn Martin, R.N., M.S.N.
Gary J. May, M.D.

Yonkel Goldstein, Ph.D.
Donald Goodwin, M.D.
Arthur H. Green, M.D.
Richard Green, M.D.
Stanley L. Greenspan, M.D.
John G. Gunderson, M.D.
Katherine Hamli, M.D.
Roger Harman, Ph.D
Joseph A. Himle, A.C.S.W.
Steven Hyler, M.D.
Helene A. Jackson, M.S.W.
Richard L. Jenkins, M.D.
Edwin E. Johnstone, M.D.
David Kahn, M.D.
Helen S. Kaplan, M.D., Ph.D.
Sandra J. Kaplan, M.D.
Kenneth S. Kendler, M.D.
Otto Kernberg, M.D.
Robert Kertzner, M.D.
Donald Klein, M.D.
Rachel Klein, Ph.D.
Richard Kluft,
Robert S. Lampke, M.D.
Jerome H. Liebowitz, M.D.
Harold I. Lief, M.D.
Thomas F. Liffick, M.D.
John Lion, M.D.
Z.J. Lipowski, M.D.
Joseph LoPiccolo, Ph.D.
Roger A. Mackinnon, M.D.
Neal D. Ryan, M.D.
Diana Sandberg, M.D.

George J. McAfee, M.D.

Patrick McKeon, M.D.

Heino F.L. Meyer-Bahlburg, Dr. rer. nat.

John Money, Ph.D.

J. Lawrence Moodie, M.D.

Alistair Munro, M.D.

Philip Muskin, M.D.

Kathi Nader, M.S.W.

Yehuda Nir, M.D.

Arlene Novick, A.C.S.W.

Barbara Parry, M.D.

Roger Peele, M.D.

Judith A. Perry, M.D.

Ethel S. Person, M.D.

Gerald C. Peterson, M.D.

Harrison, G. Pope, Jr., M.D.

Michael Popkin, M.D.

Lloyd J. Price, M.D.

Joaquim Puig-Antich, M.D.

Robert Pynoos, M.D

Pamela Raizman, R.N., M.S.W.

Judith L. Rapaport, M.D.

Quentin R. Regestein, M.D.

Phillip J. Resnick, M.D.

Richard Ries, M.D.

Norman E. Rosenthal, M.D.

Phillip Schlobohm, M.D.

Benjamin Seltzer, M.D.

Sally K. Severino, M.D.

David Shaffer, M.D.

Arthur Shapiro, M.D.

Elaine Shapiro, Ph.D.

Lawrence Sharpe, M.D.

Michael Sheehy, M.D.

Meriamne Singer, M.D.

Stephan Sorrell, M.D.

David A. Soskis, M.D.

Laurie Stevens, M.D.

Alan Stone, M.D.

Richard P. Swinson, M.D.

Ludwik S.Szymanski, M.D.

Donn L. Tippet, M.D.

William M. Valverde, M.D.

Fred R. Volkmar, M.D.

Timothy B. Walsh, M.D.

Arnold M. Washton, Ph D

Betsy P. Weiner, M.D.

Katherine Whipple, Ph.D.

Ronald Winchel, M.D.

Lorna Wing, M.D.

George Winokur, M.D.

Ken Winters, Ph.D.

Kenneth J. Zucker, Ph.D.

TABLE DES MATIÈRES

Avant-propos V
Le Procrastinateur 1
Le journaliste mal informé 4
Réminiscence 6
Twisted sister 8
Mon fan club 11
Pas de blague 13
Le radiologue 15
Docteur Jekyll et Madame Hyde 17
Prescription : La Floride 19
Sam Shaefer 21
La peau et les os 24
Sous surveillance 29
Cher Docteur 31
Monsieur Macho 33
L'homme d'affaires surmené 37
Jeune cadre 39
Pas de boissons 41
L'étudiant 43
Sous pression 45
Pleine de honte 46
Messages radar 48
L'homme pacifique 51
Premier enfant 52
Une veuve fortunée 54
Sur son nuage 56
Le réalisateur 58
Le navigateur 61
Une vie de sommeil 62
L'éternelle malade 65

Je suis vichnou 67
Une homme d'affaire perturbé 70
Je vais y passer 71
Superstition 73
Quelque chose de bizarre 74
Ulcères 77
La fille du pasteur 79
Encore au lit ! 80
La fille du coiffeur 83
Le bourreau de travail 84
Sortir de la maison 86
Préposé au ravitaillement 88
Des voix menaçantes 90
Les puces 91
Meurtrie 92
La cassure 93
Constamment malade 96
Pause café 99
Une dangereuse paranoïaque 100
Le vendeur de voitures 101
L'épouse infidèle 103
Fraulein Von Willebrand 105
Arts martiaux 106
Un garçon sur le pont 108
Sur une scène 109
Piégé 111
Sexe dans le métro 112
Un psychiatre têtu 113
Droits parentaux 115
Le peintre en bâtiment 117
L'homme d'affaires latino-américain 119
Frieda 121
L'entente parfaite 123
La clé du mystère 125
Les jumelles 127
Tueurs à gages 129
Les liens du sang 131
Le préposé au tri 132
Le professeur 134
Cocaïne 135
Le dessinateur 138
Les rides 140
Trop loin de chez moi 142
Psychiatre d'enfants 143
Emilio 145
Les vers 147
Roulement d'après midi 148
La célébrité 150
Mauvaise rencontre 151

Cauchemars 153
Ronds de fumée 155
L'antiquaire 157
Paul et Pétula 158
La brute 160
Gloria 161
Faire face 164
Le fabriquant de jouets 165
La défonce 167
Charles 168
Petits sommes 170
Les prières de l'athlète 172
Travail utile 174
Les leçons de musique 175
Dettes de jeu 176
L'homme qui voyait l'air 178
Bardé de cuir 179
Que tout soit parfait 181
Un nouveau visage 183
Clairvoyante 185
Sage comme une image 187
Bribes de souvenirs 189
Obèse 190
La fièvre du samedi soir 192
L'incendaire 193
L'héritière 195
Absolument répugnant 197
Le charpentier accidenté 199
L'ancien pilote 201
De la nourriture pour la pensée 203
La coquille vide 205
L'homme au foyer 207
La peur du septième ciel 209
Fausses rumeurs 210
Les orages 213
L'épouse indigne 214
Vertiges 217
Ne tombez surtout pas malade 218
Les collants 220
Assis auprès du feu 221
Le devoir conjugal 223
La chanteuse d'opéra hongroise 225
Analgésiques 227
L'acheteur récalcitrant 228
Bestialité 229
Burt Tate 231
Un problème de gonades 232
La gravure de mode 234
Les trois voix 236

Guerre froide 239
Tristesse 240
Elle ne tient pas en place 242
Mieux vaut vivre avec la drogue 244
Monsieur et Madame Albert 245
Gêné 247
Au bout du rouleau 249
Un étudiant dans la brume 250
Mémoires de guerre 252
Miriam et Esther 254
Toilettes pour hommes 258
Problème sexuel 259
La vision céleste 261
Mince et soignée 266
Le meilleur ami de l'homme 267
Inhibée 268
Accès de fureur 270
Masters et Johnson 271
Laver avant usage 272
La nourrice 274
Le joueur de football 276
Trois fois divorcée 277
Le dormeur 279
Le reporter 280
Antitussif 282
Sur les nerfs 283
Alice 285
Brûlée 286
Présentation de malade 287
Le marcheur 288
La fin des temps 290

Le procrastinateur

Roger, quarante-neuf ans, se rend à la consultation externe d'une clinique de Montréal, poussé par son entourage familial. Il ne se plaint de rien en particulier, mais reconnaît que son "perfectionnisme" et sa "lenteur" l'empêchent de travailler depuis environ sept ans.

Elevé dans une petite ville de Colombie britannique, où ses parents exerçaient une profession libérale, Roger a eu, dit-il, une "enfance heureuse" et travaillait bien à l'école. Sa femme qu'il a rencontrée alors qu'il était en classe de seconde, fait tout de même remarquer que déjà à l'adolescence, il était "méthodique et lent". Et c'est avec un semestre de retard qu'il a obtenu son diplôme universitaire, car il lui était impossible de remettre ses épreuves écrites dans les temps.

Roger a travaillé pendant quatre ans au service administratif d'une petite entreprise pour entrer ensuite dans une agence immobilière de taille moyenne. Au début tout allait bien, mais le temps passant, il eut de plus en plus de difficulté à être à l'heure à son travail : au moment de s'habiller, ses vêtements devaient être disposés d'une certaine façon avant qu'il ne s'autorise à les mettre. Roger commença à dépasser les délais pour rendre ses rapports : il n'avait pas de difficultés à s'y mettre, mais il ne lui était jamais possible de les terminer car il les voulait parfaits. Incapable d'ouvrir son courrier personnel et de régler ses factures, il était pourtant bien conscient de la nécessité de s'en acquitter, sans pouvoir se décider à le faire.

A peine âgé d'une trentaine d'années, Roger prit l'habitude de se lever plus tard que l'heure qu'il s'était fixée. Même s'il savait qu'il ne pourrait pas être à l'heure à son travail, il tenait absolument à prendre chaque jour le même petit-déjeuner, composé très exactement de jus d'orange, de céréales et d'ocufs, en mangeant, il lisait le journal, puis il prenait une douche, se rasait et s'habillait. Quel que soit son retard, il ne pouvait prendre sa douche en moins de quarante-cinq minutes, ni s'habiller en moins de trente minutes. Il n'était pratiquement jamais prêt à partir avant midi ou même plus tard. Une fois au bureau, il faisait généralement du bon travail, mise à part sa difficulté à achever ses rapports.

Sa femme rapporte que plus ça allait, plus il était lent à achever ce qu'il avait commencé. Pendant quelques années, il se montra pourtant capable de diriger l'agence immobilière qu'il avait créée après son licenciement ; mais à la suite de l'échec d'une très importante transaction, il a fini par ne sortir pratiquement plus de chez lui. Au moment de l'entrevue, non seulement le patient n'a plus de revenus, mais il fait l'objet de mesures disciplinaires du service immobilier de sa ville : il a réalisé une transaction pour un ami, sans être en mesure de payer les taxes.

Au moment où Roger vient consulter, il lui reste à terminer des tâches datant de quatorze ans. Il a laissé du courrier s'accumuler depuis une dizaine d'années, sans jamais l'avoir ouvert : personne ne doit y toucher, car selon lui, personne n'est capable de s'en occuper "comme il faut". Sa femme prend alors la décision de se charger de toutes les factures qu'elle identifiera dans le courrier, et de lui laisser le reste. Pendant le mois suivant la remise du courrier, les lettres devront rester dans le vestibule pour être ensuite déposées sur la table du salon, puis, au bout d'un an, dans la cave, sur une pile s'accumulant régulièrement, jusqu'à ce qu'elles soient "triées comme il faut". La voiture de Roger, complètement rouillée, est restée dans l'allée pendant sept ans, avant qu'il ne finisse par appeler quelqu'un pour la remorquer.

Sa femme a repris le travail pour subvenir aux besoins de la famille. Roger reste seul à la maison, et obéit à une routine quotidienne invariable. Il se lève à sept heures, mais ne se douche ni ne s'habille jamais avant onze heures ou midi. Il prend alors le même petit-déjeuner, et lit le journal. Ces activités durent habituellement jusqu'à quatre ou cinq heures de l'après-midi. N'ayant rien fait de la journée, il regarde le soir la télévision, pour finalement aller se coucher à deux ou trois heures du matin. Incapable désormais de commencer ou de terminer une tâche, il peut aider les autres à écrire des rapports, et il est même souvent d'un grand secours pour ceux de ses voisins qui ont des problèmes immobiliers.

Roger dit ne jamais avoir agi selon des rites de vérification ou d'autres rituels contraignants, comme le fait de se laver les mains plusieurs fois de suite. Bien qu'il affirme ne pas se sentir déprimé et ne pas présenter les symptômes habituellement rencontrés dans les Troubles dépressifs, il se plaint d'avoir une pensée qu'il qualifie de "visqueuse".

Discussion

Il ne fait aucun doute que Roger a de sérieuses difficultés, du fait de sa lenteur; reste à savoir pourquoi. Il est difficile de connaître la raison précise pour laquelle il lui faut plusieurs heures avant qu'il ne soit habillé. Il est possible que les comportements répétitifs et stéréotypés (compulsions), comme celui qui consiste à lacer et délacer les chaussures, lui fassent perdre beaucoup de temps. Mais ni lui ni sa femme n'en font état. Sans doute est-il préoccupé par des idées récurrentes dénuées de sens et intrusives (obsessions) ; mais là encore, ni lui ni sa femme ne le rapportent. Aussi pouvons-nous imaginer que ce qui se produit en réalité est un mélange des deux, il passe probablement beaucoup de temps à réfléchir à ce qu'il pourrait faire (indécision), plutôt que de se décider à entreprendre quelque chose, comme à disposer chacun de ses vêtements et accessoires vestimentaires, jusqu'à ce qu'il ait l'impression que tout est parfait. Il n'est d'ailleurs pas du tout exclu, que nous soyons nous aussi en train de développer un mode de pensée obsessionnelle, lorsque nous nous demandons si la conduite perfectionniste de Roger s'accorde avec la définition d'une compulsion ! Nos difficultés proviennent de l'incertitude où nous nous trouvons, de savoir s'il exécute ses activités de routine "en réponse à une obsession, ou selon certaines règles, ou de façon stéréotypée". En tout cas, bien que la lenteur exaspérante de Roger soit très différente des compulsions typiques que l'on voit dans le Trouble obsessionnel-compulsif, nous ne pensons pas trop nous égarer en considérant cette affection comme une variante de ce Trouble. En fait, certains cliniciens ont déjà évoqué la nécessité d'un subtype de Trouble obsessionnel compulsif, dans des cas identiques à celui-ci, lorsque le symptôme prédominant consiste en une lenteur laborieuse, méthodique et stéréotypée dans la réalisation des activités, même les plus simples.

On peut légitimement se demander si les problèmes de Roger ne correspondent pas à une forme particulièrement sévère d'un Trouble de la personnalité obsessionnelle-compulsive. Des cinq critères requis pour le diagnostic, nous n'en avons que quatre : le perfectionnisme, la préoccupation par les détails, l'indécision et l'incapacité de jeter des objets sans valeur. Nous pouvons cependant légitimement imaginer qu'un interrogatoire plus poussé de la femme du patient permettrait d'en retrouver deux autres : le manque de générosité et la diminution de l'expression des affects. Il convient donc de poser le diagnostic additionnel provisoire de Trouble de la personnalité obsessionnelle-compulsive, et ce d'autant que la symptomatologie qui lui correspond est depuis toujours présente.

Diagnostic selon le DSM-III-R

Axe I : 300.30 Trouble obsessionnel-compulsif (p. 278)

Axe II: 301.40 Trouble de la Personnalité obsessionnelle-compulsive (p. 400)

Le journaliste mal informé

Marvin, trente-cinq ans, journaliste, consulte son généraliste pour une asthénie, des douleurs au niveau de la gorge et des céphalées. Ces symptômes sont apparus il y a trois mois, quelques semaines après qu'il ait appris qu'il était séro-positif (comme l'indiquait la présence dans son sang d'anticorps du virus du SIDA). Il subit alors un examen complet à l'issue duquel on lui dit qu'il n'est pas malade, mise à part une allergie bénigne se manifestant par une gorge douloureuse, ses examens de sang et d'urine étant normaux. C'est alors qu'il se met à craindre que ces symptômes ne soient des signes avant-coureurs du SIDA : il pense de plus en plus souvent à la mort, se voit définitivement malade, défiguré par le cancer, totalement dépendant de son entourage. Rien ne peut le rassurer : lorsqu'il finit par accepter l'idée qu'un test positif n'est pas forcément synonyme de SIDA, il n'est pas pour autant libéré de ses ruminations axées sur l'idée d'une mort lente et douloureuse. Son généraliste lui suggère d'aller voir un psychiatre.

En décrivant au spécialiste ses symptômes physiques, il évoque son anxiété grandissante et ses actuelles difficultés de concentration au travail. Tout en remettant en cause l'intérêt de son métier, il s'inquiète des répercussions défavorables des soucis professionnels sur son organisme et de leurs conséquences sur son système immunitaire. Il envisage de quitter son emploi pour se retirer dans sa maison de campagne, où, selon lui, la vie serait plus simple.

La semaine précédente, en apprenant que deux de ses amis étaient atteints du SIDA, son anxiété s'est considérablement aggravée. Désormais, il évite de lire tout ce qui, dans les journaux, se rapporte au SIDA, ainsi que toute situation au cours de laquelle il pourrait être amené à en discuter.

Marvin ne se sent bien que lorsque son esprit n'est plus monopolisé par ses problèmes : au cinéma quand le film le captive ou au concert, par exemple. Son appétit et son sommeil ne sont pas altérés, mais il fait souvent le même cauchemar : atteint d'une mystérieuse maladie, il est abandonné à l'hôpital pour y mourir.

Jamais auparavant, Marvin n'avait éprouvé la nécessité d'aller voir un psychiatre : il se sentait heureux, fier de sa réussite professionnelle et satisfait de la relation durable qu'il entretenait avec son partenaire. Il espère que le traitement va contribuer à diminuer son état de tension, afin que, dit-il, son système immunitaire puisse être en mesure de se défendre contre le SIDA.

Discussion

Comme cela est habituel à l'annonce d'une séropositivité, Marvin se met à ruminer des idées angoissantes concernant la mort et la maladie. Mais dans son cas, l'anxiété est d'une telle intensité qu'elle se répercute sur son activité professionnelle.

Les cauchemars et les idées envahissantes de mort et de maladie permettent d'évoquer la possibilité du Trouble : Etat de stress post traumatique s'accompagnant de multiples reviviscences de l'évènement traumatique, dont la nature exacte reste à élucider. En effet, les cauchemars et les pensées auxquels Marvin se trouve confronté, ne se rapportent pas au moment où il a appris qu'il était séropositif HIV, mais aux événements à venir, comme le fait de tomber malade et de mourir. Il ne s'agit donc pas, à proprement parler, de la reviviscence d'un événement traumatique.

Bien que la dépression et l'anxiété soient présentes dans le cas de Marvin, la symptomatologie n'est pas assez fournie pour qu'il soit possible de parler d'une Dépression majeure ou d'un Trouble anxieux (tel que le Trouble : anxiété généralisée). Il ne nous reste donc plus que la catégorie résiduelle du Trouble de l'adaptation avec caractéristiques émotionnelles mixtes. Ce diagnostic doit cependant être révisé au cas où les symptômes persisteraient plus de six mois, pour être remplacé par celui de Trouble anxiété généralisée ou de Trouble dépressif non spécifié.

Chez un sujet dont l'infection HIV a été authentifiée, il conviendra d'éliminer une cause somatique pouvant être à l'origine de symptômes psychiatriques, comme par exemple une tumeur ou un processus infectieux du système nerveux central. Cette distinction n'est pas toujours évidente à faire, soit que la pathologie organique directement imputable au SIDA se manifeste uniquement par des signes psychiatriques, soit que les troubles psychiques coexistent ou se trouvent aggravés par la pathologie organique liée au SIDA. Dans cette observation, il n'y a pas d'argument en faveur d'une organicité des troubles. L'asthénie et la céphalée devront cependant faire l'objet d'une surveillance régulière.

Diagnostic selon le DSM-III-R

Axe I : **309.28 Trouble de l'adaptation avec caractéristiques émotionnelles mixtes (p. 373)**

Réminiscence

Zelda Padlevner, une femme mariée de cinquante-neuf ans, juive orthodoxe, est adressée à un psychiatre pour une expertise dans le but de faire appel à la décision de la commission qui a rejeté précédemment sa demande d'indemnité. Le problème de Zelda remonte à six mois auparavant. Un incendie s'était déclaré dans l'usine où elle était employée en tant que couturière depuis quinze ans. Rapidement circonscrit, le feu ne s'était pas étendu, mais les tissus synthétiques qui avaient brûlé avaient dégagé une odeur extrêmement âcre. Après l'incendie, Zelda se mit à présenter des douleurs abdominales, des nausées et des palpitations. Son médecin craignant qu'il ne s'agisse d'un asthme ou d'un problème cardiaque, la fit hospitaliser dans un service de soins intensifs. Elle en sortit au bout d'une semaine avec un bilan totalement négatif.

Zelda rentra donc chez elle, mais déprimée ; l'idée de quitter son appartement lui était tellement insupportable qu'elle fut incapable de retourner au travail. Ses symptômes persistèrent et s'intensifièrent quand sa demande d'indemnité lui fut refusée, il y a deux mois. Depuis, elle ne sort pas de chez elle et se désintéresse de tout ce qui n'est pas sa cuisine ou son ménage.

Lors de l'entretien psychiatrique, la malade paraît légèrement déprimée ; elle affirme ne pouvoir se résoudre à retourner travailler quelle que soit la décision de la commission d'appel. C'est seulement à la maison qu'elle se sent à l'aise et en sécurité ; elle appréhende les moments où elle doit sortir de chez elle, sans trop pouvoir dire pourquoi. Quand son mari l'accompagne dans les magasins du quartier, elle se sent un peu plus rassurée ; mais si elle doit se rendre dans un autre quartier, pour aller chez le médecin par exemple, elle éprouve un réel malaise, car elle craint que les papillottes et les vêtements juifs de son mari ne lui attirent la malveillance des non-Juifs. Son sommeil est perturbé par des cauchemars à répétition qui lui rappellent son séjour en camp de concentration, quarante ans auparavant. La journée, elle est incapable de fixer son attention sur une quelconque lecture, tellement elle est absorbée par ses souvenirs.

Zelda a toujours été une femme active et efficace. Elle ne fait pas le lien entre ces problèmes et l'événement qui les a précédés et se demande pourquoi elle a l'impression d'être "au bout du rouleau". Sans se considérer particulièrement "heureuse" avant l'incendie, elle s'estimait plutôt "satisfaite" de son existence. Elle s'est toujours demandée quel aurait été son destin s'il n'y avait pas eu la guerre, sans, précise-t-elle, avoir jamais été particulièrement préoccupée par cette idée.

A la demande de son psychiatre, la malade évoque son séjour au camp de concentration d'Auschwitz en 1943, alors qu'elle avait 17 ans. Jeune et robuste, elle avait été sélectionnée par le Dr Mengele, le médecin-bourreau des camps hitlériens, pour faire partie des équipes de travail. Après la sélection, elle avec des centaines d'autres femmes reçut l'ordre de se dévêtir et d'attendre les instructions. Le camp était surpeuplé. Elle fut emmenée dans une pièce sans fenêtre, vide et lugubre. Il y régnait une odeur particulière. Quand on la transféra, quelques heures plus tard, elle découvrit qu'on l'avait gardée provisoirement dans une chambre à gaz. Elle se mit à pleurer dès qu'elle comprit que l'odeur dans l'usine lui avait rappelé celle de la chambre à gaz.

Discussion

Il s'agit d'un exemple d'Etat de stress post-traumatique, dont la survenue est différée. Lors de l'incendie de son usine, Zelda a présenté une reviviscence de son expérience du camp de concentration d'Auschwitz, dont elle n'a pris conscience que lors de l'entretien avec le psychiatre. La raison pour laquelle cet événement, l'incendie, dont la gravité est finalement toute relative, a pu déclencher une réaction aussi intense après de si nombreuses années, est pour nous une énigme.

Les symptômes caractéristiques de l'Etat de stress post-traumatique sont manifestes : le séjour en camp de concentration dépasse largement les limites des événements stressants, auxquels les êtres humains se trouvent généralement confrontés. Zelda revit douloureusement l'événement traumatique à travers ses cauchemars et ses souvenirs ; elle évite les situations qui le lui rappellent (son travail), elle se désinvestit de ses activités habituelles et présente une restriction des affects (elle se sent "au bout du rouleau"), ainsi que des troubles du sommeil et des difficultés de concentration.

Sur l'axe IV de l'évaluation multiaxiale, la sévérité du stress psychosocial est maximale : catastrophique. A noter que la quotation de ce cas est inhabituelle, car le facteur stress de l'axe IV doit normalement s'être produit l'année avant l'évaluation. Il s'agit donc là d'une exception.

Diagnostic selon le DSM-III-R

Axe I :   309.89 **Etat de stress post-traumatique, sévère de type différé, (p. 282)**

Axe II: V71.09 **Absence de diagnostic ou d'affection**

Axe III : **Aucun**

Axe IV :   **Facteurs de stress psychosociaux : incarcération en camp de concentration. Sévérité : 6-extrême (événement aigu)**

Axe V :   **EGF actuel : 45**
           EGF le plus élevé de l'année écoulée : 85

Suivi

Le psychiatre a envoyé ses conclusions à la médecine du travail. Le fonctionnaire qui avait la charge du dossier n'a pas jugé nécessaire de demander une information complémentaire ; il donna son accord pour un dédommagement complet. Zelda est actuellement en traitement depuis six mois. Elle est encore incapable de se rendre à son travail, mais elle est moins déprimée. D'après son psychothérapeute, la malade se trouverait confrontée à l'idée que sa vie se serait arrêtée à l'âge de 17 ans.

Twisted sister[*]

Un jeune garçon de dix-neuf ans, arborant une coupe de cheveux punk et un T-shirt de "Twisted sister", est emmené d'urgence en ambulance dans un hôpital de Baltimore, à minuit. Il est accompagné par un de ses amis, âgé de vingt-trois ans. C'est lui qui a appelé l'ambulance car il a eu peur de voir mourir son compagnon "comme le fameux joueur de basket".

Le patient est agité et agressif, sa respiration est irrégulière et accélérée, le pouls rapide, et les pupilles dilatées. Avec réticence, son ami finit par avouer qu'ils ont, ce soir, pris beaucoup de cocaïne.

Tout en s'occupant du malade, le personnel médical essaye de contacter ses parents. Comme cela arrive souvent lors des admissions dans les hôpitaux situés en pleine ville, le patient n'a aucun papier permettant de l'identifier. Son ami hésite à fournir le moindre renseignement, puis se décide enfin à donner le nom et le numéro de téléphone du patient. La mère, encore à moitié endormie et assez confuse au téléphone, a du mal à comprendre la gravité de la situation et c'est seulement après une longue discussion qu'elle accepte finalement de venir à l'hôpital. S'inquiétant de sa réaction éventuelle, l'hôpital demande à une voiture de police d'aller la chercher.

A son arrivée dans le service, l'état de son fils s'est quelque peu amélioré, bien qu'il sème le trouble dans la salle des urgences par ses gesticulations et ses chansons criées à tue-tête. La mère, plutôt débraillée et sentant l'alcool, semble totalement égarée ; elle est en larmes. Elle parle sans grande cohérence des difficultés qu'elle a avec son fils : il n'obéit pas et ne supporte aucune autorité, refuse de prendre part aux activités de la famille, et cherche violemment la dispute quand on lui reproche ses sorties à n'importe quelle heure de la nuit. Elle ajoute qu'il a déjà été arrêté deux fois pour vol à l'étalage et une fois pour avoir conduit en état d'ébriété, et qu'il passe le plus clair de son temps avec une bande de jeunes plus âgés que lui. "Ils font souvent des courses de voiture et traînent dans les rues."

---

[*] Nom d'un groupe rock américain signifiant : "soeur perverse" (n.t.d.)

Divorcée depuis environ quinze ans, la mère admet que sans figure paternelle stable à la maison, elle a de la peine à discipliner son fils. Elle pense qu'il se drogue car elle l'a entendu en parler à ses amis, mais elle n'en a pas la preuve directe. Pour elle, son fils n'est pas un mauvais garçon, il fait même d'assez bonnes études et il est un des meilleurs de l'équipe de basket. (En réalité, il a réussi à faire croire à sa mère peu méfiante, qu'il est un bon élève et un excellent joueur de basket, alors qu'il n'a jamais terminé ses études à l'université, obtenu que des mentions "passable" ou "insuffisant", et qu'il ne fait parti d'aucune équipe de basket). Quand on l'interroge sur son propre comportement face à l'alcool, la mère se met sur la défensive pour dire qu'elle ne boit qu'occasionnellement et en petites quantités.

Vingt-quatre heures après son admission, le patient, physiquement rétabli, parle volontiers. Il rapporte, presque en se vantant, qu'il prend régulièrement depuis l'âge de treize ans diverses drogues. Au départ, sa consommation se limitait à l'alcool et à la marijuana. Il pouvait alors très facilement se procurer de l'alcool chez lui et obtenir de la marijuana dans le quartier. Une fois à l'université, il s'est mis à fréquenter des étudiants plus âgés que lui et plus dépendants que lui de la drogue. Le choix de la drogue, douce ou dure, était essentiellement fonction de son prix et de la facilité avec laquelle il pouvait s'en procurer. A l'âge de dix-sept ans, il utilisait régulièrement et indistinctement divers mélanges d'alcool, de marijuana, d'amphétamines et de cocaïne. Puis, après environ un an, son choix s'est plutôt fixé sur la cocaïne.

Il raconte qu'à plusieurs reprises, il lui est arrivé de boire dans la journée une caisse entière de bière additionnée d'autres drogues, en compagnie de ses amis ("Il me faut beaucoup boire avant de ressentir quelque chose - nous nous surnommons "le club des Ogres"). Ces orgies de drogue se finissent généralement par un jeu dangereux, au cours duquel les participants s'engagent dans une course de voiture sur des routes de traverse, en sens interdit, jusqu'à ce qu'il y en ait un qui "se dégonfle" et évite un véhicule qui arrive en face. Pendant ces périodes d'intense consommation de drogue, il sèche généralement les cours ; et quand il recommence à y aller, il continue à se droguer. Il se procure l'argent nécessaire à l'achat de la drogue en empruntant sans jamais rembourser à des amis, en dérobant des appareils de radio dans le parking de l'université ou encore en volant de façon flagrante de l'argent à sa mère. Il justifie sa conduite en se comparant à Robin des Bois : "De toute façon, je prends à ceux qui ont de l'argent".

Bien qu'il admette être trés dépendant de la drogue, il refuse de considérer cela comme un réel problème. En réponse à une question sur sa capacité à contrôler sa consommation de drogue, il rétorque avec hostilité : "Bien sûr que je le peux. Pas de problème, seulement je ne vois aucune raison de m'arrêter".

Très nerveux et instable, il décide subitement que l'entretien est terminé, avant même que son interlocuteur ait pu lui poser d'autres questions concernant un éventuel traitement. Il se met alors à déambuler dans l'hôpital, à la recherche d' une cigarette.

Discussion

Lors de son admission à l'hôpital, ce jeune homme présente un état d'Intoxication aiguë à la cocaïne : agité, logorrhéique, son pouls est rapide, ses pupilles dilatées. Sa récente intoxication à la cocaïne, selon ce qu'il nous a été possible de savoir, est à l'origine de ses difficultés actuelles : il vole et dissimule la vérité à sa mère. Nous suspectons la présence d'autres symptômes de perte de contrôle de l'usage de la cocaïne, qui permettraient de porter le diagnostic de Dépendance à la cocaïne ; dans le doute, nous enregistrons celui d'Abus de cocaïne.

Plus jeune, le patient a consommé sans discrimination de nombreuses drogues : il était alors ce que l'on a coutume d'appeler un polytoxicomane. A cette époque, il passait son temps à chercher à se procurer de la drogue ; il augmentait par la prise de toxique les risques auxquels l'exposait son comportement suicidaire ("course de voiture") ; il faisait l'école buissonnière pour prendre de la drogue. On retiendra donc le diagnostic rétroactif de Dépendance à plusieurs substances car il existe une perte de contrôle de l'usage du toxique, ainsi qu'une polyintoxication, sans aucune discrimination.

En dehors des problèmes de toxicomanie, ce jeune patient présente un authentique comportement antisocial, s'accompagnant d'une attitude de transgression et de rebellion contre l'autorité, dont la dépendance aux drogues ne suffit pas à rendre compte. Il remplit en effet un certain nombre de critères correspondant au Trouble de la personnalité antisociale, tels que l'absentéisme scolaire, l'instabilité au travail, l'incapacité à se conformer aux règles sociales établies, le manquement à l'obligation de payer ses dettes, le non respect de la vérité. Sans pour autant pouvoir affirmer à quel âge il a commencé à mentir, voler, manquer la classe, nous suspectons que ce comportement était déja présent avant l'age de 15 ans. Nous retiendrons donc également le diagnostic provisoire de Trouble de la Personnalité antisociale.

Diagnostic selon le DSM-III-R

Axe I : 305.60 Intoxication à la Cocaïne (p. 159)
        305.60 Abus de Cocaïne (p. 200)
        301.70 Trouble de la Personnalité antisociale (provisoire) (p. 388)
        304.90 Dépendance à plusieurs substances (rétrospectif)(p.209)

Mon fan club

Lors d'une consultation de routine, Nick, un jeune homme noir célibataire de vingt-cinq ans, se met à pleurer d'une façon inattendue. Entre deux sanglots, il avoue se sentir très déprimé et repense à une tentative de suicide qu'il a faite, adolescent. Son médecin l'adresse à un psychiatre.

Nick est grand, musclé et bel homme. Il est vêtu avec soin d'un costume blanc et porte une rose au revers de sa veste. Entré dans le cabinet du psychiatre, il prend une pose théâtrale et s'exclame : "Les roses ne sont-elles pas merveilleuses en cette saison de l'année ?". Quand on lui demande pourquoi il est venu, il répond en riant que c'est pour rassurer son médecin de famille qui, dit-il, "semble se faire du souci pour moi". Et aussi parce qu'il vient de lire un livre sur la psychothérapie : il espère qu'il existe quelqu'un qui puisse le comprendre. "Je serai un patient absolument extraordinaire !". Il prend alors le contrôle de la discussion et commence à parler de lui après avoir fait remarquer, en plaisantant à demi : "j'espérais que vous seriez aussi séduisant que mon médecin de famille !"

Nick sort de son attache-case une série de coupures de presse, son curriculum vitae, des photos de lui, dont certaines en compagnie de personnalités et une photocopie d'un billet d'un dollar avec son visage à la place de celui de George Washington. Preuves à l'appui, il se lance alors dans son histoire.

Durant ces dernières années, il a "découvert" quelques nouveaux acteurs de théâtre, dont un qu'il décrit ainsi : "une jeune idole au physique parfait". Il s'était proposé de s'occuper de sa promotion publicitaire et il avait même posé en tenue de bain dans une scène imitant son film vedette. Prenant la voix de l'acteur, d'abord en riant puis sérieusement, Nick explique qu'ils ont la même histoire. Tous deux ont été rejetés par leurs parents et par leurs semblables, mais ils ont finalement réussi à surmonter leurs problèmes pour devenir célèbres. Quand l'acteur avait séjourné dans sa ville, Nick avait loué une limousine. Lors du gala, il avait fait croire "pour plaisanter" que c'était lui la star. L'agent de l'acteur lui avait alors exprimé son mécontentement, ce qui l'avait rendu furieux. Une fois calmé, il s'était dit : "je perds mon temps à faire la promotion des autres ; c'est le moment pour moi de faire ma propre publicité". " Un jour, dit-il en montrant la photo de l'acteur, il me suppliera de lui accorder la présidence de mon fan club."

Nick a déjà eu une expérience d'acteur professionnel, mais il est certain que le succès est "une affaire de temps". En exhibant les textes publicitaires qu'il a lui-même écrit, il se met à dire : "Je devrais écrire des lettres à Dieu, il les adorerait !" Lorsque le psychiatre s'étonne de ce que quelques textes soient signés d'un nom différent de celui qu'il a donné à la secrétaire, Nick présente un document légal expliquant le changement de nom. Il a abandonné son nom de famille et permuté son premier et son second prénom.

Quand on l'interroge sur sa vie sentimentale, Nick explique qu'il est seul car il reproche aux autres hommes leur "superficialité". Il montre alors une coupure de presse sur laquelle il a mis son nom et celui de son ex-amant, à la place de ceux dont il est dit dans le titre : "Leur liaison est terminée". Plus récemment, il a rencontré et aimé un homme qui avait le même nom que lui ; mais après avoir perdu ses illusions à son égard, il a fini par trouver qu'il était laid. Il était même gêné de le voir habillé avec aussi peu de goût. Nick possède plus d'une centaine de cravates et environ trente costumes, il est très fier de consacrer autant d'argent pour "être très bien habillé". Il n'a maintenant plus aucune relation avec les autres homosexuels ; car pour lui, il n'y a que le sexe qui les intéresse. Quant aux hommes hétérosexuels, "ils manquent de finesse et ils n'ont pas de sens esthétique". Les seules personnes qui l'aient compris sont des hommes plus âgés qui, comme lui, ont souffert. "Un jour, les gens heureux, insouciants, qui m'ont ignoré, devront faire la queue pour voir mes films".

Le père de Nick ne cessait de le critiquer ; alcoolique souvent absent, il avait de nombreuses liaisons amoureuses. Sa mère quant à elle était comme une "amie". Constamment déprimée à cause de son mari, elle s'était tournée vers son fils : jusqu'à ce qu'il ait dix-huit ans, elle continuait à l'embrasser pour lui souhaiter une bonne nuit. Puis lorsqu'elle eut à son tour une liaison, Nick se sentit abandonné au point de faire une tentative de suicide. Pendant son enfance, il a souffert d'être montré du doigt par ses camarades qui le trouvaient bizarre. Il n'a commencé à prendre un peu plus d'assurance que lorsqu'il s'est mis à faire du body-building.

A la fin de l'entrevue, il lui est proposé de voir un clinicien expérimenté attaché à la clinique, qui ne demande que des honoraires minimum (dix dollars) en rapport avec ses moyens. Il demande alors à être soigné gratuitement, car, dit-il, le thérapeute "en tirerait autant de bénéfice" que lui.

Discussion

Ce qui nous frappe dans le cas de Nick, c'est sa mégalomanie que rien ne semble limiter et ses idées de succès totalement irréalistes. Et pourtant cette inébranlable confiance en soi fait place à la colère et à la mauvaise humeur face à toute critique. Il semble persuadé être tellement hors du commun qu'il mérite des égards particuliers. Envieux des stars qu'il imite, il a constamment besoin d'être pris en considération, admiré, et sans doute est-il incapable de prêter attention aux autres ou de se mettre à leur place (manque d'empathie). Ceux qui lui sont utiles, Nick les adule et les courtise ; lorsqu'ils ne le sont plus, son comportement change du jour au lendemain ; il se met alors à les juger et à les critiquer froidement.

Si la mégalomanie et l'hypersensibilité aux jugements des autres nous permettent d'affirmer le diagnostic de Trouble de la Personnalité narcissique, il est possible de poser un deuxième diagnostic : celui de Trouble de la Personnalité histrionique. Préoccupé à l'excès par son apparence, inconstant et superficiel, Nick exprime ses affects de façon exagérée ; il n'est à l'aise que lorsqu'il recueille la sollicitude générale.

D'autre part, Nick semble très mal supporter la frustration et l'attente de la gratification ; un certain nombre d'éléments de l'observation témoignent de l'existence d'une instabilité de l'humeur, des relations interpersonnelles et de l'image de soi, et permettent ainsi d'évoquer le diagnostic de Trouble de la Personnalité limite. Cependant les symptômes ne sont pas assez nombreux pour que l'on puisse retrouver l'ensemble des critères nécessaires au diagnostic.

Diagnostic selon le DSM-III-R

Axe I : V71.09 Absence de diagnostic ou d'affection
Axe II : 301.81 Trouble de la Personnalité narcissique (p. 395)
301.81 Trouble de la Personnalité histrionique
(provisoire) (p. 393)

*Pas de blague**

Une femme entend une voix masculine appeler au secours à travers la porte d'un appartement. Elle s'approche puis demande si elle peut se rendre utile :

"Oui, défoncez la porte !"

"C'est une plaisanterie !"

"Non".

Elle revient en compagnie de ses deux fils, qui défoncent la porte. Ils trouvent un homme allongé sur le sol, ses mains attachées derrière lui et liées aux chevilles, jambes repliées. Visiblement dans un état critique, manquant d'air et en sueur, les mains presque bleues, il a déféqué et uriné dans son pantalon ; il est immédiatement détaché et libéré.

---

* Extrait de Dietz, P.E., Brugess, A.W. and Hazelwood, R.R. autoerotic asphyxia, the paraphilias, and mental disorder, pp. 83-85 In : Hazelwood, R.R, Dietz, P.E., and Burgess, A.W. : autoerotic Fatalities. Lexington, M.A. Lexington Books, 1983

Dès leur arrivée, les policiers l'interrogent. Il explique alors qu'il était rentré chez lui dans l'après-midi puis s'était endormi sur son lit pour se réveiller une heure plus tard, attaché, sans aucune possibilité de se libérer. Selon lui, il n'y avait personne parmi ses amis qui soit capable d'une telle farce. Quant à la corde, il expliqua qu'il en avait un sac plein dans sa chambre, en prévision d'un futur déménagement. Et effectivement, à côté de son lit, se trouvait un sac tout déchiré contenant de nombreuses cordes, de différentes longueurs, ainsi qu'un couteau de cuisine.

Dans leur rapport, les policiers qui avaient remarqué que l'appartement avait été fermé de l'intérieur, firent la remarque suivante : "il pourrait s'agir d'un acte témoignant d'une déviation sexuelle". Et effectivement, dès le lendemain, l'homme avoua qu'il s'était attaché lui-même.

Un mois plus tard, la police fut rappelée chez lui. Un entrepreneur l'avait découvert face contre terre, dans son appartement. Un sac de papier recouvrait son visage. Quand les policiers arrivèrent, le patient, une étoffe de satin dans la bouche, respirait difficilement. Une corde passée autour de sa tête et sa bouche entourait sa poitrine et sa taille. Plusieurs longueurs de corde parcouraient son dos jusqu'à l'entre-jambe ; sur ses chevilles, on pouvait voir de profondes marques. Le manche d'un balai bloquait ses coudes derrière son dos. Une fois libéré, le patient expliqua : "En faisant des exercices d'isométrie, je me suis pris dans la corde".

La police interrogea son employeur, qui conseilla à cet homme de se faire soigner. Le patient accepta de voir un psychiatre privé, et dit à son patron que ce déplorable incident n'avait jamais eu de précédent et ne se reproduirait plus.

Deux ans passèrent et notre malade changea d'emploi. Un lundi matin, alors qu'il n'était pas allé à son travail, un de ses collègues le trouva mort dans son appartement.

Au cours de son enquête, la police put reconstituer les derniers moments de sa vie. Le vendredi, il s'était attaché de la façon suivante : assis sur son lit, après avoir croisé ses chevilles, la gauche sur la droite, il les avait liées l'une à l'autre avec de la ficelle. Puis, nouant une cravate autour de son cou, il l'avait attachée avec une tringle d'environ deux mètres, placée derrière son dos. Avec la tringle - dont l'extrémité supérieure se trouvait contre son épaule gauche - le long de son flanc gauche, il avait mis ses mains derrière ses jambes repliées et avait attaché ensuite ses poignets avec une corde, en leur laissant dix centimètres d'intervalle. Il avait lié alors la corde qui entourait ses poignets à la tringle et à un cable électrique qu'il avait placé autour de sa taille. Ainsi ligoté, il s'était allongé sur son lit, sur le dos, et avait étendu les jambes. Mais faisant ainsi pression sur la tringle liée à sa cravate, il s'était étranglé. Il aurait pu s'en sortir en roulant sur le côté et en repliant ses jambes, mais comme l'extrémité supérieure de la tringle appuyait contre le mur, il fut bloqué sur place.

Discussion

Au risque de sa vie, cet homme s'est excité sexuellement en se privant d'oxygène, alors qu'il se masturbait. Ce comportement pour le moins inhabituel correspond à la définition de la Paraphilie : Trouble sexuel qui se caractérise par une excitation répondant à des stimulations étrangères aux modèles normatifs et qui est susceptible, à des degrés divers, d'interférer avec la capacité du sujet à avoir une activité sexuelle empreinte d'affection et de réciprocité.

Ce cas de Paraphilie, l'Hypoxyphilie (hypoxy = manque d'oxygène), n'est pas assez fréquent pour figurer parmi les Paraphilies spécifiques du DSM-III-R, il doit donc être rangé dans les Paraphilies non spécifiées. Nous l'avons sélectionné, car il est rare d'en avoir une observation psychiatrique avant le décès. Lorsque ces patients viennent consulter, c'est plutôt pour une dépression, ils ne parlent jamais spontanément de leurs pratiques sexuelles, à moins que le thérapeute ne prenne un soin particulier à étudier de près leurs antécédents sexuels. Les Paraphilies les plus fréquentes sont le Masochisme sexuel et le Transvestisme fétichiste.

500 à 1000 personnes, selon les estimations, meurent chaque années aux Etats Unis par asphyxie auto-érotique ; ce sont à 90% des hommes. Les décès surviennent généralement chez les personnes âgées de vingt à trente ans, mais l'éventail est large : de l'adolescence à la soixantaine. La mort mise à part, la complication la plus fréquente de l'Hypoxyphilie est constituée par les lésions cérébrales par anoxie.

Diagnostic selon le DSM-III-R

Axe I : 302.90   Paraphilie non spécifiée, sévère (Hypoxyphilie)
        (p. 326)

Le radiologue

Un radiologue de trente-huit ans vient consulter après un séjour de dix jours dans un centre de diagnostic réputé. Il y avait été envoyé par son gastro-entérologue après, dit-il, "avoir été au bout de mes possibilités d'examen". Là-bas ont été pratiqués un examen technique et biologique, ainsi que des radioscopies de tout l'appareil gastro-intestinal : oesophage, intestin et colon. Quand on lui apprend que tous les résultats des examens sont négatifs, au lieu d'être soulagé, il est irrité et déçu. L'entretien avec le psychiatre de ce centre a été bref et rien de particulier ne mérite d'être mentionné, du fait que le malade est resté à un niveau superficiel.

Lors de la présente évaluation, le patient décrit des élancements douloureux au niveau de l'abdomen, une sensation d'avoir le ventre gargouillant, gonflé et lourd en particulier au niveau du quart inférieur gauche. Au cours des mois précédents, ces symptômes l'avaient progressivement inquiété, au point d'être persuadé qu'il devait s'agir d'un cancer du côlon. Il s'était alors mis à examiner ses selles et tous les deux ou trois jours, passait une vingtaine de minutes à palper avec précaution son abdomen, allongé sur son lit. Sans rien dire à personne, dans son propre cabinet, il avait pris lui-même des clichés de son appareil intestinal.

En dépit de sa réussite professionnelle et d'une bonne clientèle, le patient passe une bonne partie de son temps de loisir seul dans son lit. Sa femme, monitrice d'une école d'infirmières du quartier, ne le supporte pas. "C'est ne pas profiter des fruits de tout le travail que nous avons fait pour arriver". Même si elle et son mari ont des valeurs communes et qu'ils s'aiment sincèrement, le comportement du patient crée un véritable état de tension dans leur couple.

Quand il avait treize ans, un examen médical pratiqué à l'école, avait mis en évidence un souffle cardiaque. Comme un de ses frères était mort en bas âge d'une cardiopathie congénitale, il fut dispensé des cours de gymnastique en attendant le résultat des autres examens, qui d'ailleurs objectivèrent la nature bénigne du trouble ; pourtant, le patient s'inquiéta, que l'on pouvait avoir "oublié quelque chose" lors des examens en prenant pour preuve les moments où "son coeur manquait un battement". Cette crainte, il la garda pour lui-même et elle ne le quitta jamais totalement.

En seconde année de médecine, il fut soulagé de pouvoir faire part de ses soucis de santé à ses camarades de faculté qui s'imaginaient avoir les maladies dont on parlait en cours. Il se rendit compte, cependant , qu'il était bien plus soucieux de sa santé qu'ils ne l'étaient. Après sa sortie de l'école de médecine, il remarquait un symptôme particulier et commençait par s'inquiéter de sa signification jusqu'à ce que la négativité des examens finissent par le rassurer. De temps en temps, revenait un de ces anciens troubles, mais il était gêné de continuer à se faire suivre par un des médecins qu'il connaissait : ainsi la fois où il s'était découvert un naevus "suspect", il ne s'était pas écoulé une semaine, après qu'il ait réussi à convaincre un dermatologue de lui faire une biopsie pour un autre naevus qui était en réalité absolument bénin.

Le malade raconte son histoire d'un ton authentiquement découragé. La seule note de joie et d'enthousiasme correspond au récit détaillé de la découverte d'une anomalie uréthrale, réelle même si cliniquement insignifiante, qu'il a faite grâce à une urographie intraveineuse qu'il a lui-même pratiquée. Vers la fin de l'entretien, il explique qu'il s'est décidé à consulter un psychiatre après que son fils de neuf ans, qui était soudainement entré dans sa chambre alors qu'il se palpait l'abdomen pour localiser sa douleur, lui demanda : "Qu'est-ce que tu penses que c'est, cette fois, papa" ? En évoquant sa honte et sa colère surtout contre lui-même, ses yeux se remplissent de larmes.

Discussion

Les symptômes présentés par ce médecin sont manifestement fonctionnels. Les plaintes somatiques sans organicité peuvent se rencontrer au cours de troubles psychotiques comme une Schizophrénie ou une Dépression majeure avec traits psychotiques. Dans le cas qui nous intéresse, on ne retrouve aucun élément évocateur d'un processus psychotique. Il peut donc s'agir d'un Trouble somatoforme, trouble mental s'accompagnant de symptômes physiques évoquant une affection organique, dont l'origine psychologique est soit démontrée, soit hautement probable.

Dans le Trouble : Somatisation, la symptomatologie somatique est polymorphe ; elle concerne habituellement plusieurs appareils. Or dans le cas qui nous concerne, la symptomatologie est extrêmement pauvre. De plus, dans le Trouble : Somatisation, la préoccupation concerne généralement les symptômes eux-mêmes, alors qu'il s'agit ici de la peur d'avoir une maladie grave causée par une interprétation erronée de signes physiques ou de sensations. La persistance de cette peur illégitime pendant plus de six mois, alors que le patient devrait normalement être rassuré sur la plan médical, signe une Hypocondrie.

Diagnostic selon le DSM-III-R

Axe I :   300.70   Hypocondrie moyenne (p. 294)

Docteur Jekyll et Madame Hyde

Brenda Wilkens, âgée de 28 ans veut absolument se faire hospitaliser : "Je ne sais pas quoi faire d'autre. Je crains d'être dangereuse pour mes enfants ou pour moi-même. La vie n'a aucun intérêt pour moi. Je suis sur le point d'en finir, à moins que je ne devienne folle. Il m'arrive d'en vouloir au monde entier sans aucune raison et je n'arrête alors pas de faire des reproches à mon mari. La minute suivante, je me sens coupable, pitoyable et je me mets à pleurer sans pouvoir m'arrêter. Je suis constamment fatiguée et pourtant, au fond de moi-même, je sens que tout s'emballe. Je ne peux pas me concentrer : pour boucler un rapport de vingt minutes, il me faut une heure ! Je voudrais bien ne pas toujours être après tout le monde. Je n'arrive pas à dormir, ni à manger correctement et j'ai mal partout."

Madame Wilkens explique qu'elle est dans cet état depuis une semaine et demie. Durant les six derniers mois, elle a déjà fait cinq épisodes analogues qui, chaque fois, se sont arrêtés brusquement. Tout à commencé l'année qui a suivi la naissance de leur deuxième enfant, il y a quatre ans.

La patiente est mère de deux enfants ; elle poursuit des études qui l'occupent la moitié de son temps. Elle n'a pas d'autre sujet de préoccupation actuellement avec ses examens qui, cette semaine en particulier, lui causent du souci. Quelques mois après la naissance de son premier enfant, elle aurait fait une grave dépression. Pendant environ six mois, elle était incapable de se lever le matin pour s'occuper de son enfant. Les épisodes pathologiques actuels paraissent différents de cette dépression de six mois, car la malade est plus coléreuse et irritable et s'emporte contre ses enfants ou son mari. Elle pense divorcer et abandonner ses études, elle a également le sentiment que les gens s'évertuent à lui mettre des bâtons dans les roues. Ces périodes critiques surviennent régulièrement et sans signe avant-coureur. Elle a alors l'impression d'être totalement une autre personne, comme "Docteur Jekyll et Madame Hyde". Quelquefois, elle se sent tellement mal qu'elle pense à se tuer ; jusqu'à présent elle ne s'est jamais blessée. Puis, sans autre raison, la crise prend fin et elle se sent redevenir celle qu'elle était auparavant.

La patiente se dit qu'elle est en bonne condition physique. Elle n'abuse pas de l'alcool et ne se drogue pas, même si elle a tendance à boire davantage durant ses crises afin, dit-elle, de "calmer mes nerfs". Selon elle, ces épisodes pathologiques ne sont pas sans rapport avec son cycle menstruel ; elle pense également qu'elles ont tendance à s'aggraver avec l'âge. De plus, elle craint de devenir invalide comme sa mère qui a fait des états dépressifs sévères et prolongés. On lui a dit : "Tout ça, c'est dans ta tête" et "Il faut seulement que tu te reprennes en main", mais elle sent bien qu'elle ne peut rien contre sa maladie. Et c'est pour cela qu'elle vient demander de l'aide, car dit-elle, "cela ruine mon existence".

Madame Wilkens a été admise à l'hôpital. Le troisième jour, elle rapporte combien elle se sent calme et à nouveau vraiment "elle-même". La rémission de ses symptômes correspond au début de ses règles.

Discussion

La description des difficultés actuelles de Madame Wilkens n'est pas sans évoquer le diagnostic d'un épisode de Dépression majeure. La malade a une humeur dépressive, elle se sent fatiguée, coupable, indigne. Elle est incapable de se concentrer et manifeste des idées suicidaires. Cependant, le fait que ces épisodes dysphoriques se produisent invariablement à la fin de la deuxième partie du cycle, pour disparaitre lors du déclenchement des règles, les particularités de la symptomatologie à type d'irritabilité et de labilité affective, sont plutôt en faveur du diagnostic (non officiel) de Trouble dysphorique de la fin de la deuxième partie du cycle. Pour être sûr du diagnostic, il serait bon de demander à la malade de noter au jour le jour son humeur et son comportement pendant au moins deux cycles menstruels.

Diagnostic selon le DSM-III-R

Axe I :   300.90 Trouble de l'adaptation non spécifié (Trouble dysphorique de la deuxième partie du cycle, provisoire) (p. 374)

Prescription : la Floride

Au cours de l'hiver 1982, John Redland, médecin de quarante-deux ans, marié, deux enfants, a participé à un protocole de traitement de la dépression au *National Institute of Mental Health*. Il se plaint d'avoir rechuté depuis quelques semaines. Selon lui, sa première dépression remonte à l'âge de vingt-et un ans, époque où il dut quitter la Floride où il avait vécu jusqu'alors, pour habiter dans la zone métropolitaine de Washington. Pendant les quatre hivers qui ont suivi, il fit régulièrement des états dépressifs, pendant ses premières années d'université et sa première année de médecine. Lors d'une de ses hospitalisations, on lui aurait dit qu'à cause de ses dépressions à répétition, il ne pourrait probablement jamais atteindre le but qu'il s'était fixé : être médecin. L'année suivante, après avoir arrêté sa médecine, il fut à nouveau hospitalisé toujours pour une dépression et décida d'entreprendre une psychothérapie. L'état dépressif connut une rémission au printemps, puis disparut pendant plusieurs années. Cela lui permit d'achever ses années d'école de médecine, ainsi que son internat. Mais, les dépressions réapparuent régulièrement au cours des neuf ans qui précédèrent le programme de traitement du *N.I.M.H.*

John se rend bien compte maintenant que toutes ces périodes de dépression suivent le même schéma. Elles débutent vers le premier décembre (mais jamais au-delà de trois semaines avant ou après) et disparaissent vers le mois d'avril. Généralement, le début de la crise est progressif, mais il peut tout aussi bien être brutal et semble coïncider alors avec des évènements extérieurs défavorables.

Quand il est déprimé, John est apragmatique, apathique, irritable et pessimiste. C'est le matin qu'il est de plus mauvaise humeur, lorsque la nuit ne lui a pas apporté le sommeil. Il éprouve alors le besoin d'ingérer des hydrates de carbone (pain, gâteaux, biscuits) qui le font grossir. Il a en effet remarqué que ses vêtements d'hiver ont deux tailles de plus que ceux de l'été. Un hiver, il se rappelle s'être bien mieux senti lors d'un séjour aux Bermudes : dès les premiers jours de son arrivée, son humeur s'était améliorée. Par contre, peu de temps après être rentré dans le Nord, il avait resombré dans la dépression. Il lui revient aussi en mémoire un hiver particulièrement difficile à Syracuse Etat de New York où il travaillait. Ces associations entre le temps qu'il fait, la latitude et son moral lui font se demander si le climat ne pourrait pas effectivement avoir une influence sur ses changements d'humeur.

John a suivi pendant plusieurs années une psychothérapie en même temps qu'il prenait un antidépresseur tricyclique, le Pertofran à raison de 175 mg jour. Il estime que ce traitement lui était très "bénéfique".

Discussion

Il est manifeste qu'il s'agit là d'un cas de Dépression majeure récurrente. John a déjà présenté de nombreux épisodes dépressifs s'accompagnant d'une insomnie, d'une augmentation de l'appétit avec prise de poids, d'une diminution de l'élan vital et d'un désinvestissement pour les activités habituelles. Pour cette nouvelle rechute dépressive, et contrairement aux états dépressifs antérieurs, le degré de sévérité est modéré.

Les épisodes dépressifs de John ont la particularité de ne survenir qu'en hiver et de disparaître l'été. De tels troubles dépressifs récurrents se caractérisant par une période de survenue et d'arrêt régulière, sont qualifiés de "Troubles thymiques saisonniers". Le cas de John en est un exemple typique : la dépression commence en automne ou en hiver et se termine en été. Les dépressions ou les états maniaques récurrents peuvent commencer en été et se terminer en automne ou en hiver, mais cela est plus rare. Dans le DSM-III-R, le Trouble affectif saisonnier est indiqué par la spécification : "caractère saisonnier".

La prise de poids de John et sa prédilection pour les hydrates de carbone sont tout à fait typiques de cette affection. Par d'autres aspects, son cas est plus atypique car les patients présentant ce type de trouble sont en majorité des femmes qui se plaignent plus souvent de trop dormir (hypersomnie) que de ne pas dormir assez (insomnie).

Diagnostic selon le DSM-III-R

Axe I :   296.31 Dépression majeure récurrente (modérée), de caractère saisonnier (p. 259)

Suivi

Lorsque John est entré dans le protocole de traitement du NIMH, le Pertofran a été conservé, et on a commencé un traitement d'exposition à la lumière de trois heures deux fois par jour, matin et après-midi, selon une intensité de 2.500 lux pour un spectre non réduit. Pendant les séances d'exposition, le patient était à trois mètres d'un support métallique de deux mètres sur quatre, sur lequel étaient fixés six tubes de néon de 40 watt; pendant quelques secondes, toutes les une à deux minutes, il devait ouvrir les yeux et regarder les lumières. Au bout d'une semaine de traitement, John était beaucoup moins déprimé ; le score de l'échelle de la dépression de Hamilton est passé de 21 à 8.

Après le traitement d'attaque, le Pertofran a été augmenté jusqu'à 250 mg par jour et la séance d'exposition à la lumière du soir a été maintenue. Il n'y a pas eu de rechute, alors que le patient a laissé tomber sa psychothérapie. Chaque hiver, John a continué son traitement d'entretien, et cela fait quatre ans qu'il se porte bien.

Comme beaucoup d'autres patients présentant un Trouble thymique saisonnier, John n'a pas besoin, l'été, de prendre de trop fortes doses d'antidépresseur et il se passe alors très bien de son traitement par l'exposition. En hiver, par contre, il ne peut pas se soustraire à l'exposition pendant plus de quelques jours sans présenter à nouveau une symptomatologie dépressive.

Sam Schaefer

Un tribunal demande une expertise psychiatrique pour un jeune homme de vingt et un ans arrêté lors d'un vol et dont l'avocat a mis en doute sa capacité à passer en jugement. Au cours d'un entretien approfondi de deux heures et demie, le patient reconnaît avoir eu de fréquents démêlés avec la justice depuis l'âge de onze ans et avoir été incarcéré dans différentes institutions, pour divers délits dont il ne souhaite pas reparler.

Pendant l'entretien, il parait calme et regarde son interlocuteur droit dans les yeux. Affalé sur sa chaise, il donne cependant l'impression de savoir se maîriser. Ses idées s'enchaînent logiquement et de façon spontanée, même lorsqu'il parle de ses nombreuses difficultés intellectuelles. On a le sentiment qu'il réfléchit soigneusement avant de répondre et que sa réticence à parler des symptômes évocateurs d'une psychose n'est que simulée ; en fait, il prend apparemment du plaisir à élaborer les détails d'expériences présumées psychotiques.

Il prétend avoir parfois des précognitions : il sait, par exemple, ce qui va lui être servi à la prison pour le déjeuner et il est persuadé que les autres peuvent entendre ses pensées comme si elles étaient diffusées à la radio. Il dit ne pas utiliser de narcotiques parce que Jeane Dixon qui, selon lui, contrôle ses pensées, estime qu'ils peuvent être dangereux. Il affirme également avoir eu une vision du Général Lee dans sa cellule et que c'est parce qu'il est en mission qu'il est souvent incarcéré ; mais la police locale ne doit pas savoir qu'il est un agent, "Sam Schaefer" étant son "nom de code". Selon lui, les communistes vont prendre le dessus et supprimeront tous ceux qui tenteront de défendre le pays. Malgré la nature nettement psychotique de ces pensées, le patient ne semble pas réellement y adhérer ; on dirait qu'au lieu de rapporter de réelles expériences et convictions, il ne fait que réciter une liste d'extravagances.

Interrogé sur les procédures d'un jugement, il répond que le jury était constitué de huit ou dix amis. Il pense également que le juge allait lui réclamer de l'argent pour décider de la procédure. Il dit au procureur qu'il a pour rôle de faire ressortir toutes les fautes de l'inculpé et de convaincre le jury qu'il ne vaut rien alors que l'avocat de la défense est chargé de souligner ses bonnes actions, et il ajoute ne pas comprendre pourquoi le juge ne coopèrerait pas avec l'avocat. Quand on lui demande la date, il répond le vingt-huit juin 1970 ou 1985. Après s'être rendu compte de l'incohérence de sa réponse, il dit qu'on doit être en 1978, puisqu'il a vingt ans et qu'il est né en 1958. Il croit être dans un centre de contrôle communiste à Austin, au Texas. Il rapporte aussi qu'il a eu sa Maîtrise à l'université en 1976. Quand on lui demande de soustraire plusieurs fois 7 à partir du chiffre 100, ses réponses sont 88, 76. Pour ce qui est des additions, il donne comme résultats : 4+6 = 10, 4+3 = 7, 4+8 = 14. Lorsqu'on lui demande de se souvenir du nom des Présidents des Etats-Unis, il mentionne Ford et dit qu'Agnew a été président avant lui.

Concernant le tapis de la pièce, il répond qu'il est orange alors qu'il est rouge. Il considère que sa chemise à rayures bleues et blanches est uniquement blanche. Alors qu'on lui fait passer un test de dépistage de l'aphasie, il copie un carré fidèlement, mais il en arrondit les angles ; il reproduit une croix comme un "i" majuscule. Il est incapable de reconnaître une horloge dont on lui présente l'image. Bien qu'il sache que cet objet lui est familier, il désigne la fourchette par le mot "fourche".

Lorsqu'on lui demande s'il est capable de passer en jugement, il répond par l'affirmative en ajoutant qu'il n'a aucun problème sur le plan mental. Mais dès que le psychiatre lui dit qu'il est d'accord avec lui, il se met à réfléchir quelques instants puis, subitement, il se met en colère pour dire qu'il est incapable de passer en jugement. Il ne lui pas possible de coopérer avec son avocat en raison de ses fréquentes pertes de mémoire.

Discussion

Cet homme, qui a des problèmes avec la justice, semble penser que le meilleur moyen pour lui d'éviter les poursuites est de prouver qu'il est fou et donc inapte à être jugé. Ainsi, il prétend croire un certain nombre de choses bizarres et donne des réponses qui peuvent faire penser à une altération importante de ses fonctions cognitives. Mais les réponses qu'il donne ne cadrent pas avec un tableau de désorganisation de ses facultés logiques.

On remarque, également, que quelques unes de ses réponses aux questions faisant appel aux facultés cognitives, bien que manifestement fausses, nous permettent de penser qu'en réalité il connaît la réponse correcte (pour faire un carré aux bords arrondis, il faut d'abord savoir qu'un carrré a quatre côtés).

Les derniers doutes qui subsistent quant à sa motivation s'évanouissent lorsqu'on apprend qu'il ne supporte manifestement pas que son examinateur puisse penser qu'il se porte bien et qu'il peut passer en jugement. On peut se demander, cependant, dans quelle mesure les symptômes "psychotiques" dépendent totalement de la volonté du malade, ce qui revient à se poser le problème du diagnostic différentiel, entre un Trouble factice et une Simulation. En réalité : il semble qu'il s'agisse d'une Simulation, le but que cet homme s'est fixé répond à des motivations extérieures (éviter des poursuites) et rien ne prouve que le fait de jouer le rôle du malade soit déterminé par un besoin intrapsychique. A noter également que la Simulation correspond au code V, dans le DSM-III-R, pour des situations attribuables à un Trouble mental motivant examen ou traitement.

Le tableau clinique de ce patient présente par ailleurs certaines caractéristiques pouvant faire évoquer un syndrome de Ganser : le fait de donner des réponses "approximatives" ainsi que d'autres symptômes tels qu'une amnésie, une désorientation, des troubles de la perception, une fugue et des symptômes de conversion. Le tableau complet du syndrome de Ganser est rangé dans le DSM-III-R parmi les Troubles dissociatifs non spécifiés, mais ce diagnostic doit cependant être éliminé car rien ne prouve qu'il existe des symptômes dissociatifs.

Dans les antécédents, beaucoup d'éléments sont en faveur d'un Trouble de la Personnalité antisociale, un diagnostic qui nécessite d'être éliminé, mais qui ne mettrait en aucun cas cet homme à l'abri des poursuites. Même si ce diagnostic se trouvait confirmé, on doit là aussi inscrire la Simulation sur l'Axe I. Le fait de mentir constitue un symptôme fréquent du Trouble de la Personnalité antisociale. Cependant lorsqu'il a pour but de créer l'illusion d'un trouble mental, il doit obligatoirement être considéré en lui-même comme la manifestation d'une simulation du code V.

Diagnostic selon le DSM-III-R

Axe I :   V65.20 Simulation (p. 406)
Axe II :   Trouble de la Personnalité antisociale

La peau et les os*

Une femme de vingt-trois ans, vivant dans l'Arkansas, écrit une lettre au directeur d'un groupe de recherche new-yorkais, après avoir vu une émission télévisée au cours de laquelle il décrivait sa façon de traiter les patients qui présentent des troubles alimentaires. Dans sa lettre où elle le prie de l'accepter pour ce traitement, elle décrit ainsi ses problèmes :

"Il y a plusieurs années, quand j'étais à l'université, j'ai commencé à utiliser des laxatifs pour perdre du poids. Au début, j'en prenais une petite quantité, puis j'en ai augmenté le nombre au point qu'ils ont perdu toute efficacité. Deux ans plus tard, je prenais une vingtaine des pilules Ex-Laxe® à chaque gorgée jusqu'à ce que je termine mon verre d'eau. Je pouvais perdre jusqu'à 9 kilos en vingt-quatre heures, surtout de l'eau et une partie des aliments, en étant si déshydratée que je ne pouvais tenir debout et à peine parler. A plusieurs reprises, je me suis retrouvée à l'infirmerie de l'université, les diagnostics allant de l'empoisonnement alimentaire à la grippe intestinale, sévère etc.. On me prescrivait alors des régimes légers et des médicaments. Le lendemain ou le surlendemain, on me laissait rentrer chez moi. En 1975, on détecta à la radio un début d'ulcère du duodénum, qui disparut ensuite.

Voici comment je vivais : pendant plusieurs jours je ne mangeais rien, puis affamée et très culpabilisée je me mettais à manger et je ne m'arrêtais plus.. Une jeune fille qui habitait au même étage que moi me raconta qu'elle se forçait parfois à vomir afin de ne pas grossir. Ce que je fis, de temps en temps. Je découvris que cela me permettait de consommer une grande quantité de nourriture, tout en perdant du poids. C'était au printemps 1975 ; j'avais perdu près de 23 kilos en quelques mois, pour arriver à 42 kilos. Mes cheveux commençaient à tomber et mes dents se déchaussaient un peu.

Pourtant, jamais je ne me suis sentie plus jolie et jamais je n'ai eu plus confiance en mon physique : je trouvais que mon corps était en quelque sorte libéré, élancé, même si je n'avais plus que la peau et les os. J'étais plate de partout, sauf quand je me gavais d'aliments et que mon estomac gonflait et se balonnait. Quand je me penchais en avant, on voyait se dessiner mes côtes et chacune de mes vertèbres. Après avoir vomi, mon estomac était à nouveau vide et plat. Plus je perdais du poids, plus j'avais peur de grossir. Pendant des jours, je craignais de boire de l'eau car le fait que la balance puisse enregistrer des grammes supplémentaires me déprimait complètement. Et pourtant je buvais (ou plutôt je bois car je devrais écrire tout cela au présent) facilement deux litres de lait ou d'autres liquides d'un seul coup, les jours où je me mettais à manger. Je n'avais plus besoin de laxatifs aussi fréquemment qu'auparavant pour me débarrasser des aliments et finalement, j'ai cessé de les utiliser ; bien

---

* Extrait de Spitzer R.L., Skodol A.E., Gibbon M et Williams J.B.W. Psychopathology, A Case Book. MacGraw-Hill, Inc. New York, 1983.

que je sois chroniquement constipée, dès que je vais au drugstore, j'en ai la nausée.

Chaque jour, je faisais plusieurs heures de sport afin d'harmoniser ma silhouette à mes variations de poids, et à l'université je me mis à faire de la course sur piste. J'avais toujours aux pieds des chaussures de sport et j'allais en courant à l'université ou bien je courais en ville, tout cela pour galber mes jambes toutes raides. Après avoir été malade, j'ai fait de la course sur piste quotidiennement, jusqu'au moment où j'ai été forcée de m'arrêter ; un simple tour de piste me donnait le vertige, des crampes à l'estomac et dans les jambes.

Au cours du dernier semestre avant que je ne quitte l'école, je suis tombée sur un article traitant de l'Anorexie mentale, qui me fit prendre conscience que mon obsession vis-à-vis de la nourriture et de mon poids était partagée par d'autres personnes. Depuis deux ans, je n'avais plus mes règles. Je me suis donc forcée à manger et à digérer de la nourriture saine. Je détestais ça. Je me suis mise à étudier la nutrition et me suis forcée à adopter une nouvelle attitude face à la nourriture : elle devenait quelque chose de vital, de nécessaire à la vie. Je me suis donc forcée à prendre du poids. En me contrôlant de façon stricte, depuis ce moment-là je me suis maintenue à 46-50 kilos pour un mètre soixante-dix. Je sais ce dont j'ai besoin pour survivre et c'est ce que je mange : un régime équilibré le plus bas possible en calories, surtout composé de légumes, de fruits, de volaille, de poisson, de céréales complètes, etc. En cinq ans, je n'ai pas mangé une seule fois de pizza, de pâtes, de charcuterie, de sucreries ou de quoi que ce soit qui fasse grossir, qui soit frit ou trop riche, sans être malade juste après. Une fois, je me suis permis de prendre une glace. Mais généralement, je suis malade dès que je ne respecte plus ma discipline.

A la fac, il m'était difficile de fréquenter les autres étudiants et j'ai abandonné la plupart des cours en fin de semestre ; j'avais de bons résultats pour les cours que je suivais régulièrement. Cette vie d'ermite me semblait, bien sûr, absurde, surtout quand, au dernier semestre, je suivais des cours par correspondance, alors que je vivais à deux pas de l'université. J'avais l'impression que je ne pourrais rencontrer des gens que lorsque j'aurai quelques kilos en moins.

Tout ce qui est gras, je ne peux le supporter. Cette sensation de dégoût est plus forte que tout le mal que je peux me faire. Si je prends un ou deux kilos, je ne peux plus sortir de chez moi, par crainte que l'on s'en aperçoive. Et pourtant ça me rend triste de penser que j'ai laissé tomber mes amis, certaines activités et cette énergie qu'il a pu y avoir dans ma vie autrefois.

La peau et les os

Cela vous surprendra d'apprendre qu'en dépit de ce désir de rester cachée, je suis mannequin de profession. L'année dernière, quand je pouvais encore contrôler cette habitude de vomir ce que je mangeais, j'aimais travailler face à un objectif, et ça marchait bien. Mais récemment j'ai été trop malade pour être physiquement capable de m'astreindre à la discipline que cela exige. Je continue à travailler comme secrétaire à mi-temps et c'est désormais mon occupation principale, puisque je suis souvent malade.

Pendant mes années d'université, plus je vomissais, plus cela prenait de temps et plus cela devenait difficile. Il me fallait utiliser plusieurs instruments. Maintenant je prends deux bouts de câble électrique que je double et que j'introduis à plusieurs centimètres au fond de ma gorge, après avoir ingéré 6 à 10 doses d'ipéca (un émétique). A force de rester agenouillée, mes genoux sont devenus calleux. Le processus complet de manger puis vomir dure généralement deux à trois heures, parfois près de huit heures. En fait, j'appréhende le moment du haut-le-coeur qui est douloureux et parfois ma gorge me fait si mal que je repousse l'utilisation de l'ipéca et des câbles. Alors je m'assois par terre, me rongeant les ongles et retirant la peau qui entoure les ongles avec une pince à épiler. D'habitude, j'essaye de m'en empêcher en enfilant des gants en caoutchouc.

Une fois que j'ai complètement vidé mon estomac, je me lave entièrement. Un moment après, je me réhydrate un peu en buvant une boisson gazeuse de régime et je prends 40 mg de Lasilix (un diurétique, pour lequel j'ai de nombreuses ordonnances). Il m'arrive de me sentir faible, d'avoir très froid. J'asperge mon visage d'eau fraîche, je me recoiffe de mes mains qui tremblent et me font trop souffrir. Parfois je prends de l'aspirine...alors je peux dormir. Mes lèvres, mes doigts bleuissent et sont glacés. En me regardant dans un miroir, je peux voir des vaisseaux sanguins rompus. Sous mes yeux, il y a des tâches rouges, qui disparaissent après un ou deux jours. J'éprouve toujours un soulagement quand c'est terminé, que la nourriture est partie et que je n'ai pas grossi. Et souvent, je me mets à pleurer...en espérant un répit, un peu de calme. C'est stupide de ma part d'attendre cela de quelqu'un d'autre ; car c'est moi et personne d'autre qui se dissimule et se fait du mal.

Maintenant, il y a quelque chose de nouveau et de réconfortant dans mon comportement : cette franchise concernant ma maladie. Heureusement, cela m'aidera plus que l'humiliation. Parfois, je me rends compte de l'hypocrisie de mes actes et de mes tentatives bien ordonnées à chercher anxieusement une aide extérieure. Pourtant, je suis encore malade, nuit après nuit, et souvent aussi dans la journée.

Deux raisonnements logiques semblent s'opposer en moi-même, chacun bien déterminé, chacun détruisant à demi l'effet de l'autre. D'un côté, celui qui me force à manger... qui me fait rafraîchir ma gorge douloureuse avec de l'eau, prendre des suppléments de potassium pour contre-balancer l'effet des diurétiques ou prendre de l'aspirine afin que mes mains cessent de me faire souffrir. De l'autre, celui qui me pousse à me rendre deux fois par semaine chez un psychiatre qui, conscient de ma propre responsabilité dans ce que je me fais subir, fait des efforts constants, pour réparer peu à peu, ce que l'autre détruit.

On dirait que je suis la victime d'une force implacable. C'est ridicule de se dire cela ou de se mettre à pleurer, car les mains qui essayent de me soulager sont celles qui viennent d'enfoncer des bouts de câble dans mon estomac. Ce ne sont pas des démons, c'est moi, seulement moi.

Avec l'expression de mes meilleurs sentiments,

Nancy Lee Duval

Mademoiselle Duval a été admise dans un service universitaire de recherche pour qu'on étudie son cas. Quand on en sut un peu plus sur elle, on découvrit que ses problèmes face à la nourriture s'étaient développés peu à peu au cours de son adolescence, et qu'ils s'étaient considérablement aggravés ces trois ou quatre dernières années. A l'âge de 14 ans, elle pesait 58 kilos alors qu'elle avait déjà atteint sa taille adulte d'un mètre soixante-dix. Se trouvant "très grosse" elle avait commencé à faire un régime sans grand succès. A 17 ans, elle pesait 75 kilos et entreprit un régime plus sérieusement car elle avait peur d'être ridicule ; elle descendit à 67 kilos l'année suivante. Elle se rappelle s'être alors sentie très déprimée, incapable de faire face à ses obligations. Elle commença alors à sécher les cours les plus difficiles, parce qu'elle ne voulait pas avoir de note inférieure à A, et se mit à mentir au sujet de l'école et de ses notes par peur d'être mal jugée. Dans ses relations avec les garçons, elle éprouvait une angoisse telle qu'elle alla dans une école de filles pour ses dernières années de collège. Quand elle quitta l'université, ses difficultés ne firent que s'accroitre. Elle ne savait comment organiser son emploi du temps : étudier, sortir ou voir des amis. Elle voulait désespérément perdre du poids et commença à prendre des laxatifs, comme elle le raconte dans sa lettre. A vingt ans, lors de sa seconde année à l'université, elle avait atteint son poids le plus bas de 40 kilos (soit 70% de son poids idéal) et n'avait plus ses règles.

Comme elle le dit dans sa lettre, elle prit alors conscience de sa maladie et finit par s'obliger à prendre du poids. Pourtant, cette habitude de trop manger puis de vomir, qu'elle avait prise l'année précédente, s'aggrava. Compte tenu de l'importance de ses préoccupations pour son poids et son alimentation, elle se désintéressa de l'école et ses résultats baissèrent. Au milieu de ses études, elle quitta l'université, à l'âge de 21 ans.

Mademoiselle Duval est la seconde et la seule fille d'une famille de quatre enfants. Elle est issue de la classe moyenne aisée. D'après ce qu'elle a pu dire, son père aurait eu des problèmes d'alcoolisme. S'il est certain qu'il y eut des difficultés entre le père et la mère, ainsi qu'entre les fils et les parents, aucun autre membre de la famille n'a suivi de traitement psychiatrique.

Discussion

Mademoiselle Duval présente à l'évidence une Anorexie mentale, dont la première description a été faite il y a plus de trois siècles, en 1668. Sa clinique, pour l'essentiel, est restée la même ; ses modèles explicatifs ont considérablement varié selon les époques.

La malade nous décrit avec beaucoup d'émotion sa peur intense et irrationnelle de devenir obèse, même lorsqu'elle était dans un état de maigreur particulièrement alarmant. L'image du corps est altérée au point qu'elle se considère comme étant grosse, lorsque son poids est dans les limites de la normale. A l'inverse, lorsqu'elle apparaissait aux yeux des autres exagérément mince, elle pensait n'avoir "jamais été aussi jolie". La diète acharnée, les exercices physiques, les vomissement provoqués, les laxatifs et les diurétiques ont eu pour résultat une perte de 30 % de son poids corporel. Depuis trois ans, elle présente une aménorrhée.

Il n'est pas sans intérêt de noter que Mademoiselle Duval se prive de nourriture alors qu'elle a faim : l'anorexie (perte de l'appétit) ne devrait donc pas s'appliquer à ce cas. En réalité, la malade a aussi fait des épisodes récurrents de frénésie alimentaire, avec absorption rapide et incontrôlable d'aliments à haut pouvoir calorique, se terminant par des vomissements provoqués accompagnés de remords. Or, lorsque ce comportement stéréotypé de frénésie alimentaire et de purgation survient au moins deux fois par semaine pendant trois mois, et qu'il existe une préoccupation excessive et persistante concernant le poids et la forme corporelle, tous les critères sont réunis pour poser le diagnostic additionnel de Boulimie.

Devant un malade anorexique persuadé d'être gros alors qu'en réalité il est considérablement amaigri, il faut évoquer la possibilité d'une psychose délirante à thèmes somatiques, comme dans la Schizophrénie ou la Dépression majeure. Mais la patiente de l'observation ne semble pas être dans ce cas. Elle admet parfaitement son anomalie pondérale et semble comprendre que son appréciation est purement subjective.

Diagnostic selon le DSM-III-R

Axe I : 307.10 Anorexie mentale (Anorexia Nervosa), sévère (p. 74)
307.51 Boulimie (Bulimia Nervosa), sévère (p. 76)

Suivi

Mademoiselle Duval est restée quelques semaines dans notre service, au cours desquelles elle a participé aux études cliniques. Grâce à la prise en charge institutionnelle, elle a ainsi arrêté de prendre des laxatifs et des diurétiques. Après sa sortie de l'hôpital, la malade a repris sa psychothérapie d'inspiration psychanalytique, à raison de deux séances par semaine. Ce traitement, qu'elle avait commencé six mois auparavant, a dû être interrompu au bout de six autres mois, car sa famille avait décidé de ne plus payer les séances et parce qu'elle se sentait incapable de changer de comportement, en dépit d'une meilleure compréhension de ses difficultés.

Deux ans après son hospitalisation, elle a écrit qu'elle "allait beaucoup mieux". Elle a repris l'université et terminait sa scolarité sans problème. Elle est allée voir un diététicien pour apprendre ce qu'était un régime normal afin de conserver un "poids normal". Elle a également consulté le Centre de guidance de son université sans, cependant, évoquer directement ses troubles alimentaires. Son poids est normal et ses règles régulières. Elle continue à avoir, de temps en temps, des épisodes de boulimie avec vomissements, dont la fréquence et la sévérité sont bien moindre qu'auparavant. Elle a définitivement arrêté de prendre des diurétiques ou des laxatifs.

Sous surveillance

Monsieur Simpson, un célibataire de quarante-quatre ans, sans emploi, est emmené au service des urgences pour avoir frappé une femme âgée, dans l'immeuble où il habite. Il ne cesse de dire à qui veut l'entendre : "Cette pauvre conne ! Elle et tous les autres méritent bien plus que ça pour tout ce qu'ils me font endurer."

Depuis l'âge de 22 ans, Monsieur Simpson a toujours été malade. Pendant sa première année de droit, il pensait que ses camarades se moquaient de lui, car il avait remarqué qu'ils éternuaient et riaient sous cape chaque fois qu'il rentrait dans la salle de cours. Quand une des jeunes filles qu'il fréquentait mit un terme à leur relation, il fut persuadé qu'elle avait été remplacée par son "sosie". Il avait alors appelé la police pour l'aider à résoudre l'énigme de cet "'enlèvement." Ses résultats universitaires déclinèrent au point qu'on le pria d'arrêter l'université, en lui conseillant de consulter un psychiatre.

Pendant sept mois, Monsieur Simpson eut un emploi de conseiller pour les placements dans une banque. D'après ce qu'il nous en a dit, il était de plus en plus perturbé par les "signaux" que lui envoyaient ses collègues, et à mesure que ses soupçons lui semblaient se confirmer, il ne cessait de se renfermer sur lui-même. C'est à ce moment-là qu'il a commencé à entendre des voix. On finit par le mettre à la porte et, peu de temps après, il fut hospitalisé pour la première fois à l'âge de 24 ans. Il n'a pas repris le travail depuis.

Monsieur Simpson a fait douze séjours à l'hôpital ; le plus long a duré huit mois. Au cours des cinq dernières années, il n'a cependant été hospitalisé qu'une seule fois, pendant trois semaines. Au cours de ses hospitalisations, un certain nombre de neuroleptiques lui ont été administrés, mais il a toujours arrêté de les prendre peu de temps après sa sortie. Sur le plan social, il est totalement isolé : à part des déjeuners en famille, trois fois dans l'année, où il rencontre ses oncles, et en dehors des contacts avec le personnel soignant, Il ne voit personne. Il vit seul et s'occupe lui-même de faire fructifier le petit héritage qui lui permet de vivre. Chaque jour il lit le *Wall Street Journal* ; il prépare lui-même ses repas et fait le ménage.

Monsieur Simpson est persuadé que son appartement est le centre d'un immense système de communication qui inclut les trois principales chaînes de télévision, ses voisins, et apparemment les "centaines d'acteurs" - c'est ainsi qu'il les appelle - de son voisinage. Il y aurait des caméras cachées dans son appartement qui contrôlent soigneusement toutes ses activités. Lorsqu'il regarde la télévision, ses moindres actions (par exemple, se lever pour se rendre à la salle de bain) sont immédiatement commentées par le présentateur. Chaque fois qu'il sort, les "acteurs" ont pour mission de le garder sous surveillance. Dans la rue, tout le monde le regarde. Ses voisins manipulent deux "machines" différentes dont l'une est responsable de toutes les voix qu'il entend, sauf de celle du "Joker". Il ignore qui contrôle cette voix très drôle, qui ne le visite que très occasionnellement. Les autres voix, celles qu'il entend plusieurs fois par jour, proviennent de cette machine, qu'il croit parfois actionnée directement par la voisine qu'il a attaquée. Lorsqu'il s'occupe de son argent, ses voix le "harcèlent" et lui disent quelles actions acheter. L'autre machine, il l'appelle "la machine à fantasmes". Elle le plonge dans des rêves érotiques, généralement avec des femmes noires.

Monsieur Simpson décrit d'autres expériences inhabituelles. Récemment, par exemple, il a fait des kilomètres pour trouver un magasin de chaussures qui vende des souliers non "déformées", mais il se rendit vite compte que, comme d'habitude, des clous avaient été placés au fond des chaussures exprès pour le tourmenter. Et il fut très étonné de voir que ses "tourmenteurs" avaient devancé sa décision de changer de magasin et qu'ils avaient même eu le temps d'aller chercher ces chaussures déformées tout spécialement pour lui. Persuadé que des millions de dollars sont dépensés pour sa surveillance, il se dit parfois que cela fait partie d'une grande expérience qui permettra de découvrir le secret de son "intelligence supérieure".

Pendant l'entrevue, M. Simpson est habillé avec soin ; il ordonne ses idées de façon cohérente. Son affect est, au plus, très légèrement émoussé. Au début de son hospitalisation, il est très en colère d'avoir été emmené par la police. Puis, après l'échec de plusieurs semaines de traitement neuroleptique sur la symptomatologie psychotique, il est transféré dans un service de long séjour, afin qu'il puisse mener une existence plus structurée.

Discussion

La longue maladie de Monsieur Simpson semble avoir débuté par des idées de référence concernant ses camarades qui, dit-il, éternuaient et riaient en le voyant. Puis, au fil des années, les idées délirantes sont devenues de plus en plus complexes et bizarres : ses voisins sont maintenant des "acteurs", ses pensées lui sont imposées, une machine lui introduit des rêves érotiques dans la tête. Existe également un syndrome hallucinatoire intense impliquant de multiples voix.

La bizarrerie des idées délirantes et l'importance des hallucinations sont caractéristiques de la Schizophrénie, dans la mesure où elles s'accompagnent d'une perturbation importante de l'efficience au travail et du fonctionnement social, en l'absence de trouble manifeste de l'humeur ou d'un trouble organique susceptible d'en rendre compte.

Les idées délirantes et les hallucinations de Monsieur Simpson ont toutes pour thème le complot dont il se croit être l'objet. Ce délire de persécution systématisé est de type paranoïde. Il n'y a pas en effet d'incohérence ou de relâchement important des associations ; l'affect n'est pas totalement inexistant ni considérablement inadapté ; il n'y a pas de catatonie et la conduite n'apparait pas grossièrement désorganisée. Cette Schizophrénie de type paranoïde est de "type stable" lorsque tous les épisodes antérieurs ainsi que l'épisode actuel ont toujours été paranoïdes, comme c'est le cas ici. Le pronostic du type paranoïde stable est réputé meilleur que celui du type désorganisé et indifférencié. Et, de fait, la psychose chronique de Monsieur Simpson ne semble pas avoir eu de trop graves répercussions sur son existence : pendant les cinq dernières années, il a vécu de façon totalement autonome.

Diagnostic selon le DSM-III-R

Axe I :   295.32   Schizophrénie du Type paranoïde stable, (chronique) (p. 223)

Cher docteur

Il y a 3 ans, Myrna Field, une femme de cinquante-cinq ans, caissière à la cafétéria d'un hôpital, se met soudain à croire qu'un des médecins du service, qui vient régulièrement y prendre ses repas, est fou amoureux d'elle. Sans que jamais elle n'en parle à personne, Myrna tombe elle-même passionnément amoureuse de son médecin. Chaque rencontre est pour elle un moment unique. Les quelques remarques sympathiques de sa part sont interprétées comme une preuve de ses sentiments, ses regards et ses gestes sont éloquents, alors que jamais il ne lui a déclaré son amour ; elle attribue sa discrétion au fait qu'il est déjà marié.

Après plus de deux ans de cette situation, la malade n'en peut plus : elle quitte son emploi et reste chez elle à penser au médecin à longueur de journée. Fréquemment elle ressent d'intenses sensations abdominales, qui l'effraient beaucoup. (Elles ont en fait une origine sexuelle, mais elle est incapable de l'identifier, n'ayant jamais éprouvé d'orgasme auparavant.) Finalement elle se rend chez son médecin de famille qui, la trouvant totalement bouleversée, l'adresse chez un psychiatre. Comme c'est un homme, elle n'ose pas se confier à lui et elle ne racontera son histoire que lorsqu'elle sera envoyée chez une psychiatre femme.

Myrna est une enfant de père inconnu dont le beau-père s'est montré extrêmement sévère. Elle a toujours eu des ennuis aussi bien à l'école que chez elle. Perpétuellement anxieuse, elle a consulté de nombreux médecins durant sa vie d'adulte pour des problèmes hypocondriaques. Elle s'est toujours sentie mal à l'aise dès qu'elle était en compagnie d'autres personnes.

Myrna est mariée, elle n'a pas d'enfant, son mariage n'ayant jamais été consommé. Son mari, qui semble en avoir beaucoup souffert, elle le trouve trop critique et exigeant à son égard. Depuis qu'elle est mariée, elle absorbe exagérément de l'alcool épisodiquement surtout depuis ces trois dernières années : elle avoue boire davantage et plus régulièrement afin d'oublier sa détresse. Jamais, évidemment, elle n'a parlé à son mari de son "histoire d'amour".

Au moment de l'entretien, Myrna est très déprimée et ne parle que lorsqu'on l'y pousse. Son intelligence semble assez limitée et ses idées sont plutôt simples. Le seul élément véritablement pathologique est cette idée que son médecin l'aime et lui est totalement dévoué. Il est absolument impossible de la persuader du contraire.

Discussion

L'idée délirante d'être aimée par un médecin qu'elle connaît à peine, constitue le seul symptôme de Madame Field. Si cette conviction apparait sans fondement, elle n'est pas pour autant bizarre, car on pourrait facilement imaginer qu'un médecin puisse tomber amoureux d'elle. En l'absence d'hallucinations patentes, de bizarrerie du comportement, de syndrome thymique, ou d'un quelconque facteur organique pouvant l'expliquer, cette idée délirante correspond au diagnostic de Trouble délirant. Le contenu du délire, à savoir la conviction d'être aimée par une personne d'un niveau social, plus élevé, correspond au Type érotomaniaque.

L'Abus d'alcool étant très probable, nous l'enregistrons comme diagnostic provisoire.

Diagnostic selon le DSM-III-R

Axe I :   297.10   Trouble délirant, Type érotomaniaque (p. 229)
            305.00   Abus d'Alcool (provisoire) (p. 194)

Suivi

Madame Field a tout de suite accepté de prendre des médicaments ; le pimozide, un neuroleptique, lui a donc été prescrit à la dose de 2 mg par jour. Elle devint alors plus calme, réduisit considérablement sa consommation d'alcool et sa symptomatologie délirante diminua. Au bout de trois à quatre semaines, elle présenta un épisode dépressif qui répondit favorablement aux antidépresseurs tricycliques prescrits pour un temps en association au neuroleptique.

Trois années après cet épisode, Madame Field se porte bien et ne boit que rarement. Elle et son mari sont satisfaits d'un mariage qui par ailleurs reste platonique. Bien que cela ne la perturbe plus, il lui arrive de penser avec une certaine nostalgie à ce même médecin dont elle se croit encore aimée. Elle continue à prendre son traitement neuroleptique.

*Monsieur Macho**

Hank Allen est accusé du meurtre de dix femmes. Sa femme, Jody, qui a fini par témoigner contre lui, a été sa complice : elle servait à attirer les victimes.

Voulant réaliser le rêve de son mari, découvrir "l'amante parfaite", Jody l'accompagnait dans des centres commerciaux ou dans des foires de campagne et discutait avec des jeunes filles afin de les persuader de monter dans leur camionnette aménagée. Une fois à l'intérieur, les victimes se trouvaient face à son mari qui, un revolver à la main, les attachait avec du ruban adhésif. En général, il s'agissait d'adolescentes, bien que les dernières aient été des adultes. La plus jeune avait 13 ans, la plus âgée, qui travaillait comme serveuse dans un bar, 34 ans. Un soir, tard, juste après la fermeture et alors qu'elle était déjà dans sa voiture, le couple s'approcha. Elle ouvrit sa fenêtre pour leur parler car elle les avait vus à l'intérieur où ils avaient pris un verre. Ils l'enlevèrent et l'emmenèrent chez eux. Pendant que Jody regardait un vieux film à la télé, dans la maison, Hank agressait sa victime à l'arrière de la camionnette, en lui faisant jouer le rôle de sa fille, adolescente. Quand ce fut terminé, Jody vint le rejoindre. Aux premières heures de la matinée, elle prit le volant, en ayant pris

---

* Extrait de Dietz P.E., Harry B., Hazelwood R.R. : Detective magazines : Pornography for the sexual sadist ? Journal of Forensic Sciences, 31 : 197 - 211, 1986.

la précaution de mettre la radio au maximum pour couvrir les bruits venant de derrière : Hank étranglait sa victime. Ce soir-là, ils fêtèrent l'anniversaire de Hank au restaurant.

La plupart des victimes de Hank étaient de petites femmes blondes, comme Jody elle-même et comme sa propre fille. Toutes furent violées, puis abattues ou étranglées ; plusieurs furent enterrées dans des tombes peu profondes. L'une d'elles, une jeune auto-stoppeuse de 21 ans, enceinte (enlevée au moment où Jody était elle aussi enceinte) fut violée, étranglée, puis enterrée vivante dans le sable.

Hank notait ce qu'il appelait "la performance sexuelle" de chacune de ses victimes et faisait toujours en sorte que Jody sache qu'elle n'était pas la première. Elle essayait donc de se racheter aux yeux de son mari difficile à satisfaire en se soumettant à tous ses caprices. Même quand elle finit par se séparer de lui, elle fut incapable de lui dire non. Ils ne vivaient plus ensemble depuis plusieurs mois quand Hank l'appela, pour lui demander de revenir. Elle accepta et ce jour-là, ils eurent leur neuvième et leur dixième victimes.

La violence de Hank lui venait de son père. A sa naissance, son père, qui avait 19 ans, était en prison pour vol de voiture et pour chèques sans provision. Une seconde condamnation lui valut trois mois de prison pour cambriolage de second ordre, mais il s'échappa. Au cours d'une série d'arrestations puis d'évasions, il tua un officier de police et un gardien de prison, en aveuglant ce dernier avec de l'acide et en le battant à mort. Peu avant son exécution, il écrivit ceci" : Quand j'ai tué ce flic, ça m'a fait profondément plaisir. Je ne peux pas dire à quel point, car cette sensation me réjouissait tellement que j'en éprouvais véritablement du bonheur..."

On répétait tout le temps à Hank que plus tard, il serait comme son père. Il apprit à 16 ans que son père avait été capturé et exécuté dans une chambre à gaz après que sa mère ait révélé sa planque. Plus tard, Hank avoua à la police : "Il m'arrive de penser à lui faire sauter la tête...Je voudrais mettre le canon du revolver dans sa bouche et que sa tête explose..."

Lors de l'expertise psychiatrique, Hank avoua que sa mère était l'objet de ses fantasmes sexuels les plus intenses :

"J'allais la pendre par les pieds, la déshabiller, la faire tourner sur elle-même, prendre une lame de rasoir, et lui en donner de petits coups, juste de petits coups, regarder le sang couler, couler de son visage. Enduire son corps de colle et y mettre le feu. Tatouer 'salope' sur son front..."

La mère de Hank battait son fils et se moquait de lui, pour son énurésie qui n'a cessé qu'à l'âge de 13 ans, le surnommait "pisse-au-lit" devant des invités. Un de ses concubins le punissait sans pitié, et le forçait à boire de l'urine, ou écrasait son mégot sur son poignet. Le jour où sa mère essaya d'intervenir, il lui cogna la tête contre les murs. A partir de ce moment-là, elle aussi se mit à battre son fils. Aussi loin qu'il se souvienne, Hank se rappelle avoir eu des cauchemars où on l'étouffait avec des collants de nylon et où on l'attachait à une chaise placée dans une pièce envahie par un gaz verdâtre.

Hank commença à commettre des cambriolages avec un frère aîné quand il avait 7 ans et dès ses 12 ans, il fut mis en liberté surveillée. Un an plus tard il fut envoyé à la maison disciplinaire de Californie pour avoir commis des actes qualifiés de "lascifs et obscènes" sur une enfant de six ans. Au cours de son adolescence, il fut interpelé pour vol à main armée et vol de voitures. En ce qui concerne ses études, il fut renvoyé du collège à 17 ans puisqu'il séchait systématiquement les cours et qu'il n'obtenait que des notes bien au-dessous de la moyenne. C'est dans le courant de la même année qu'il s'est marié pour la première fois.

Il lui est souvent arrivé lors d'une bagarre, de recevoir un mauvais coup et de perdre connaissance. A deux reprises, il est même resté dans le coma: pendant une semaine, à 16 ans et à 20 ans. Le scanner a permis de mettre en évidence "des sillons anormalement développés et une légère hypertrophie des ventricules". Les tests neuropsychologiques de Halstead-Reitan et Luria-Nebraska ont montré "des anomalies fonctionnelles au niveau du lobe frontal droit". Hank s'est marié sept fois. Il a battu chacune de ses femmes, parfois gravement. Généralement, le mariage ne durait pas plus de quelques mois. L'une d'elles l'aurait décrit comme quelqu'un de "dominateur". Une autre, dont il avait arraché une poignée de cheveux, l'a qualifié de "Jekyll et Hyde". Une autre encore dit de lui qu'il était "foncièrement méchant". Quand elle lui annonça qu'elle voulait le quitter, il se vengea en s'en prenant à ses parents et en les brutalisant. Son premier mariage se termina le jour où il frappa sa femme avec un marteau. Après qu'elle l'eut quitté, elle remplaça sa mère dans ses fantasmes déjà évoqués. Comme ils s'étaient mariés cinq jours après la naissance d'une petite fille, il s'ensuivit une bataille pour la garde de l'enfant. En dépit de tout son passé d'agressions, de vols et de serments rompus, c'est Hank qui l'emporta.

A 23 ans, il se mit à commettre une série de délits sur cinq Etats. Volant des plaques d'immatriculation, faisant des hold-up dans les bars ou dans les drugstores, il échappait à la police jusqu'à ce qu'elle finisse par le capturer et par le condamner pour le cambriolage à main armée d'un motel. Envoyé en prison pour cinq ans, il brutalisa sa fillette de six ans pour la première fois lors d'une permission.

Une fois libéré, il alla vivre chez sa mère, qui d'ailleurs n'était pas venue le voir une seule fois au cours son emprisonnement. C'est là qu'il eut une liaison avec une femme qu'il mit enceinte, et qu'il jeta une fois hors du lit en lui donnant des coups de pieds, parce qu'elle refusait d'avoir un rapport sexuel anal. Elle raconte qu'il décida de ne pas l'épouser, car "il ne voulait pas prendre cette responsabilité". Une douzaine de jours après la naissance de l'enfant, il épousa une autre femme, sa cinquième épouse. Il avait 28 ans.

Hank et sa cinquième femme finirent par se séparer. Il prit alors un logement avec sa fille qui avait alors 13 ans, et qu'il mit bientôt enceinte. Elle avorta. C'est elle qui avait remplacé sa première femme dans ses fantasmes de prédilection ; et souvent il la violait à l'arrière de la camionnette qui allait servir à Hank et à Jody pour attirer leurs victimes. Au cours des six dernières années, il la violenta au moins une fois par semaine. Et quand une amie vint passer deux semaines avec elle , il la viola elle aussi.

Il avait 30 ans, et son divorce avec sa cinquième femme n'était pas encore terminé, quand il commença à vivre avec Jody. Au moment où ils se rencontrèrent, Hank avait déjà eu 23 arrestations. L'été qui suivit, Hank fut renvoyé de son travail de chauffeur. Cela lui arrivait souvent, mais à chaque fois ça le rendait impuissant, et cette fois, son employeur l'avait qualifié d'incapable. Une semaine auparavant, il avait, lors de son anniversaire, sodomisé sa fille de 14 ans. C'est alors qu'elle se décida à dénoncer son père aux autorités pour ces six années de violences. Inculpé d'inceste, Hank échappa aux sanctions en changeant de nom ; grâce à un permis volé à un officier de police, il obtint un nouveau certificat de naissance ainsi qu'un nouveau numéro de sécurité sociale, puis déménagea avec Jody dans une autre ville.

Peu avant sa dernière arrestation, Hank, qui se passionnait pour les armes à feu, possédait un fusil d'assaut semi-automatique, un pistolet automatique, deux revolvers et un derringer. Il travaillait comme barman. Un de ses collègues le décrivit comme un homme à femmes ; elles-mêmes l'appelaient à son travail à toute heure. Après avoir raccroché, il lui confiait la note qu'il leur mettait. Plusieurs femmes l'ont surnommé "Monsieur Macho". Il buvait aussi beaucoup. Il arriva une fois à Jody de mettre en garde son mari, alors qu'il conduisait en état d'ivresse, en lui disant que c'était illégal. "Que la loi aille se faire foutre ! ", répondit-il. Pour tous ses crimes, il était déjà sous le coup de multiples peines de mort.

Discussion

Le crime atroce de Hank Allen ayant fait l'objet d'une sanction pénale, on peut légitimement se demander s'il est bien nécessaire de faire rentrer ce comportement dans le cadre d'une évaluation psychiatrique. Mais il s'agit d'un cas typique de comportement antisocial correspondant à plusieurs troubles mentaux.

L'aspect le plus surprenant de la conduite de cet individu concerne le lien existant entre l'excitation sexuelle et le comportement sadique dont l'importance est telle qu'il finit par tuer sa victime. Une telle conduite est symptomatique du Sadisme sexuel, une Paraphilie dans laquelle le sujet est sexuellement excité par la souffrance psychologique ou physique de sa victime.

Le sadisme de Hank Allen n'est pas seulement au service de l'excitation sexuelle, comme dans le sadisme sexuel, car il ne fait que révéler une tendance plus générale et plus durable fondée sur la cruauté, le plaisir d'humilier, l'agressivité. Par la contrainte, il humilie et rabaisse les autres ; par l'intimidation, il obtient d'eux ce qu'il désire ; la violence et les armes ont sur lui un effet de fascination. Il s'agit donc d'un Trouble de la personnalité sadique, diagnostic non officiel du DSM-III-R.

Enfin il semble que le cas de Hank Allen réponde au Trouble de la personnalité antisociale caractérisé par une conduite irresponsable et antisociale depuis longtemps manifeste, avec vol et absentéisme à l'école dès l'enfance puis, vol, agression et meurtre, à l'âge adulte.

Il n'est pas facile d'interpréter les données pathologiques du scanner cérébral et des tests neurobiologiques et neuropsychiatriques car il ne nous est pas possible de dire s'ils correspondent seulement aux traumatismes crâniens réitérés ou s'ils représentent une anomalie permettant d'expliquer le développement de cette conduite pathologique.

On pourrait discuter plus longuement des événements de l'enfance qui, sans aucun doute, ont eu une influence déterminante sur les particularités psychopathologiques et le comportement du patient. Comme cela est fréquent, ceux qui deviennent des tortionnaires, ont eux-mêmes été victimes de sévices alors qu'ils étaient enfants.

Diagnostic selon le DSM-III-R

Axe I :   302.84   Sadisme sexuel (p. 324)
Axe II :   301.90   Trouble de la Personnalité non spécifié par
                     ailleurs (Trouble de la Personnalité sadique) (p. 417)
           301.70   Trouble de la Personnalité antisociale (p. 388)

Suivi

"Monsieur Macho" a fait appel de nombreuses fois. Condamné à mort dans plusieurs états, il attend, cinq années après son arrestation, son exécution.

L'homme d'affaires surmené

Daniel Farber, un homme d'affaires de 49 ans, se rend avec réticence chez un psychiatre pour une consultation, sur l'insistance de sa femme, avec laquelle il est marié depuis vingt ans. Au cours du premier entretien, seules apparaissent les informations suivantes.

Le couple a quatre enfants. Madame Farber se plaint de l'attitude de son mari qui, estime-t-elle, risque de détruire son ménage. Elle pense même à le quitter bien qu'elle l'aime encore, mais elle hésite autant à cause des enfants que pour son propre bonheur. Monsieur Farber, quant à lui, estime qu'il n'y a aucun problème dans leur couple qu'ils ne puissent résoudre eux-mêmes et ne se sent pas fautif.

Durant les dix dernières années, ils sont passés de la situation de commerçants pauvres qui n'arrêtaient pas de travailler, à une grande aisance avec un revenu annuel de plus d'un million de francs par an. Tous deux ont quitté l'école à l'âge de 17 ans. Il y a quatre ans, Madame Farber a décidé de suivre des cours à l'université ; son mari a accepté avec quelque difficulté, car il ne comprenait pas ce qui pouvait motiver une telle décision. Au bout d'un an, il lui a demandé d'arrêter, mais elle voulut continuer les cours à mi-temps. Puis, il a fait en sorte qu'elle voit moins ses amis de l'université et a refusé qu'elle les invite à la maison, ou qu'elle sorte avec eux. En même temps, il insistait pour qu'elle l'accompagne à de nombreuses réunions professionnelles ou à des soirées chez ses collègues de travail. Les disputes, de plus en plus fréquentes, étaient toujours causées par le décalage entre les exigences du mari et le désir de sa femme d'avoir des relations sociales en dehors du cadre habituel. A chaque fois, cela dégénérait de façon violente, Monsieur Farber se mettant dans une telle fureur qu'il s'en prenait aux meubles.

Leur dernière dispute a eu pour effet de précipiter la consultation chez le psychiatre : lors d'une réunion chez des voisins, Monsieur Farber s'était mis en colère contre sa femme qui portait un chemisier selon lui trop transparent, et avait exigé qu'elle rentre se changer. Devant son refus, il avait alors essayé de l'emmener de force jusqu'à la voiture. Quand ils rentrèrent chez eux, Monsieur Farber devint insultant et sa femme menaça de le quitter. Il s'enferma dans la salle de bain, la menaçant de se tirer une balle dans la tête. Elle appela son frère. Monsieur Farber finit par sortir de la salle de bain avec un revolver à la main. Sa femme promit de ne pas le quitter s'il acceptait de voir un psychiatre.

Discussion

Cet homme a-t-il un trouble mental ou seulement des problèmes conjugaux ? Le DSM-III-R admet que ce type de difficultés entre les époux puisse ne pas être symptomatique d'un trouble mental. Et en effet si les problèmes de couple n'avaient concerné que le changement des investissements personnels de la femme, aucun trouble mental n'aurait pu être évoqué. Or ça n'est pas le cas. Monsieur Farber est très narcissique : incapable de laisser sa femme exister en dehors de lui, il ira jusqu'à s'enfermer dans la salle de bains en menaçant de se tuer et se montrera incapable de se contrôler : autant de modes de relation à l'autre inadaptés évocateurs d'un Trouble de la Personnalité.

Il est vrai qu'on ne peut affirmer que le comportement de Monsieur Farber ait toujours posé problème à sa femme, et il est probable qu'elle s'était jusqu'à maintenant accomodée du narcissisme de son mari jusqu'à ce qu'elle décide de se donner quelques chances de s'épanouir. Cela n'empêche pas cependant de poser un diagnostic de Personnalité, même si les facteurs environnementaux en ont longtemps minimisé l'expression.

Mais comme les informations dont nous disposons ne nous permettent pas de retrouver la totalité des critères exigés pour le diagnostic de Trouble de la Personnalité narcissique, nous opterons pour celui du Trouble de la Personnalité non spécifié (provisoire), en excluant Trouble de la personnalité narcissique.

Diagnostic selon le DSM-III-R

Axe II : 301.90   Trouble de la personnalité non spécifié
(provisoire) (p. 403)
à exclure Trouble de la personnalité narcissique

Jeune cadre

Une jeune femme de vingt-huit ans, travaillant comme cadre dans une entreprise, est envoyée chez un psychanalyste pour une psychothérapie de "soutien". Diplômée d'une école de commerce, elle a obtenu son Master[*] en administration commerciale. Un an et demi plus tard, elle est venue habiter en Californie où elle a été engagée dans une grande entreprise. Peu de temps après, elle a commencé à se sentir "déprimée" et à se faire du souci pour son emploi, son mari et ses projets d'avenir.

Elle a derrière elle un long trajet de psychothérapie. Pendant trois ans, alors qu'elle était encore à l'université, elle a vu un "analyste" deux fois par semaine, puis, pendant un an et demi, alors qu'elle était à l'école de commerce, un "béhaviouriste". Elle se plaint d'un sentiment permanent d'infériorité et d'un pessimisme qui finit par l'empêcher de vivre depuis qu'elle a 16 ou 17 ans. Même si elle a plutôt bien réussi à l'université, elle ne cesse de penser à ces étudiants qui sont, dit-elle, "intelligents naturellement". A l'université et à l'école de commerce, elle sortait et avait des aventures. Jamais, explique-t-elle, elle n'a fréquenté le genre de garçons "hors du commun" appartenant à la

---

[*] Le master est le diplôme qui couronne quatre années d'études.

catégorie des intelligents, de peur de se sentir inférieure et intimidée. Chaque fois qu'elle en rencontrait un, elle devenait froide et distante, ou s'éloignait aussi vite que possible, pour ensuite penser à lui pendant des mois. Elle trouve que la thérapie l'a aidée, même si la dépression ne l'a jamais réellement quittée.

Quelque temps après avoir obtenu son diplôme, elle a épousé l'homme avec lequel elle vivait. Elle le trouvait assez séduisant, bien que n'étant pas "hors du commun", et l'épousa avant tout parce qu'elle sentait qu'elle avait "besoin d'un mari". Très rapidement le couple commence à se chamailler. Elle se met à critiquer sa façon de s'habiller, son travail, ses parents ; lui, à son tour, lui reproche d'être lunatique, trop autoritaire et agressive. Et c'est alors qu'elle réalise qu'elle a fait une erreur en l'épousant.

Récemment, la patiente a eu des ennuis dans son travail : on lui attribue les tâches les plus insignifiantes, sans jamais lui faire confiance. Elle reconnaît cependant qu'elle rend généralement un travail peu soigné, qu'elle ne fait jamais plus que ce qui est demandé et qu'elle ne fait pas preuve de dynamisme ou d'initiative devant ses supérieurs. Son patron, dont pourtant elle admire la réussite, elle le trouve égoïste, peu préoccupé par les problèmes des autres, injuste. Elle a l'impression qu'elle-même n'ira pas très loin sur le plan professionnel, car ni elle ni son mari ne connaissent les gens qu'il faut. Et pourtant elle rêve d'argent, de statut social élevé, de pouvoir.

Elle évolue avec son mari dans un cercle de plusieurs couples, dont les hommes sont le plus souvent des amis de son mari. Elle est sûre que les femmes la trouvent sans intérêt et pas très brillante ; quant aux hommes qui semblent l'apprécier, elle pense qu'ils ne sont pas plus intéressants qu'elle-même.

Sous le poids de son mariage insatisfaisant, de son travail qui l'ennuie, de sa vie sociale inexistante et de la profonde fatigue qu'elle ressent, la malade est prête à recommencer pour la troisième fois un nouveau traitement.

Discussion

L'état dépressif, l'auto-dévalorisation et le pessimisme de cette femme ont une incidence non négligeable sur sa vie conjugale et ses activités quotidiennes. La perte d'intérêt et le manque de dynamisme dont elle se plaint actuellement, ne semblent pas être bien différents de son état habituel. L'état dépressif n'est pas assez intense pour répondre aux critères d'un Episode dépressif majeur, mais comme la perturbation de l'humeur ainsi que les symptômes associés durent depuis plus de deux ans, le diagnostic de Dysthymie mérite d'être discuté. La dépression n'a pas commencé par un Episode dépressif majeur, et il n'y a pas de notion d'Episode maniaque ou hypomaniaque. Dans ce cas précis, il convient de faire état du "début précoce", car le trouble thymique existait déjà à l'adolescence. L'absence de relation avec un trouble préexistant de l'Axe I ou de l'Axe III doit être estimé comme "type primaire".

Il n'est pas possible de considérer les symptômes dépressifs de cette patiente comme étant l'expression d'un Trouble de la Personnalité, dont le trouble thymique ne serait qu'une manifestation. Car il serait parfaitement artificiel de séparer les symptômes dépressifs de la manière propre à la patiente, de percevoir le monde et de se situer par rapport à lui. Notons au passage que le DSM-III-R, en intégrant la Dysthymie dans le chapitre plus général des troubles de l'humeur, admet implicitement que son traitement est nécessairement biologique ou pour le moins seulement symptomatique.

Dans cette observation, certains éléments permettent d'évoquer un diagnostic qui n'a pas été retenu par DSM-III-R : le Trouble de la Personnalité à conduite d'échec. Car la malade semble choisir les seules personnes et situations qui risquent de la décevoir, provoquer les réactions de rejet qu'elle suscite, adopter une conduite d'échec chaque fois que l'objectif à atteindre est important, rejeter les personnes qui s'intéressent à elle. Le diagnostic de Trouble de la Personnalité à conduite d'échec ne peut être porté que si les comportements qui la caractérisent ne s'inscrivent pas dans un contexte dépressif. La malade présentée dans cette observation ayant toujours été déprimée, il n'est donc pas possible d'affirmer ce diagnostic.

Diagnostic selon le DSM-III-R

Axe I : 300.40 Dysthymie, type primaire, début précoce (p. 261)

Pas de boissons

Ann, secrétaire médicale âgée de 32 ans, à Dublin, est envoyée dans une clinique afin d'y être traitée pour une dépression. Elle dit être déprimée depuis cinq mois, parce qu'elle a peur d'uriner en public. Cela ne lui est en réalité jamais arrivé, et lorsqu'elle se sent bien en sécurité chez elle, cette idée lui parait totalement absurde.

Mais dès qu'elle franchit le pas de sa porte, cette crainte devient obsédante ; elle prend alors des précautions afin que cela ne se produise pas. Elle porte constamment des serviettes hygiéniques, ne voyage jamais très loin de chez elle, limite sa consommation de liquides, ne boit plus du tout d'alcool ; au travail, elle a fait transporter son bureau près des toilettes. Deux semaines avant la consultation, sa crainte a pris des proportions telles qu'elle ne va plus à son travail.

Elle se rappelle vaguement que son père avait, lui aussi, cette même peur d'uriner en public. Avant de partir travailler, chaque matin, il vidait plusieurs fois sa vessie et évitait de prendre des liquides. Quant à sa soeur cadette, elle a été traitée avec succès pour des rituels de purification.

Ann a suivi un traitement psychiatrique, il y a dix ans : elle était persuadée d'avoir contracté la syphilis, alors qu'il n'y avait aucune preuve d'infection, ni clinique ni biologique. Avant cet épisode actuel, elle n'avait jamais craint d'uriner en public. Elle a avoué avoir toujours été quelqu'un d'angoissé et d'inquiet, que sa famille considérait comme trop réservée et démesurément perfectionniste. L'année dernière, le retour imminent de son ami à la fin de ses études de médecine dans son pays d'origine, l'Irlande, l'a totalement bouleversée.

Depuis son divorce, il y a six ans, elle vit avec son fils de sept ans ainsi que sa mère, qui n'apprécie pas son ami ; Ann ressent qu'elle essaie de la pousser à mettre fin à cette liaison. Aussi fait-elle coïncider le début de ses difficultés actuelles aux problèmes qu'elle a avec sa mère et à la menace que représente pour elle le départ de son ami.

Lors de l'entretien, Ann est anxieuse et ne tient pas en place. Elle dit être complètement découragée et se plaint de troubles du sommeil et de manque de dynamisme dans la journée. Son appétit a diminué, sans pour autant qu'elle ait perdu du poids.

Discussion

Ann a considérablement réduit ses activités par crainte d'uriner involontairement en public. La peur de se trouver dans une situation à laquelle il est difficile de se soustraire en cas de survenue d'un symptôme gênant ou invalidant, définit l'Agoraphobie. Habituellement, l'Agoraphobie est une complication du Trouble panique qui consiste en un évitement d'une situation particulière, associée à la survenue éventuelle d'une attaque de panique imprévisible. Beaucoup plus rarement, il n'existe pas d'antécédent de Trouble panique, et la crainte concerne la survenue d'un symptôme spécifique tel que la perte du contrôle vésical (comme dans le cas de Anne), la peur de vomir ou d'avoir une crise cardiaque. Le diagnostic doit être alors celui d'une Agoraphobie sans antécédent de Trouble panique.

On pourrait se demander pourquoi le diagnostic de Phobie sociale n'a pas été retenu, car la malade semble en effet présente une peur de se trouver confronté au regard des autres, s'accompagnant d'une crainte de commettre un acte, celui d'uriner, susceptible de la rabaisser, l'humilier, la mettre dans l'embarras. Les critères du DSM-III-R n'étant, à ce sujet, pas très explicites, nous devons tout de même avoir à l'idée que dans une Phobie sociale, le sujet essaie d'accomplir une activité volontaire (par exemple parler, manger, écrire, uriner) dont il craint que le déroulement n'en soit perturbé par l'anxiété (par exemple être incapable de parler en public, s'étouffer en mangeant, trembler en écrivant, ne pas pouvoir uriner). Au contraire, dans l'Agoraphobie sans antécédent de Trouble panique, le malade redoute la survenue d'un symptôme qui n'a aucun rapport avec l'activité en cours (par exemple une crise cardiaque alors qu'elle est en train de faire ses courses, une miction involontaire loin de son domicile, un étourdissement en traversant la rue).

Existe également, chez Ann, un état dépressif avec pour symptomatologie une perte d'appétit, une insomnie, un manque de dynamisme. Sans doute s'agit-il d'un épisode dépressif majeur, mais faute de pouvoir en comptabiliser la totalité des critères nécessaires au diagnostic, on doit se contenter de mentionner le Trouble dépressif non spécifié par ailleurs.

Diagnostic selon le DSM-III-R

Axe 1 : 300.22 Agoraphobie sans antécédent de Trouble panique (sévère) (p. 272)
311.00 Trouble dépressif non spécifié (p. 263)

Suivi

Ann a été traitée par un antidépresseur, la clomipramine, à la dose initiale de 10 mg par jour, avec augmentation progressive de la posologie sur deux semaines jusqu'à 125 mg par jour.

Sa crainte d'uriner en public a diminué après dix jours de traitement ; un programme de thérapie comportementale visant à corriger sa conduite d'évitement a été entrepris dans un deuxième temps. Avant même que son fiancé ne quitte le pays, Ann, se sentant plus indépendante, est allée avec son fils vivre loin de sa mère. Les médicaments ont été arrêtés au bout de deux mois ; la crainte d'uriner en public n'est pas réapparue. Le psychiatre qui la suivait a attribué au traitement son amélioration initiale, au programme de thérapie comportementale, la poursuite de l'amélioration, aux modifications du cadre de vie suscitées, en particulier par le déménagement les changements survenus au cours de son existence.

L'étudiant

Un étudiant de première année, âgé de 19 ans, passe un après-midi entier à boire de la bière avec des camarades de son foyer. Après huit ou dix verres, il se met à devenir agressif envers l'un de ses compagnons, bien plus grand et fort que lui, et lui demande de sortir et de se battre. Habituellement, calme et pacifique, il hurle et provoque son camarade sans raison particulière. Puis, comme cela ne va pas plus loin, il devient maussade et se met à regarder sa bière en silence, au bord des larmes. Après avoir bu encore d'autres bières, il se lance dans le récit détaillé et impudique de sa liaison avec son ex-amie. Son attention n'est maintenue que lorsque ses compagnons lui parlent. Il renverse son verre, ce qu'il trouve drôle, puis se met à rire jusqu'à ce que le serveur lui jette un regard mécontent en guise d'avertissement. Il se lève alors et bafouille quelques mots au serveur, trébuche et tombe. Ses amis le ramènent à la voiture, une fois de retour au foyer, il s'endort. A son réveil, il a mal à la tête, sa bouche est pâteuse, mais il est redevenu la personne calme et timide que ses amis ont l'habitude de fréquenter.

Discussion

Alors que l'ingestion d'alcool en société peut très bien entraîner une intoxication, au sens physiologique du terme, il faut, pour porter un diagnostic psychiatrique d'Intoxication induite par une substance psycho-active, constater un comportement inadapté. Dans ce cas clinique, on retrouve une desinhibition des impulsions agressives (l'attitude de provocation), une altération du jugement (le débalage impudique du passé), une labilité émotionnelle (la dispute fait suite aux pleurs puis à la morosité), ainsi que des signes physiques témoignant de l'intoxication (incoordination, démarche ébrieuse) qui ne peut être que de nature alcoolique, du fait que seul l'alcool semble pouvoir être incriminé.

Il ne s'agit pas d'une Intoxication alcoolique idiosyncrasique, dont la caractéristique essentielle consiste en une modification importante du comportement, après ingestion d'une quantité d'alcool insuffisante pour provoquer une intoxication chez la plupart des gens. Il ne fait pas de doute qu'avec la quantité d'alcool consommée quiconque aurait été ivre.

Il n'est pas mentionné dans cette observation si de telles ingestions d'alcool surviennent de façon répétée. Si tel était le cas, on devrait alors envisager des diagnostics tels qu'un Trouble lié à l'utilisation de substances psycho-actives, un Abus d'alcool, ou même une Dépendance à l'alcool.

Diagnostic selon le DSM-III-R

Axe I : 303.000 Intoxication alcoolique (p.143)

Sous pression

Jane Berenson, vingt-six ans, vice-présidente d'un grand magasin de Détroit, répond à une annonce publicitaire d'une nouvelle clinique spécialisée dans le traitement des troubles du sommeil. Depuis l'université, elle a des difficultés à s'endormir presque chaque nuit. Au moment de se coucher, elle se sent "mentalement hyperactive", et ne peut s'empêcher de penser aux différents événements importants de la journée, en particulier aux discussions qu'elle a eues avec des clients insatisfaits. Quand elle a l'impression qu'elle n'en n'a pas assez fait dans la journée, elle se dit qu'elle ne "mérite" pas de se coucher. Une soirée intéressante, par exemple un film au cinéma ou une réception animée, la laisse incapable de fermer l'oeil et de se calmer pendant plusieurs heures. Il arrive qu'au milieu de la nuit, elle se réveille sans avoir aucune envie de se rendormir et qu'elle se mette alors à ressasser les événements de la journée. Chaque fois qu'elle dort mal, elle se sent nerveuse et tendue le lendemain. Au cours de l'année dernière, l'aggravation de ses insomnies avait coincidé avec une surcharge de travail. Cela fait un an qu'elle n'a pas lu de roman, activité qu'elle affectionnait auparavant.

Son travail lui demande parfois d'aller dîner avec d'autres directeurs, mais elle trouve que les repas et l'alcool pris tard le soir aggravent ses insomnies. Lorsqu'elle prend des cocktails au cours du dîner, elle se réveille invariablement au milieu de la nuit, légèrement en sueur. Les déplacements professionnels n'améliorent pas non plus son sommeil. Et quand il lui faut, pendant plusieurs jours, aller d'une ville à l'autre, elle ressent les effets d'une surexcitation importante, qu'elle ne peut contrôler.

Madame Berenson a divorcé il y a trois ans, après dix ans de mariage. Elle a de nombreux amis dans son entourage et apprécie la vie en société. Elle a longtemps considéré la relaxation en solitaire comme une perte de temps.

Ses parents ainsi que sa soeur ont eu des problèmes d'alcoolisme, et elle est la seule de la famille à avoir un emploi stable.

L'année dernière, elle a suivi une psychothérapie, à raison d'une séance par semaine, afin d'essayer de comprendre pourquoi elle avait toujours ce "surplus d'énergie". Cela ne l'a pas aidée à résoudre son problème d'insomnie. Elle a aussi pris des somnifères mais, le lendemain, elle ne se sentait pas en forme.

Discussion

Cette femme a depuis longtemps des difficultés à s'endormir, des réveils fréquents s'accompagnant d'une incapacité à se rendormir. La fréquence et la sévérité du trouble sont suffisants pour que l'on puisse parler d'Insomnie (déficit quantitatif ou qualificatif du sommeil survenant au moins trois fois par semaine pendant au moins un mois et entraînant soit une sensation de fatigue diurne significative, soit un autre symptôme attribuable au trouble du sommeil). Bien qu'il semble exister des traits de personnalité obsessionnelle compulsive (dévotion excessive pour le travail et la productivité à l'exclusion des activités de loisirs et des relations amicales), l'absence d'autre trouble mental ou physique, de prise des produits pouvant générer le trouble autorise le diagnostic d'Insomnie primaire.

Dans ce cas clinique, on retrouve l'hypervigilance du soir et les difficultés de fonctionnement de la journée qui souvent sont associées à cette pathologie.

Diagnostic selon le DSM-III-R

Axe I :   307.42 Insomnie primaire (p. 339)
Axe II :   V71.09 Pas de diagnostic sur l'Axe I, traits de
           Personnalité obsessionnelle-compulsive.
Axe III : Aucun
Axe IV :   Facteurs de stress psycho-sociaux : métier difficile
           Sévérité : 3 - (Modérée) (Fonction des circonstances)
Axe V :   EGF actuel : 58
           EGF le plus élevé dans l'année écoulée : 65

Suivi

A la clinique du sommeil, on a conseillé à la patiente d'essayer d'éviter d'avoir des activités trop prenantes le soir, et de prendre des douches chaudes au coucher. L'alcool lui a été formellement interdit et on a bien fait comprendre à la malade qu'il pouvait, certes, être inducteur de sommeil, mais qu'il ne pouvait qu'empêcher son maintien. Elle a donc pu partiellement se libérer de ses obligations de travail nocturne et a suivi les consignes. La qualité du sommeil s'est considérablement amélioré, bien que la malade ait encore, mais de façon épisodique des troubles du sommeil lorsqu'elle voyage.

Plein de honte

Un ingénieur de 27 ans demande une consultaltion parce qu'il éprouve des envies irrésistibles d'exhiber son pénis devant des femmes inconnues.

Le patient, enfant unique, est issu d'une famille de Juifs orthodoxes. La sexualité était formellement condamnée par chacun de ses parents comme une chose "sale". Son père, maître d'école, très autoritariste, avait la punition facile. Sa mère, qui ne travaillait pas, était une maîtresse femme qui voulait tout contrôler. La propreté était un de ses soucis majeurs et elle baigna son fils jusqu'à l'âge de dix ans. Le patient se rappelle qu'il craignait alors d'avoir une érection en présence de sa mère ; jamais il n'en eut. Adolescent, sa mère lui interdit de rencontrer ou de donner des rendez-vous aux filles. La maison leur était interdite et la seule jeune fille qui devrait en franchir le seuil serait sa future femme. En dépit des valeurs "anti-sexuelles" de cette mère, il lui arrivait souvent de se promener à moitié nue devant son fils. Souvent, ce spectacle l'excitait et il en avait honte.

Adolescent paisible, un peu en retrait par rapport aux autres, il était bon élève, un "enfant modèle" selon ses maîtres. Il était plutôt bon camarade, mais il n'a jamais eu d'amis véritables. Sa puberté commença à 13 ans et sa première éjaculation se produisit pendant son sommeil. Parce que cela était contraire à sa morale, il résista longtemps à la tentation de se masturber : entre l'âge de 13 et 18 ans, il n'eut que des éjaculations nocturnes.

C'est seulement quand il quitta la maison de ses parents, à l'âge de 25 ans, qu'il commença à approcher les femmes. Mais il était tellement inihibé que les rencontres qu'il faisait n'avaient jamais de suite.

Mais son véritable problème a débuté alors qu'il avait 18 ans. Dans la semaine qui précéda les examens de fin d'année, il éprouva un désir irrésistible de connaître le type d'expérience sexuelle qui motive l'actuelle consultation : seul avec une femme qu'il ne connait pas ; au fur et à mesure qu'il s'approche d'elle, son excitation sexuelle augmente, et il finit par exhiber son pénis en érection. Le choc et la peur que la femme éprouve le stimule au point que souvent il éjacule. D'autres fois, il fantasme sur des rencontres passées en se masturbant.

Après s'être exhibé, il est rempli de culpabilité et se jure de ne plus jamais recommencer. Promesse vaine, au moindre stress l'envie lui reprend de s'exhiber à nouveau. Jusqu'à maintenant, ce patient, en raison de son découragement et de sa honte qu'il éprouvait, n'a pas cherché à se faire soigner. Et pourtant, à l'âge de 24 ans, il a failli être appréhendé par un policier qui n'a pu le rattraper.

Au cours des trois dernières années, le patient est cependant arrivé à résister à ses envies de s'exhiber. Récemment, il a rencontré une jeune femme, qui l'aime et souhaite avoir des relations sexuelles avec lui. N'ayant jamais eu d'expérience auparavant, le patient est paniqué à l'idée de ne pas être à la hauteur. Il aime et respecte celle qui pourrait être sa partenaire sexuelle, en même temps qu'il la condamne de vouloir hâter les choses avant le mariage. Une nouvelle fois, il a recommencé à s'exhiber avec la crainte d'être appréhendé, s'il ne s'arrête pas.

Discussion

Il serait intéressant de discuter à fond des expériences infantiles de ce patient, dans la mesure où elles ont très probablement contribué au développement de sa maladie. Mais dans l'optique d'un diagnostic, cela ne présente qu'un intérêt limité. L'existence d'impulsions sexuelles et de fantaisies imaginatives sexuellement excitantes, survenant de façon répétées et intenses et consistant à exposer ses organes génitaux devant une personne étrangère prise au dépourvu ou choquée, suffit à établir le diagnostic d'Exhibitionnisme.

A la lecture de cette observation, il ne fait aucun doute qu'un grand nombre de cliniciens affirmeraient que ce malade présente également un trouble de la personnalité. Il n'est cependant pas possible d'en faire le diagnostic, car nous ne possédons pas suffisamment d'informations sur le fonctionnement de la personnalité de ce patient.

Diagnostic selon le DSM-III-R

Axe I : 302.40 Exhibitionnisme (léger) (p.317)

Messages radar

Alice Davis, secrétaire de rédaction âgée de 24 ans, venue récemment du Colorado pour habiter New York, vient consulter un psychiatre pour qu'il lui renouvelle son traitement thymorégulateur au lithium. Son histoire clinique remonte à trois ans, lors de sa quatrième année d'université.

Jusqu'alors, elle avait été une étudiante brillante et particulièrement sociable, entourée de nombreux amis garçons et filles. Au milieu de son premier trimestre de scolarité, alors que tout allait bien, elle commença à se sentir déprimée, perdit l'appétit et maigrit de plusieurs kilos. La nuit, elle avait des difficultés à s'endormir et se réveillait très tôt le matin.

Après environ deux mois, ces problèmes semblèrent disparaître ; elle se sentait en pleine forme, ne dormait que deux à cinq heures par nuit. Dans sa tête, les idées semblaient "se courir après" et elle se mettait à percevoir un sens symbolique à n'importe quoi, se rapportant essentiellement à la sexualité et l'impliquant personnellement. Des commentaires innocents à la télévision lui semblaient faire allusion à sa personne. Le mois suivant, elle devint euphorique, irritable et logorrhéique. Elle s'imagina qu'il existait dans sa tête un passage par lequel lui parvenaient des messages radar, qui tour à tour prenaient le contrôle de ses pensées ou déclenchaient des émotions comme la colère, la tristesse ou d'autres encore, qu'elle ne pouvait maîtriser. Elle était aussi persuadée que ses pensées pouvaient être "devinées" par des tierces personnes, et que celles des autres pénétraient dans son esprit, toujours au moyen de ce radar. Elle disait entendre des voix qui parfois parlaient d'elle à la troisième personne et qui, à d'autres moments, lui ordonnaient de commettre certains actes, en particulier des actes sexuels.

Ses amis, préoccupés par ce comportement inhabituel, l'emmenèrent dans un service d'urgence qui l'adressa au département de psychiatrie. Après une journée d'observation, elle fut neuroleptisée à la chlorpromazine, et mise sous carbonate de lithium. Trois semaines après, la symptomalologie s'était considérablement améliorée.

La chlorpromazine fut alors diminuée puis arrêtée ; seul le lithium fut maintenu. Lorsqu'elle quitta l'hôpital pour aller se rétablir chez des amies, après six semaines d'hospitalisation, ses symptômes avaient disparu, mais elle était légèrement hypersomniaque avec environ dix heures de sommeil, n'avait plus très faim et se sentait "ralentie".

Environ huit mois après son départ de l'hôpital, le psychiatre de l'université arrêta le lithium. Les mois suivant, elle se porta plutôt bien, puis elle fit une rechute selon une symptomatologie sensiblement identique. Elle fut alors à nouveau hospitalisée avec le même traitement.

Alice a réagi à nouveau favorablement au lithium et à la chlorpromazine, une nouvelle fois, la chlorpromazine a été progressivement supprimée, pour ne laisser que le lithium. Comme à la fin de sa première hospitalisation, Alice eut une hypersomnie légère, une perte d'appétit, une impression d'être "ralentie". Depuis un an, elle n'a pas cessé de prendre son lithium, et la symptomatologie n'est pas réapparue. Elle a trouvé un travail dans l'édition et récemment, elle est venue à New York pour avancer professionnellement.

A 40 ans, le père d'Alice a fait une dépression grave s'accompagnant d'une hypersomnie, d'une anorexie, d'un ralentissement psychomoteur important et d'idées suicidaires. La grand mère paternelle d'Alice s'est suicidée lors d'un épisode pathologique qui semble être lui aussi dépressif.

Discussion

Avant que l'état dépressif ne se manifeste, Alice avait un très bon niveau intellectuel. Elle a par la suite présenté un autre épisode pathologique caractérisé par la survenue d'une symptomatologie maniaque : humeur euphorique et irritable, diminution du besoin de sommeil, logorrhée et expérience subjective d'accélération de la pensée.

A l'acmée de sa maladie, Alice a présenté des idées délirantes bizarres (ses émotions et ses pensées étaient contrôlées par des messages radar qui lui parvenaient à travers le trou qu'elle pensait avoir dans sa tête), et des hallucinations auditives (qui lui donnaient des ordres, ou qui parlaient d'elle à la troisième personne). Ces symptômes psychotiques sont caractéristiques de la phase active de la Schizophrénie. Cependant, dans le cas qui nous intéresse, ils se manifestent exclusivement au cours de la survenue d'un trouble de l'humeur de type maniaque. Aussi doit-on les considérer comme appartenant à un trouble de l'humeur psychotique.

Faute de pouvoir retrouver un facteur spécifique organique responsable du déclenchement et du maintien des troubles de l'humeur, comme la prise de stimulants, il ne peut s'agir que d'un Episode maniaque. Par ailleurs, la survenue d'un seul Episode maniaque isolé, même en l'absence d'Episodes dépressifs majeurs, suffit à faire le diagnostic de Trouble bipolaire.

L'épisode le plus récent, pour lequel Alice a été hospitalisée pour la seconde fois, étant aussi de type maniaque, on peut donc considérer que la Manie en est le subtype habituel. On estime que le degré de sévérité du trouble, codé de cinquième niveau, correspond à la "rémission complète", du fait de l'absence de toute symptomatologie au cours des six derniers mois (même si la malade a reçu, pendant cette même période, un traitement prophylactique de lithium).

Il ne semble pas exister de Trouble de la Personnalité (Axe II) ou de trouble physique (Axe III) qui puisse se rapporter au diagnostic de l'Axe I. Comme il n'y a pas eu de rechute au cours de l'année écoulée, aucun facteur de stress ne doit être mentionné. Enfin, le bon niveau de fonctionnement au cours de cette dernière année ainsi que l'absence de rechute nous permettent de chiffrer à 8O l'EGF actuel ainsi que le plus haut niveau de fonctionnement de l'année qui s'est écoulée.

Diagnostic selon le DSM-III-R

Axe I :   296.46 Trouble bipolaire maniaque, en rémission
            complète (p. 255)
Axe II :   V71.09 Absence de diagnostic ou d'affection
Axe III :   Aucun
Axe IV :   facteurs de stress psychosociaux : aucun, Sévérité : 1 -
            aucun
Axe V :   EGF actuel : 80
            EGF le plus élevé de l'année écoulée : 80

Suivi

Au cours des six dernières années, Alice a présenté deux épisodes maniaques : l'un a nécessité une hospitalisation, l'autre a été soigné en ambulatoire. Actuellement, elle est toujours sous lithium. Elle poursuit un PhD. de lettres dans une université de Nouvelle Angleterre.

L'homme pacifique

Il s'agit d'un homme de vingt ans, amené à l'hôpital par ses quatre frères, complètement ligoté. Cette hospitalisation comme les six qui ont précédé fait suite aux mêmes troubles du comportement. Selon un de ses frères, l'épisode actuel aurait débuté chez eux dans la soirée, par un état d'agitation au cours duquel le malade a commencé par jeter une chaise par la fenêtre, puis démonté un radiateur avant de s'enfuir en courant dans la rue. Peu après, la police, qui avait été appelée par la famille, finit par le retrouver au milieu d'un carrefour, nu, en train de faire la circulation. Il bouscula alors les policiers, réussit à leur échapper et revint à la maison en hurlant des menaces contre ses frères qui finalement réussirent à le maîtriser.

A l'hôpital, le patient est surexcité. Parfois il s'emporte, à d'autres moments il semble terrorisé ; il a du mal à s'exprimer, trébuche dès qu'il essaye de marcher. Cette violence et cette incohérence persistent les premières journées d'hospitalisation, pour ensuite laisser la place à des périodes de lucidité, de plus en plus longues, entrecoupées parfois, il est vrai, par des moments imprévisibles pendant lesquels le malade, subitement méfiant et l'air menaçant, prononce des paroles incompréhensibles.

Une fois revenu à son état normal, il affirme ne jamais avoir été violent: "Je suis un homme pacifique" dit-il. Il ne se souvient même plus des circonstances de son hospitalisation. Il reconnaît prendre parfois le soir de l'alcool et de la marijuana, et prétend n'avoir pris de la phencyclidine (PCP) qu'une seule fois, il y a trois ans, juste pour essayer. En fait, les analyses toxicologiques sanguines et urinaires permettent de retrouver de la phencyclidine que, selon un de ses frères, le malade consomme quotidiennement. Toujours selon eux, les troubles du comportement auraient débuté il y a trois ans.

Lorsqu'il était au lycée, le malade était assez bon élève ; il travaillait à mi-temps, fréquentait une fille de son âge, aimait sortir. C'est à l'âge de 17 ans, qu'il fit un premier épisode pathologique très peu différent quant à la symptomatologie et la brutalité d'apparition de l'épisode actuel. Il se remit rapidement de cette crise et reprit ses études sans problème. Mais plus les épisodes pathologiques se multipliaient, moins la rémission était complète.

Après trois semaines de cette actuelle hospitalisation, le patient est maussade et reste sur ses gardes ; il ne supporte pas d'être invigoré, et le fait immédiatement remarquer. Habituellement calme et en retrait par rapport aux autres malades, il se met en colère très facilement. Une fois rentré chez lui, le patient vit une existence de parasite et traîne à la maison sans jamais aider aux travaux ménagers. Il a une bonne hygiène corporelle et prend ses repas à la maison. Depuis deux ans qu'il n'a jamais travaillé, sa famille ignore totalement d'où provient l'argent qu'il dépense et où il passe son temps quand il n'est pas à la maison.

Discussion

La violence, la bizarrerie du comportement et sa désorganisation, l'agitation psychomotrice, la labilité émotionnelle, l'incohérence du discours, l'ataxie, tels sont les principaux symptômes présentés par ce malade à son admission. Ils correspondent à une imprégnation aiguë du système nerveux central par la phencyclidine et réalisent ainsi le tableau clinique propre à cette intoxication.

A cela s'ajoute le notion d'une consommation habituelle de PCP ayant déjà occasionné de nombreux épisodes analogues s'accompagnant de troubles du comportement. Le malade dissimule à son entourage qu'il s'intoxique au lieu de se rendre à son travail. Il passe un temps considérable à récupérer des effets du PCP, continue à s'intoxiquer alors qu'il sait que cela a pour lui des effets négatifs qui se répètent. Enfin d'importantes activités sociales et professionnelles sont abandonnées en raison même de l'utilisation du PCP. Tels sont les éléments qui nous permettent de faire un diagnostic additionnel de Dépendance à la phencyclidine. Une plus ample information nous permettrait sans doute d'ajouter d'autres symptômes de Dépendance aux quatre que nous avons retrouvés. A noter cependant que les deux critères concernant les symptômes de sevrage ne devraient pas s'appliquer au PCP. Par ailleurs, dans le cas de ce patient, il existe probablement une altération importante de ses activités sociales et professionnelles qui nous autorise à penser que la nature de la Dépendance est sévère.

Diagnostic selon le DSM-III-R

Axe I :   305.90 Intoxication à la phencyclidine (PCP) (p. 174)
           304.50 Dépendance à la phencyclidine (PCP), sévère
           (p. 207)

Premier enfant

Linda Briar, 28 ans, attend la naissance de son premier enfant. Mariée depuis cinq ans, elle a travaillé pendant presque toute cette période, comme rédactrice dans une agence publicitaire. Jamais jusqu'à maintenant elle n'a eu de problème psychique particulier et a toujours joui d'une bonne santé.

La naissance du bébé, une petite fille d'un peu plus de trois kilos, n'a donné lieu à aucune complication : Linda, fatiguée mais heureuse, est restée trois jours à l'hôpital. Pendant sa première semaine chez elle, elle avait bon moral et se sentait bien. Puis, brusquement, elle est devenue très anxieuse au point de ne plus pouvoir se reposer. Elle s'imaginait que quelqu'un voulait faire du mal a son bébé. Tout en admettant que tout cela était ridicule, elle ne pouvait s'empêcher de penser que quelqu'un essayait d'empoisonner le bébé ou de s'introduire chez elle et disait à son mari, inquiet, des choses étranges, comme par exemple qu'ils auraient mieux fait d'avoir des jumeaux garçons plutôt qu'une petite fille.

Parfois elle se sentait tout à fait normale et, à d'autres moments, elle était agitée et tourmentée par des idées bizarres. Au cours de la semaine précédant l'entretien, elle avait été si bouleversée qu'elle avait été incapable de s'occuper du bébé et avait fini par ne plus pouvoir se lever de son lit. Elle en avait ressenti une grande culpabilité, au point de perdre le sommeil et de ne plus avoir d'appétit. Souvent elle paraissait perdue, quasi mutique, ne sachant plus où elle se trouvait ou ce qui lui arrivait.

C'est à ce moment que son mari l'emmena chez l'obstétricien qui l'envoya immédiatement chez un psychiatre. Lorsqu'elle le vit, elle lui déclara spontanément qu'elle craignait de se blesser ou de faire du mal au bébé.

Discussion

La discussion de ce diagnostic doit comporter l'élucidation de la sémiologie de Linda et du rapport de cause à effet entre les troubles présentés et la naissance de l'enfant.

La symptomatologie est constituée d'idées délirantes (on va faire du mal à mon enfant , elle a mis au monde des jumeaux), d'une agitation, d'une confusion, d'idées de culpabilité, et d'une incapacité à s'occuper de son enfant comme de prendre soin d'elle-même. L'absence d'humeur dépressive avérée nous permet d'éliminer une Dépression majeure psychotique ou un Trouble schizo-affectif. Le diagnostic de Trouble délirant doit également être écarté, car les troubles manifestes du comportement ne peuvent être attribués aux idées délirantes.

Ce tableau clinique est semblable à celui que l'on peut retrouver dans les Psychoses réactionnelles brèves (idées délirantes, comportement désorganisé et bouleversement émotionnel). Le fait que cette symptomatologie fasse suite à l'évènement particulièrement stressant comme la naissance d'un enfant, en l'absence de toute symptomatologie inaugurale d'une Schizophrénie, est également en faveur de ce diagnostic. Le problème clé est celui du critère d'exclusion permettant d'éliminer ce diagnostic, à savoir qu'aucun facteur organique ne doit avoir initié ou maintenu le trouble.

Faute de pouvoir démontrer que la naissance constitue un facteur organique pouvant être à l'origine de ce trouble psychotique, nous devons diagnostiquer une Psychose réactionnelle brève telle qu'elle est définie par les critères cliniques. Mais, nous ne pouvons pas être totalement satisfaits de ce diagnostic, car il ne nous est pas possible d'affirmer la nature purement psychologique du facteur du stress. Aussi, quitte à ne pas respecter les règles établies, nous préférerons le diagnostic de Trouble psychotique non spécifié.

Le DSM-III-R ne reconnait pas l'existence du diagnostic de Psychose du post-partum que la plupart des cliniciens et des chercheurs adopteraient, arguant du fait que la symptomatologie (émergence subite d'idées délirantes, d'agitation, de confusion, et de désorientation) se manifeste peu après la naissance de l'enfant. De même, le DSM-III-R ne reconnait pas le concept de Dépression du post-partum. Aussi, faut-il porter le diagnostic de Dépression majeure et enregistrer sur l'Axe IV la naissance de l'enfant comme facteur de stress susceptible d'être à l'origine de la dépression.

Selon les estimations, une Psychose du post-partum survient pour un accouchement sur mille ; mais après un premier épisode, le risque de survenue du trouble au décours d'un accouchement ultérieur est de un pour trois à un pour quatre. Environ 10 % des femmes qui accouchent font une Dépression majeure du post-partum. (Jusqu'à 50 % à 80 % des femmes présentent une affection du post-partum légère et transitoire dénommée "baby blues", qui se caractérise par des pleurs, une irritabilité, une légère dysphorie et une labilité émotionnelle).

Diagnostic selon le DSM-III-R

Axe I : 298.90 Trouble psychotique non spécifié (Psychose atypique) (p. 238)

Une veuve fortunée

Une femme de soixante-douze ans, veuve et fortunée, est adressée contre son gré et à la demande de ses enfants, chez un psychiatre. Ils estiment que depuis la mort de leur père, survenue il y a six mois, elle commence à devenir "sénile". Après la période de deuil, qu'elle n'eut pas de difficulté à surmonter, elle reprit une vie sociale active et se proposa comme bénévole dans un hôpital. Ses enfants l'encouragèrent d'abord dans cette voie puis, au cours de ces derniers mois, finirent par s'inquiéter de la voir sortir dans les bars avec certains membres du personnel hospitalier. La demande d'un entretien psychiatrique ne put qu'être précipitée par la nouvelle qu'elle allait se fiancer avec un jeune infirmier de vingt-cinq ans, auquel elle avait prévu de léguer sa maison et une importante somme d'argent, et c'est par l'intimidation que ses trois fils l'ont forcée à consulter. Alors que le psychiatre discute avec un des enfants, il entend la patiente accuser les deux autres de vouloir la faire enfermer pour pouvoir faire main basse sur son argent.

Au tout début de l'entretien, la patiente est extrêmement montée contre ses fils et contre le psychiatre. Ils ne comprennent pas, dit-elle, que pour la première fois de sa vie, elle fait quelque chose pour elle-même, et non pour son père, son mari ou ses enfants. Puis soudain, elle prend la pose et demande au psychiatre si elle est, à son avis, suffisamment bien pour séduire un homme de vingt-cinq ans. Elle se lance dans la description des capacités physiques et sexuelles de son fiancé, explique que pour la première fois elle est heureuse et que sa vie a réellement de l'intérêt. Elle ne cesse de parler sans jamais laisser au psychiatre la possibilité de l'interrompre par ses questions. Elle raconte qu'elle sort beaucoup dans les boîtes de nuit et les bars avec son fiancé et que, même si elle ne boit pas comme les autres, elle s'amuse énormément. Souvent, ils ne rentrent pas de la nuit et vont prendre leur petit déjeuner quelque part ; ensuite ils se couchent et font l'amour. Après seulement trois ou cinq heures de sommeil, elle se lève en pleine forme et part faire du shopping. Elle dépense environ quatre mille francs par semaine pour elle-même et trois mille francs pour son fiancé, ce qu'elle peut facilement se permettre.

Elle reconnaît que son attitude est plutôt inhabituelle pour quelqu'un de son âge et de sa position sociale , qui a toujours été trop stricte. Elle veut maintenant changer son existence avant qu'il ne soit trop tard. Elle refuse de se soumettre aux tests en disant : "Je ne vais pas faire vos tests idiots pour voir si je ne suis pas folle". Elle n'a apparemment pas de trouble de mémoire et semble être cohérente dans tous les domaines. Selon sa famille, elle n'a jamais connu auparavant de difficultés psychologiques.

Discussion

Dans cette histoire, telle qu'elle nous est présentée, on peut effectivement se demander si cette femme, qui se dit victime de l'avarice de ses enfants, est réellement indemne de tout trouble mental. Car chez quelqu'un qui était jusqu'alors bien trop "strict", on a du mal à croire que l'épisode actuel corresponde seulement à "un nouveau départ" dans la vie. Il existe en effet une variabilité thymique allant de l'irritabilité à l'expansivité, une logorrhée, une réduction du besoin de sommeil, une altération du jugement, enfin, comme en témoigne le legs de la maison à quelqu'un de pratiquement inconnu, autant de symptômes caractéristiques d'un Episode maniaque ou hypomaniaque, en l'absence d'un Trouble mental organique ou d'un Trouble psychotique non surajouté à un Trouble thymique. Au cours d'un Episode maniaque, il existe un "handicap marqué du fonctionnement professionnel, des activités sociales, ou des relations interpersonnelles habituelles" ; lors d'un Episode hypomaniaque, ce handicap, s'il existe, n'est jamais aussi important. Or nous estimons que le projet de cette veuve de léguer sa maison à son nouvel amant, indépendamment de toute considération financière, témoigne d'un handicap marqué de ses relations interpersonnelles (qu'elle serait bien loin d'admettre). Il s'agit donc d'un Trouble bipolaire, maniaque, sans caractéristiques psychotiques.

La première manifestation d'un Trouble bipolaire ne survient que rarement à un âge aussi tardif (72 ans). Aussi faudra-t-il prendre soin d'éliminer une affection organique telle qu'une tumeur cérébrale ou une maladie dégénérative du système nerveux central, pouvant se manifester par d'un Syndrome thymique organique. Les investigations permettant d'éliminer un trouble physique n'ayant pas encore été réalisées, nous devons adjoindre au diagnostic la mention "provisoire".

Diagnostic selon le DSM-III-R

Axe I : 296.42 Trouble bipolaire maniaque, sans caractéristiques psychotiques, (moyen) (provisoire) (p. 255)

Sur son nuage

Léon, 45 ans, employé des postes, a demandé une consultation dans une clinique spécialisée dans le traitement de la dépression. Il dit avoir été constamment déprimé depuis la première année d'université, sans connaître de période de répit où son humeur aurait été normale pendant plus de quelques jours. Il se plaint de vivre dans un état de semi-léthargie, de ne s'intéresser à rien, de ne pas pouvoir se concentrer, de voir les choses au pire et finalement de se sentir découragé et inutile. Les seuls moments où il ne se sent pas déprimé sont ceux où il est seul chez lui, à écouter de la musique ou regarder la télévision.

Plus avant au cours de l'entretien, Léon raconte qu'il ne se rappelle pas s'être senti une seule fois à l'aise en compagnie d'autres personnes. Lorsqu'il était enfant et qu'on lui demandait de parler devant un groupe d'amis de la famille, aucune idée ne lui venait à l'esprit. Il éprouvait une insurmontable anxiété quand il devait assister à une réunion entre enfants, comme une fête pour un anniversaire ; soit il évitait d'y aller, soit il restait complètement muet. En classe, il ne pouvait répondre aux questions que s'il en avait préalablement écrit la réponse ; même lorsqu'il avait pris cette précaution, il lui arrivait souvent de se mettre à bafouiller et de ne pouvoir la donner. Dès qu'il rencontrait des enfants qu'il ne connaissait pas, il baissait les yeux, craignant un regard un peu insistant, s'attendant à se sentir humilié ou embarassé. Il avait toujours peur que l'on pense autour de lui qu'il était muet ou "sur son nuage".

En grandissant, Léon se fit deux camarades de jeu dans le voisinage, mais jamais il n'eut un véritable ami. Ses notes en classe étaient bonnes sauf à l'oral. Adolescent, les filles le rendaient mal à l'aise. A l'âge qu'il a, il n'a jamais fait d'avance à aucune femme ; cela le préoccupe, même s'il reconnaît que cela ne l'intéresse pas beaucoup.

Léon a fréquenté l'université pendant un certain temps, mais il a abandonné ses études dès qu'il a commencé à ne plus avoir de bon résultats. Paniqué à l'idée de devoir se confronter à des personnes qu'il ne connaissait pas, il eut du mal à trouver un travail car il était incapable de répondre aux questions qu'on lui posait au cours des entretiens. Il occupa quelques emplois pour lesquels le recrutement se faisait par l'écrit. A l'âge de vingt-quatre ans, il passa un concours pour devenir fonctionnaire et on lui proposa un emploi dans un bureau de poste. Il travaillait le soir et refusa plusieurs promotions qui l'auraient forcé à avoir des contacts avec la clientèle. Bien que maintenant il dirige un grand nombre d'employés, il a toujours des difficultés à donner des instructions, même à des personnes qu'il connaît depuis des années. Il n'a pas d'amis et refuse toutes les invitations proposées par ses collègues. Au cours des dernières années, il a essayé diverses thérapies pour l'aider à surmonter sa timidité et son humeur dépressive.

Léon n'a jamais eu de crise d'angoisse soudaine ou d'attaque de panique dans des situations sociales ni même à d'autres moments. C'est plutôt lorsqu'il imagine et anticipe ces situations que l'angoisse apparaît. Jamais il n'a manifesté de symptômes psychotiques.

Discussion

La dépression pour laquelle Léon vient consulter a toujours existé. Même lorsqu'il était enfant ses intérêts étaient limités et son plaisir diminué. A l'humeur dépressive viennent s'associer des symptômes tels que le pessimisme, la perte d'énergie, les difficultés de concentration. Le tableau de l'Episode dépressif majeur est loin d'être complet, car il manque la perte d'appétit et l'insomnie. Aussi, devant la moindre intensité de cette dépression chronique, il semble plus adéquat d'évoquer le diagnostic de Dysthymie, de type primaire (puisqu'elle n'est pas liée à un trouble préexistant de l'Axe III) et de début précoce (avant l'âge de 21 ans).

De plus, Léon souffre depuis toujours d'une peur des situations sociales dont l'intensité est telle qu'il lui est difficile de maintenir un niveau de communication minimal avec autrui. Il craint de ne rien pouvoir dire et il a peur que les autres pensent qu'il est "sur son nuage". Cette peur, qui semble ne pas avoir de rapport avec la Dysthymie, autorise le diagnostic additionnel de Phobie sociale, de type généralisé (incluant la plupart des situations sociales).

Ce cas clinique illustre la difficulté à laquelle nous sommes souvent confrontés lorsque nous devons faire un diagnostic de Phobie sociale, de type généralisé, sur l'Axe I, à savoir le chevauchement de sa symptomatologie avec celle du Trouble de la Personnalité évitante. Tout au long de son existence,

Léon a certainement souffert du handicap important provoqué par la gêne éprouvée lors des situations sociales, la peur d'être mal jugé, une timidité excessive. Il n'a aucun ami proche et évite toute activité susceptible de le mettre en contact avec autrui. Sensible à l'excès à la critique, il n'établit de relation interpersonnelle que lorsqu'il est certain d'être accepté. Aussi devons-nous porter sur l'Axe II le diagnostic de Trouble de la Personnalité évitante. Il faut espérer que le DSM-IV nous permettra de mieux délimiter ces deux affections.

Diagnostic selon le DSM-III-R

Axe I : 300.40 Dysthymie, d'un Type primaire, à début précoce (p. 261)
300.23 Phobie sociale, d'un Type généralisé (p. 274)
Axe II : 301.82 Trouble de la Personnalité évitante (p. 397)

Le réalisateur

Un homme de trente-six ans, réalisateur de films, a de fréquentes difficultés à s'endormir qui remontent à sa plus tendre enfance. Couché entre 11h30 et 3h30 du matin, il se lève à des heures irrégulières, jusqu'à une heure de l'après-midi. En début de nuit, son sommeil est léger, facilement troublé par les mouvements de sa femme couchée à côté de lui. Puis il se met à dormir plus profondément et ce n'est que vers les huit heures du matin que, selon lui, son sommeil est le plus profond. Le matin, pendant au moins une demi-heure, il a du mal à se sentir éveillé et dans les premières heures de la journée il avoue ne pas être très productif.

Généralement, le patient n'a pas d'obligations professionnelles dans la matinée, sauf une fois par semaine ; ce jour-là, il a encore moins envie de se lever que d'habitude. Le soir, en revanche, il est en pleine forme. Son esprit est alors très actif et il retarde l'heure du coucher afin d'exploiter cette grande capacité de travail. Lorsqu'il lui arrive d'aller pêcher, il peut se lever à cinq heures du matin ; à neuf heures, il fait un petit somme.

Chaque jour, le patient boit entre deux et cinq tasses de café, plus parfois, pendant les périodes de travail intense. Il a souvent le nez pris, et occasionnellement il utilise un dérivé de l'éphédrine comme stimulant, en même temps qu'un décongestionnant nasal (ces médicaments ont des effets stimulants durables).

Les parents du patient étaient tous les deux alcooliques, ainsi que ses deux frères. Pendant son enfance, il a subi des traumatismes physiques et émotionnels. En outre, sa mère abusait des sédatifs ; elle a dû rester au lit pendant deux ans pour un état dépressif. Sa mère, sa soeur et un de ses frères ont fait des tentatives de suicide graves et son père s'est tué. En dépit de ces antécédents, le patient a remarquablement bien réussi ses études dans une prestigieuse université américaine, poursuivi un troisième cycle avec succès, réussi professionnellement.

Il vit actuellement avec sa femme qui est écrivain, et sa fille. Ses principales difficultés proviennent de son indécision et du fait qu'il est toujours prêt à faire plaisir aux autres, même si c'est à son détriment, lorsque, par exemple, il est question de négocier un contrat. Il pense que les malheurs qu'il a connus au cours de son enfance, ont diminué sa confiance en lui.

Au moment de l'entretien, le patient, habillé sport, apparaît tout à fait sympathique, et bien que se disant ne pas être très sûr de lui, il est direct, franc et engageant. Il acceptera volontiers de noter ses heures de sommeil pendant un mois.

La figure révèle que les heures du coucher sont de plus en plus tardives (allant de 21 ou 22 heures jusqu'à 3 heures du matin), les cycles étant de cinq à sept jours. Les heures du lever sont encore plus irrégulières et deviennent plus tardives à la fin de trois cycles. En général, c'est parce qu'il a une obligation que le sujet se lève, même s'il s'est couché tard, et cela le pousse à faire la sieste ou à aller se coucher à 22 heures. Plus tard, il ne parvient pas à s'endormir avant plusieurs heures. Après un ou deux jours de ce type, le cycle recommence.

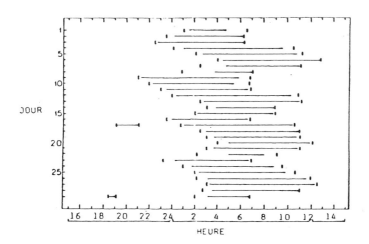

Figure 1. - Diagramme du sommeil du réalisateur. En abcisse le jour, et en ordonnée les heures de sommeil. La première ligne verticale avant chaque ligne indique le moment du coucher, la ligne horizontale l'estimation de la durée du sommeil et la deuxième ligne verticale le moment où il sort du lit. A noter qu'à J.8 et J.22, il s'écoule 2 heures et demi à trois heures entre le coucher et l'endormissement ; à J.17 et J.29, le malade a fait la sieste.

Discussion

Ce patient présente la symptomatologie du Trouble du rythme veille-sommeil Type avec retard de phase, qui se caractérise par une absence de correspondance entre son propre rythme circadien et l'alternance veille-sommeil requise par l'environnement. C'est ainsi qu'il se couche et se lève plusieurs heures après les personnes de son entourage ou celles qui travaillent avec lui. Ses horaires de sommeil sont donc retardés par rapport aux normes conventionnelles. L'étude du diagramme de sommeil de ce patient nous permet de penser que son propre rythme circadien, dans la mesure où il est légèrement supérieur à 24 heures, n'est pas influencé par les signaux externes qui ont normalement pour effet d'induire un rythme sommeil-veille de 24 heures.

Des patients présentant ce type de trouble ont le plus souvent des horaires de travail irréguliers, un meilleur rendement le soir propre aux "noctambules", ainsi qu'une impression toute subjective de dormir d'autant plus profondément que la nuit est avancée. Avec la perte de toute obligation professionnelle à heure fixe disparait un important facteur de synchronisation du rythme veille-sommeil, et c'est alors que la tendance au retard devient manifeste. L'utilisation par le patient de stimulants a eu pour conséquence une activité accrue le soir ainsi qu'une plus grande difficulté à s'endormir.

Diagnostic selon le DSM-III-R

Axe I : 307.45 Trouble du rythme veille-sommeil, de Type avec retard de phase (p. 346)

Suivi

Le traitement de ce patient a tout d'abord consisté en un sevrage des stimulants avec réveil régulier à 7 heures du matin, entrainant à la fois une amélioration des difficultés de mise en train du matin et une réduction de l'hypervigilance du soir. Mais au bout de quelques semaines, le malade reprit progressivement ses anciennes habitudes de coucher et de lever tardifs avec, lors des épisodes d'hyperactivité, ingestion de boissons caféinées. L'administration à 23H3O de O,25 mg de triazolam eut pour résultat de supprimer les difficultés d'endormissement ainsi que les problèmes de réveil avec, contre toute attente, un lever à 6 heures du matin sans aucun effet résiduel. (Le triazolam est une benzodiazepine à durée de vie courte dont certaines études cliniques ont démontré qu'il pouvait resynchroniser le rythme circadien en décalage comme, par exemple, lors du "jet lag syndrom"). Le malade réussit à maintenir ses horaires réguliers et, en dépit de l'arrêt de cette hyperactivité du soir, le rendement au travail se trouva augmenté. Il n'est plus préoccupé par ses problèmes de sommeil et il n'a plus de difficulté à travailler.

Après un essai infructueux de réduction brutale du triazolam de O,25 à O,125 mg qui avait occasionné des troubles de la concentration au cours de l'après-midi suivant la prise de médicament, la diminution progressive de la posologie a eu pour effet d'augmenter graduellement le temps de sommeil tout en maintenant le bon niveau de fonctionnement de la journée.

Le navigateur

Le médecin d'un service d'urgence demande une consultation psychiatrique pour un jeune homme de 18 ans, amené à l'hôpital par la police. Le malade est complètement épuisé et présente à l'évidence des signes d'exposition prolongée au soleil. Incapable de donner la date exacte (le 27 septembre au lieu du 1er octobre), il lui est impossible de répondre précisément à quoi que ce soit. Finalement, à force d'être aidé, il finit par se rappeler qu'il était en train de naviguer sur un bateau à voile avec des amis sur la côte de Floride, vraisemblablement autour du 25 septembre, lorsque tout d'un coup le mauvais temps s'est levé. Quant à ce qui a bien pu se passer par la suite, il se dit incapable de s'en souvenir, comme il ignore ce que sont devenus ses compagnons. A cette amnésie viennent s'ajouter des difficultés à se repérer: plusieurs fois on doit lui rappeler qu'il est à l'hôpital et, à chaque fois, il semble toujours aussi étonné.

Il n'existe aucune blessure à la tête pouvant témoigner d'un éventuel traumatisme crânien et l'état d'hydratation est correct. L'examen des nerfs crâniens ainsi que le bilan hydro-électrolytique pratiqué en urgence sont normaux. Comme le malade semble au bord de l'épuisement, on décide de le laisser dormir six heures. Au réveil, bien que ses capacités d'attention se soient améliorées, il n'arrive toujours pas à se rappeler ce qui s'est passé après le 25 septembre, ni les circonstances de son arrivée à l'hôpital. Toutefois, il est désormais bien conscient de l'endroit où il se trouve et il évoque sans difficulté le dernier entretien et le moment où on l'a envoyé dormir. Il lui revient à la mémoire qu'il est étudiant dans une université du Sud, qu'il y fait une bonne scolarité, qu'il a de bons amis et qu'il s'entend bien avec sa famille. Il affirme ne jamais avoir vu un psychiatre et ne jamais avoir abusé d'alcool ni de drogue.

Le patient n'ayant pas de problème somatique, on décide de pratiquer un interrogatoire sous amytal qui s'avérera riche en matériel. Ni lui ni ses compagnons n'étaient des marins suffisamment expérimentés pour pouvoir faire face à la violence de la tempête qu'ils ont dû affronter, mais lui seul a pris la précaution de s'attacher au bateau avec une corde de sureté après avoir enfilé un gilet de sauvetage ; les autres sont passés par dessus bord, emportés par des paquets de mer. Le bateau ayant alors été complètement livré à lui même, il pense ne devoir la vie qu'à sa corde de sûreté. Pendant plus de trois jours, le peu de vivres qu'il avait dans sa cabine lui permit de se nourrir jusqu'au premier octobre, où les gardes-côtes qui avaient fini par le repérer l'ont ramené au rivage. C'est alors que la police l'a conduit à l'hôpital.

Discussion

Le premier diagnostic différentiel à évoquer face à une amnésie subite est celui d'un Trouble mental organique, qu'il s'agisse d'un Delirium, d'une Démence ou d'un Syndrome amnésique pouvant être dû aussi bien à un traumatisme crânien, un accident vasculaire cérébral qu'à une intoxication. La normalité de l'examen physique et neurologique du patient, l'absence d'antécédent de toxicomanie, permettent d'écarter cette hypothèse. Grâce à l'interrogatoire sous amytal, il devient évident que la période d'amnésie a fait suite à l'expérience particulièrement traumatique au cours de laquelle l'existence du patient s'est trouvée être menacée. Or une Amnésie (incapacité à se rappeler des souvenir personnels importants, sans commune mesure avec un simple "oubli"), lorsqu'elle n'est pas due à un Trouble mental organique, doit être qualifiée de psychogène. Dans ce cas clinique, l'aspect très circonscrit de l'amnésie, la perplexité et la désorientation qui l'ont accompagnée, sa survenue au décours d'un évènement traumatique, sont très caractéristiques du trouble.

Diagnostic selon le DSM-III-R

Axe I : 300.12 Amnésie psychogène (p. 310)

Une vie de sommeil

Une employée de bureau de trente-neuf ans consulte un psychiatre pour des troubles du sommeil très invalidants qui sont apparus il y a un an et demi. Dès 18 heures, elle se met au lit pour dormir sans interruption jusqu'à 7 heures du matin. Le mois dernier - et c'est pour cela qu'elle s'est décidée à aller voir un psychiatre - son permis de conduire lui a été retiré : s'étant endormie au volant, elle avait percuté un poteau télégraphique à la sortie d'un parking. Il lui faut donc maintenant se lever à 6 heures du matin pour arriver à son travail à 8 heures et quart. Le matin, il lui est difficile de se réveiller et elle ne sent pas très en forme. Mais qui la gêne encore plus, c'est son état de somnolence qui ne la quitte pas de toute la journée. Il n'est d'ailleurs pas rare qu'elle rate son arrêt de bus pour s'être endormie dans le car. Aussi, pour s'obliger à rester éveillée et ne pas se coucher juste après son travail de bureau, vient-elle de se faire engager comme vendeuse, deux soirs par semaine. Ses week-ends, elle les passe au lit, à dormir toute la journée, ne se levant que pour aller aux toilettes ou prendre ses repas, mis à part quelques samedi où elle s'occupe de sa maison.

La patiente pense ne pas ronfler la nuit (il n'existe donc pas d'apnée du sommeil), dit ne pas faire de cauchemars (correspondant au Trouble : Rêves d'angoisse du DSM-III-R), ne pas être somnambule et affirme ne pas avoir les symptômes évocateurs d'une narcolepsie : cataplexie, ou perte soudaine du tonus musculaire, avec paralysie du réveil.

Avant l'apparition de ces troubles, la patiente n'avait besoin que de six à sept heures de sommeil. L'année où la malade a commencé à somnoler dans la journée, elle s'automédiquait en prenant de la caféine et consommait ainsi environ dix tasses de café par jour plus un ou deux litres de coca.

En dehors de cet état de somnolence, la patiente a présenté dès l'âge de treize ans plusieurs périodes de dépression sévère. Depuis ces derniers mois, il lui arrive d'avoir des crises de larmes à son bureau, si soudaines parfois qu'elle n'a pas toujours le temps d'aller jusqu'aux toilettes pour les cacher. Elle reconnaît avoir des difficultés à se concentrer sur son travail, qu'elle n'aime d'ailleurs plus autant qu'auparavant. Plutôt pessimiste et parfois agressive envers son entourage, elle se plaint d'idées noires qui ne l'ont pas quittée depuis quelques années. Récemment, depuis qu'elle a cessé de surveiller son diabète et son poids, elles se sont considérablement aggravées. Elle se reproche de se négliger au point de mettre sa vie en danger . Parfois, il lui arrive même de penser qu'elle mérite la mort.

De dix-huit à trente-trois ans, elle a fait une psychothérapie qui semble n'avoir donné aucun résultat sur la dépression. Plus récemment, il lui a été prescrit différents antidépresseurs, parmi lesquels de l'imipramine, la désipramine et la protriptyline, qui ont amélioré son humeur et sa vigilance pendant quelques mois. Il lui arrivait cependant de s'endormir, le soir, pendant de séances de psychothérapie de groupe.

On lui a découvert un diabète dès l'âge de 11 ans, mais ce n'est qu'à l'adolescence qu'elle a perdu le contrôle de son poids et que sa glycémie a commencé à augmenter. Le jour de l'entretien, elle pèse près de 30% de plus que son poids idéal et prend 52 unités d'insuline par jour. Elle mange sans se soucier de l'heure, ne fait pas d'analyse d'urine, alors que sa dernière glycémie était très au dessus de la normale. Une importante rétinopathie diabétique s'étant développée, elle est obligée d'utiliser une loupe pour lire. Pour sa légère hypertension sans néphropathie apparente, elle prend un comprimé de diurétique par jour.

La patiente n'a pas été très brillante tant au collège qu'à l'école de commerce où elle n'a pas réussi à obtenir son diplôme. Pour ce qui est sa vie amoureuse, elle avoue ne jamais avoir pu garder un ami très longtemps. Elle vit avec sa mère et n'a actuellement de lien affectif en dehors de sa famille. Il apparaît que le début des troubles du sommeil coïncide avec la toute dernière période de dépression.

L'histoire familiale de la patiente fait apparaitre qu'un de ses six frères et soeurs avait l'habitude de faire la sieste chaque après-midi et dormait sept heures par nuit. Mis à part ce frère, il ne semble pas exister d'antécédent de Trouble du Sommeil, de diabète ou de dépression dans sa famille.

Lorsque la patiente parle de ses difficultés, elle regarde dans le vide la tête baissée, la voix monocorde, en larmes. Elle essaie de répondre le mieux qu'elle peut aux questions qui lui sont posées, mais sans jamais rentrer dans les détails.

On l'admet à l'hôpital pour un bilan. Dans le service, elle dort entre douze et quinze heures par jour. Lors des épreuves de vigilance, les résultats sont plus que médiocres. Au test où elle a la consigne d'appuyer sur un bouton quand apparaît la lettre X au milieu d'une série d'autres lettres, elle obtient une moyenne de 4% après deux essais, le score habituel étant de 66-78%. Sa latence au sommeil (qui correspond au début de l'endormissement après que le sujet se soit couché) est en moyenne de 8,5 minutes, lors de ses quatre siestes sous détecteurs, ce qui correspond à un état de somnolence légère. La nuit, elle a une latence au REM diminuée, de l'ordre de 2 minutes, ainsi qu'une augmentation anormale (42%) de la durée du sommeil REM. (Cette augmentation de l'activité REM, qui peut très bien correspondre à une diminution du taux des catécholamines centrales, se retrouve dans la dépression, la narcolepsie, l'utilisation d'antagonistes catécholaminergiques ou lors des sevrages aux stimulants). La patiente a une vigilance de 2% seulement et, lorsqu'elle passe sa nuit au laboratoire elle dort sans discontinuer pendant 9 heures et demie, jusqu'à ce que le personnel du laboratoire soit obligé de la réveiller, pour pouvoir effectuer son travail de la journée.

Discussion

Mis à part les Episodes de dépression recurrente, la patiente se plaint principalement d'être somnolente tout au long de la journée (elle s'endort dans le bus, reste au lit tout le week-end) et d'avoir du mal à retrouver sa pleine conscience au réveil (il lui est difficile de se réveiller et elle ne se sent pas très en forme). Les résultats du laboratoire du sommeil (sommeil prolongé, altération de la vigilance, raccourcissement de la latence REM, augmentation de l'activité REM) ne font que confirmer l'hypersomnie.

Aucun facteur organique spécifique (narcolepsie ou apnée du sommeil par exemple) n'a pu être authentifié. L'importance de l'hypersomnie est telle que l'on pourrait évoquer une Hypersomnie primaire. Mais l'apparente coïncidence de survenue des troubles du sommeil avec la dernière rechute dépressive permet de conclure que cette hypersomnie est en fait la conséquence du Trouble thymique. Le diagnostic principal est donc celui d'une

Hypersomnie liée à un autre trouble mental (non organique). La Dépression majeure, récurrente doit également être enregistrée sur l'Axe I, en tant que diagnostic additionnel. Le trouble du sommeil qui, en fait, est la conséquence du Trouble thymique constitue un diagnostic indépendant, car c'est l'hypersomnie qui est le motif de la consultation. Si cela n'était pas le cas, l'hypersomnie serait comprise dans le diagnostic de la Dépression majeure, dont elle ne serait qu'un des symptômes.

Diagnostic selon le DSM-III-R

Axe I : 307.44 Hypersomnie liée à un autre trouble mental (non organique) (p. 342)
296.32 Dépression majeure (recurrente moyenne) (p. 257)
Axe III :Diabète et rétinopathie diabétique
Obésité
Hypertension légère

L'éternelle malade

C'est en 1945, à l'age de dix-huit ans, pendant qu'elle était en première année d'université, que la malade a commencé à appréhender de sortir de chez elle. La première fois que ça lui est arrivé, ce fut un jour de septembre, alors qu'elle était en train de faire des courses en compagnie de sa mère. A plusieurs reprises, et sans aucune raison, elle resta comme clouée sur place, immobile l'espace de quelques instants, avant de pouvoir se remettre à marcher comme si rien ne s'était passé. Le lendemain, elle parla peu, si ce n'est pour tenir des discours hors de propos ou à d'autres moments se remettre à se comporter et parler tout à fait normalement. Mais ses silences, son refus de manger et les paroles tout à fait étranges du type "Papa, tue moi", eurent pour effet de précipiter une consultation, suivie immédiatement d'une hospitalisation, pratiquement la veille de son entrée à l'université. Dans les premiers temps de son séjour dans le service, on évoqua la possibilité d'hallucinations auditives. Par moment, elle répondait de façon embarrassée ou parfaitement niaise, alors que d'après les résultats des tests psychologiques son QI était de 121. Lorsqu'elle était seule, elle se mettait à écrire des nouvelles qui auraient très bien pu être publiées. En partie à cause de l'absence de progrès et de l'étrangeté épisodique de son comportement, on finit par considérer qu'il devait s'agir d'une authentique "schizophrénie catatonique".

Dès le début de hospitalisation, la patiente entreprit, à raison de quatre séances par semaine, une psychothérapie individuelle qui finalement aura duré près de vingt ans, tantôt à l'hôpital, tantôt à l'extérieur, avec neuf médecins successifs. Au début de son hospitalisation, la malade était souvent négativiste ; elle recherchait l'affrontement physique, se faisait vomir, et à plusieurs reprises elle se mutila sans pour autant mettre sa vie en danger, ce qui eut pour effet de donner un surcroit de travail à un personnel médical déjà réduit. Elle se disait prête à essayer toute forme de thérapie, même la lobotomie, seul souhait qui finalement ne sera pas exhaussé. Elle reçut une douzaine d'électrochocs, connut quarante séances d'insulinothérapie puis commença une thérapie par la danse, s'inscrivit en ergothérapie, se passionna pour le psychodrame, l'art-thérapie, et alla demander conseil aux prêtres et aux pasteurs.

Au bout de trois années particulièrement difficiles, elle fut confiée aux soins d'une femme psychiatre. Les résultats furent spectaculaires : désormais beaucoup plus calme, elle alla s'inscrire à l'université la plus proche et réussit dans ses études. Au début, les crises de vomissement, de violence ainsi que les autres manifestations de ce type se produisaient chaque fois qu'on évoquait son départ de l'institution. Puis au bout de deux ans de psychothérapie, elle finit par trouver un emploi qui lui convenait et accepta de quitter l'institution afin de n'être plus suivie qu'à l'extérieur. Elle avait alors vingt-quatre ans et on pouvait légitimement la considérer comme étant "tirée d'affaire".

Pendant six ans, elle n'eut aucun problème. Puis, un soir, elle arriva à l'hôpital pour y être admise après avoir essayé sans résultat de joindre sa psychothérapeute au téléphone. Il était difficile de savoir si l'attitude de la patiente était véritablement sincère, si les idées suicidaires étaient authentiques, si, comme elle le disait, elle avait véritablement "perdu la tête". Dans le doute, elle fut une nouvelle fois gardée à l'hôpital, et c'est alors que commença une série de psychothérapies variées qui dura environ une dizaine d'années.

Quand elle eut quarante ans, on entreprit de revoir le diagnostic et le traitement de la patiente, pour se fixer sur celui d'une "personnalité hystérique". Pendant les cinq ans qui suivirent, tous les efforts de réintégration dans la communauté furent mis en échec par l'attitude opposante de la malade, ses menaces, ses gestes d'automutilation, les vomissements qu'elle se provoquait, ses remarques acerbes, et son attitude générale qui avait manifestement pour but d'attirer l'attention. Aussi fut-il décidé désormais de ne plus "gratifier" la malade par quelque forme de thérapie que ce soit. Finalement, passée la quarantaine, elle dut quitter l'hôpital, bien contre son gré, car elle ne cessait de dire qu'elle n'était pas prête. Quand finalement on lui demanda instamment de partir, elle se mit à vomir. Devant la détermination du thérapeute, elle baissa son pantalon et déféqua dans le bureau. Elle finit pourtant par partir. Durant les dix années qui suivirent, elle a vécu en dehors de l'institution, logée le plus souvent dans un foyer.

Discussion

Pendant de nombreuses années, cette femme a tout fait pour retenir l'attention d'un nombre incalculable de professionnels en santé mentale. Des traitements actuels, presque tous ont été essayés, aucun n'a été efficace. Dès le départ, les symptômes ne semblaient correspondre à aucune maladie identifiable, de même qu'ils pouvaient être reproduits à volonté, comme par exemple la fois où, juste avant sa sortie de l'hôpital, la patiente s'est mise à déféquer ostensiblement.

Au fil des années, sa conduite semble n'avoir eu pour seul objectif que de continuer à être traitée par la psychiatrie. Autrefois, on aurait attribué à cette malade le diagnostic d'"'hystérie", en raison de l'exagération et de la dramatisation de la symptomatologie. La présence de traits histrioniques n'a d'ailleurs pas échappé au personnel de l'hôpital qui s'est occupé d'elle. Mais le DSM-III-R considère que le fait de générer volontairement des symptômes psychologiques dans le but d'assumer un rôle de malade (et en l'absence de motivations extérieures pouvant rendre compte de cette conduite comme dans la Simulation, constitue une catégorie diagnostique à part : le Trouble factice avec symptômes psychologiques.

Les symptômes factices ne constituent pas les seules manifestations au long cours de son dysfonctionnement psychique. Son extrême émotivité, son avidité démesurée à capter l'attention d'autrui, la dépendance dont elle fait preuve dans ses relations interpersonnelles, ses exigences, sa vanité sont autant de traits de caractère en faveur d'un diagnostic additionnel de Trouble de la Personnalité histrionique. Mais bien que très probable, ce diagnostic ne peut être affirmé, car, par manque d'information, on ne retrouve pas les autres critères du trouble, comme par exemple un comportement de séduction inadapté ou un souci exagéré de plaire physiquement. Le seul diagnostic de personnalité que le DSM-III-R autorise est donc le Trouble de la Personnalité non spécifié (avec traits histrioniques).

Diagnostic selon le DSM-III-R

Axe I : 300.16 Trouble factice avec symptômes psychologiques (p. 360)

Axe II : 301.90 Trouble de la Personnalité non spécifié (p. 403)

Je suis Vichnou

Monsieur Nehru, un célibataire de trente-deux ans, sans emploi, a quitté l'Inde pour les Etats Unis à l'âge de treize ans. C'est son frère qui l'amène au service des urgences d'un hôpital d'Atlanta, en Georgie : des voisins se sont plains de ce qu'il ne cessait d'importuner les gens dans la rue avec ses croyances religieuses. Au psychiatre il ne cesse de répéter : "Je suis Vichnou. Je suis Krishna".

Pendant les sept derniers mois, Monsieur Nehru a vécu chez son frère et sa belle-soeur, tout en étant suivi dans un dispensaire. Depuis un mois, son comportement était devenu extrêmement désordonné. Il réveillait son frère à n'importe quelle heure de la nuit pour lui poser des questions sur des problèmes religieux. Souvent, il semblait répondre à des voix que lui seul entendait. Il ne se lavait plus, ni ne changeait ses vêtements.

Le premier épisode pathologique de Monsieur Nehru remonte à cinq ans. Il ne nous a pas été possible d'avoir accès aux dossiers médicaux, mais d'après son frère, il semble avoir été similaire à celui-ci. Deux autres crises ont nécessité une hospitalisation de quelques mois. Monsieur Nehru reconnaît que depuis cinq ans et sans interruption, ses voix ne cessent de l'importuner. Il y en a plusieurs qui sont là à commenter ses actes et à parler de lui à la troisième personne. Elle peuvent être neutres ("Regarde-le. Il va manger") ou bien insultantes ("Quel imbécile ! Il ne comprend rien à rien !").

Entre ces épisodes pathologiques, Monsieur Nehru est, d'après son psychiatre traitant comme d'après son frère, quelqu'un de calme, un peu renfermé, très apprécié des personnes agées du voisinage qu'il aide à faire les courses et dont il s'occupe du jardin. Son humeur est habituellement tout à fait normale, et il se sent généralement assez bien, mises à part ses voix qui l'empèchent de se concentrer au point de ne pas pouvoir travailler. S'il lui arrive de lire des livres, il regarde peu la télévision : les voix qu'il entend au poste le dérangent, car il a l'impression que les programmes font fréquemment allusion à lui.

Durant les six dernières semaines, ses voix qui devenaient de plus en plus insistantes, n'ont cessé de lui répéter qu'il était le nouveau Messie, Jésus, Moïse, Vichnou et Krishna, et qu'avec lui devait commencer une ère nouvelle. Il dormait peu et "la bonne nouvelle" qu'il avait à répandre lui faisait oublier la fatigue. Selon son frère, il était tellement absorbé par ses voix qu'il en oubliait les nécessités de la vie quotidienne.

Monsieur Nehru est euphorique, et on a du mal à le suivre tellement il parle vite. Alors qu'il fait les cent pas dans la salle de l'hôpital, il aperçoit un médecin qu'il attrape par le bras pour l'entretenir avec vivacité et enthousiasme de ses idées religieuses. Puis, en plein milieu d'un discours sur sa nouvelle religion, il s'interrompt pour complimenter son auditeur sur sa chemise et sa cravate qu'il trouve, dit-il, "parfaitement assorties". Quand on lui demande de se contenir, il se met en colère. Persuadé d'être le Messie, il croit que l'hôpital fait partie du complot qui cherche à empêcher la diffusion de son message religieux. Mais, tout en avouant y être attaché, il lui arrive de se plaindre de ce qu'il appelle ses "foutues voix". Quant à ses convictions religieuses, son euphorie, et l'énergie dont il fait preuve, il dit qu'elles sont "un véritable don de Dieu".

Discussion

Monsieur Nehru présente une affection chronique s'accompagnant d'hallucinations dont l'importance et le caractère intrusif sont tels qu'il ne lui est pas possible de travailler, faute de pouvoir se concenter. Ces hallucinations n'ont cessé d'être présentes depuis le début de la maladie, six ans auparavant. Par ailleurs on enregistre quatre épisodes (dont l'actuel) dont la symptomatologie répond aux critères d'un Episode maniaque : le malade est euphorique, mégalomane, irritable, logorrhéique, et son énergie est accrue.

Si les hallucinations auditives entre les Episodes maniaques étaient absentes du tableau, nous n'hésiterions pas à faire le diagnostic de Trouble bipolaire. Car le diagnostic de Trouble bipolaire ne peut s'appliquer aux cas où existent depuis au moins deux semaines un délire ou des hallucinations en l'absence de symptômes thymiques importants. Or il se trouve que les hallucinations auditives de Monsieur Nehru ont persisté pendant tout le temps où il ne présentait pas de symptomatologie maniaque.

Si nous avions du évaluer ce patient entre deux Episodes maniaques, le syndrome hallucinatoire, dans la mesure où il semble indépendant de la dépression ou de la manie, aurait été considéré comme symptomatique soit d'une Schizophrénie, soit d'un Trouble schizo-affectif. En fait, il importe surtout de savoir si la durée totale des troubles de l'humeur (ici des Episodes maniaques) a ou non été de courte durée comparativement à celle de la maladie psychiatrique depuis le début. Nous ne savons pas avec exactitude qu'elle a été la durée de chacun des Episodes maniaques de Monsieur Nehru, mais nous pouvons supposer qu'ils n'ont pas dépassé au total les six mois, alors que l'état psychotique dure depuis six ans. Cela doit-il être considéré comme une courte durée ? Faute de précisions à ce sujet dans le DSM-III-R, nous accorderons une particulière importance aux symptômes maniaques qui semblent avoir marqué chacune des rechutes de l'affection psychotique. Aussi opterons nous pour le diagnostic de Trouble schizo-affectif, type bipolaire tout en précisant qu'il sera nécessaire d'éliminer définitivement une Schizophrénie.

Diagnostic selon le DSM-III-R

Axe I : 295.70 Trouble schizo-affectif, de type bipolaire (p. 236) (provisoire, Schizophrénie à exclure)

Un homme d'affaires perturbé

Il s'agit d'un directeur des ventes de 42 ans qui est admis dans un service psychiatrique à la suite d'une période d'un mois et demi durant laquelle il a perdu toute la confiance qu'il accordait aux autres, au point de soupçonner ses propres associés. Il s'était mis à interpréter leurs paroles en dehors de leur contexte, à déformer systématiquement leurs propos, à faire des commentaires hostiles et accusateurs à tort, alors qu'en réalité c'est lui qui avait laissé échapper plusieurs affaires sur le point d'être conclues. Récemment, le patient avait tiré un coup de fusil dans son jardin, un soir tard, parce qu'il avait entendu des bruits qui l'avaient persuadé que des intrus allaient rentrer dans la maison pour le tuer.

Un an et demi auparavant, on lui avait diagnostiqué une narcolepsie (des épisodes d'attaque de sommeil constituées par une envie irrésistible et soudaine de s'endormir, s'accompagnant de cataplexie caractérisée par une perte soudaine du tonus musculaire avec chute de la tête, affaissement de la mâchoire, faiblesse dans les genoux, pouvant aller jusqu'à la paralysie de tous les muscles du squelette). Traité par un dérivé amphétaminique, le méthylphénidate, il a été débarrassé de tous ses symptômes et put ainsi reprendre avec efficacité son travail de directeur des ventes dans une petite entreprise de matériel de bureau et avoir à nouveau une vie sociale active dans sa famille et avec ses amis. Puis, pendant les quatre mois précédant son admission, il se mit à prendre des doses de plus en plus fortes de méthylphénidate afin de pouvoir rester éveillé la nuit pour faire face à l'augmentation de sa quantité de travail.

Discussion

Les symptômes primaires de ce patient sont constitués par des idées délirantes de persécution centrées sur les collègues de travail, des idées de référence (bruits témoignant de la présence d'intrus prêts à le tuer). La coincidence entre l'efflorescence des symptômes et l'augmentation des doses de méthylphénidate, nous permet de penser que nous nous trouvons devant un syndrome délirant organique ou, plus précisément, un Trouble délirant induit par le méthylphénidate.

Comme il n'existe pas d'élément permettant de conclure à l'existence de problèmes de personnalité, nous inscrivons sur l'Axe II le code V71.09, correspondant à l'absence de diagnostic ou d'affection.

La Narcolepsie devra être mentionnée sur l'Axe III, en raison de son appartenance au domaine de la neurologie. L'accroissement de la charge de travail, estimée comme un facteur de stress psycho-social léger sur l'Axe IV, est un évènement aigu, car il ne dépasse pas les six mois. Le plus haut niveau de fonctionnement de ce patient dans l'année qui vient de s'écouler, tant pour ce qui est du travail que des relations sociales, est en apparence très bon. Par contre son EGF actuel doit être évalué à 20, car il peut être dangereux pour autrui : coups de fusils tirés de sa maison, dans un contexte manifestement délirant.

Diagnostic selon le DSM-III-R

Axe I : 292.11   Trouble délirant lié à du méthylphénidate (p. 154)
Axe II : V71.09   Absence de diagnostic ou d'affection
Axe III   Narcolepsie
Axe IV : Facteurs de stress psycho-sociaux : accroissement de la charge de travail. Sévérité : 2 - légère (événement essentiellement aigu)
Axe V : EGF actuel : 20
        EGF le plus élevé de l'année écoulée : 80

"Je vais y passer"

Un homme agé de cinquante-deux ans, distributeur de pièces détachées automobiles, se réveille une nuit, manquant d'air, en sueur, tremblant, avec des palpitations. Il prend alors son pouls : 120 battements à la minute. "Je vais y passer," se dit-il. C'est la quatrième fois en une semaine, et la dixième, au moins en un mois, qu'il est ainsi réveillé en plein milieu de la nuit. Depuis le début des crises, il y a deux ans, ça ne va qu'en empirant : non seulement elles l'empêchent de dormir toute sa nuit, mais en plus, il se sent complètement épuisé toute la journée du lendemain. Aussi a-t-il fini par se décider à suivre le conseil d'un ami et à s'adresser à un psychiatre spécialisé dans les troubles du sommeil.

Les crises de panique se sont tout d'abord manifestées au cours de la journée dès l'âge de douze ans, pour revenir régulièrement à quelques mois de distance. C'est seulement à la cinquantaine, qu'elles se sont aussi déclenchées la nuit. Quelques mois avant cette dernière crise, elles ont pourtant diminué en fréquence, depuis que le patient a cessé de boire ses huit ou dix bières par semaine. Il a donc perdu ces derniers temps environ 20 kg, son poids actuel étant de 81 kg, et la légère hypertension, dont il souffrait depuis plusieurs années, a disparu.

En plus de ses crises à répétition, le patient a toujours été angoissé à l'idée d'être enfermé à l'intérieur d'un avion ou d'un ascenceur, ou encore de conduire sur la voie médiane d'une autoroute. Quand sa voiture est arrêtée à un péage, il compte les sorties jusqu'à ce qu'on le laisse passer, pour éviter d'être saisi de panique.

Il avoue également avoir peur de s'effondrer psychologiquement s'il s'éloigne trop de ce qu'il appelle son "attirail de secours" : une glacière remplie de bouteilles de bière, qu'il a toujours avec lui, bien qu'il en boive rarement sauf lorsqu'il voyage en avion, où il peut absorber jusqu'à six ou huit bières avant l'embarquement. Il se fait alors accompagner par un de ses employés, son fils ou un ami, car sans une personne qu'il connaît bien, il ne peut pas prendre l'avion. Chaque fois qu'il a bu dans la journée, il est réveillé en pleine nuit par une crise de panique.

Le patient dirige une entreprise prospère en même temps qu'il fait office de conseiller pour d'autres compagnies. Récemment, il a du refuser un très gros marché avec l'Etat (qui prévoyait de créer un système de distribution internationnal pour des magasins de détail implantés sur des bases militaires), uniquement par peur d'être soumis à un examen trop scrupuleux de ses affaires et pour éviter certains voyages en avion.

Pendant l'entretien, le patient parle beaucoup et répond volontiers aux questions. Il est de bonne humeur, plutôt sympathique, engageant et il acceptera d'aborder certains sujets qui l'embarrassent avec franchise et de façon constructive. Dans sa famille, ses deux soeurs et ses deux filles souffrent d'"'agoraphobie" ; une d'elles reste confinée chez elle.

On a d'abord pensé que le patient était atteint d'apnées du sommeil, (nombreuses pauses respiratoires pendant le sommeil), du fait de ses ronflements sonores, des réveils provoqués par l'absorption d'alcool et de la présence d'une légère hypertension. (Ces symptômes sont courants dans les cas d'apnées nocturnes. Ils sont probablement dus à l'hypertension pulmonaire générée par l'insuffisance respiratoire et le manque d'oxygène. Cette hypothèse a été éliminée devant la négativité des résultats des tests de vigilance diurne, de l'enregistrement du sommeil en laboratoire et de l'examen des voies aériennes supérieures).

Discussion

Ce cas clinique présente une double singularité. D'abord, les attaques du Trouble panique surviennent rarement la nuit. Deuxièmement, il est rare qu'une insomnie ait pour origine des attaques de panique qui réveillent le patient. Lorsque, comme dans ce cas particulier, l'insomnie persistante est le symptôme qui est mis en avant et qu'elle est apparemment due à un trouble mental, le diagnostic doit être celui d'une Insomnie liée à un autre Trouble mental (non organique). On enregistrera également sur ce même Axe le Trouble panique ainsi que son subtype, avec Agoraphobie (le malade a du mal à se trouver dans certaines situations par crainte d'avoir une nouvelle attaque de panique).

Diagnostic selon le DSM-III-R

Axe I : 300.21 Trouble panique avec agoraphobie, attaques de panique sévères, évitement agoraphobique (léger) (p. 269) 307.42 Insomnie liée à un autre Trouble mental (non organique) (p. 338)

Suivi

Le Trouble panique a été traité par une benzodiazépine à demi-vie courte, l'alprazolam, à raison de O,5 mg trois fois par jour. Les attaques de panique ont ainsi disparu et le sommeil est redevenu normal.

Superstitions

Un étudiant d'une université du centre des Etats Unis, âgé de vingt ans, se plaint à son généraliste des difficultés qu'il rencontre dans ses études. Depuis six mois, il est envahi par des pensées qu'il n'arrive pas à chasser de son esprit. Il en est au point où il passe des heures chaque nuit à essayer de "réorganiser" les événements de la journée dans lesquels ses parents et ses amis se sont trouvés impliqués, à rectifier sans fin tout ce qu'il regrette d'avoir fait. Il compare ce processus au fait de se repasser sans cesse dans son esprit "la cassette vidéo" de chaque évènement pour voir s'il s'est comporté comme il le fallait et se convaincre qu'il a fait de son mieux, qu'il a toujours dit ce qu'il fallait. Lorsque, par exemple, il est assis à son bureau, il se met à tout ressasser, au lieu d'étudier ; et souvent il ne peut que constater en regardant sa montre, que deux ou trois heures se sont ainsi écoulées. Ses résultats scolaires commencent à baisser et cela le préoccupe.

Après un entretien plus approfondi, le patient reconnaît obéir à un rituel de préparation lorsqu'il doit sortir avec des amis. Là comme ailleurs, se raser, prendre une douche, se coiffer et mettre ses vêtements, doivent être réalisés à la "perfection". Mieux, depuis plusieurs années, certaines "superstitions" ont pris une importance croissante au détriment de sa vie de tous les jours : éviter certains bâtiments du campus, toujours s'asseoir sur le troisième siège de la cinquième rangée dans l'amphitéâtre et placer ses livres et ses stylos selon un certain ordre sur son bureau, avant de se mettre à travailler.

Discussion

Les obsessions sont des idées récurrentes, ressenties comme indépendantes de la volonté, intrusives pour la conscience, absurdes (égo-dystoniques). Il est certain que le patient ne ressent pas ses ruminations mentales des événements de la journée comme étant sous la dépendance de sa volonté. Il est moins sûr qu'il ait une claire conscience de l'absurdité du contenu de ses pensées, bien qu'il tente de les ignorer ou de les faire disparaître. Le problème de savoir si de telles idées représentent de véritables obsessions ou de simples ruminations obsessionnelles est tout à fait fondamental pour bien faire la distinction entre un Trouble obsessionnel-compulsif et un Trouble de la Personnalité obsessionnelle-compulsive voire même un Trouble anxiété généralisée, qui souvent s'accompagne de ruminations mentales. Dans ce cas clinique, on retrouve également des signes de compulsions, et qui sont des comportements répétitifs se déroulant selon certaines règles bien précises, ou de façon stéréotypée, qui n'ont aucune utilité, qui ne sont générateurs d'aucun plaisir, et qui sont globalement perçus comme étant absurdes (rituels de préparation du matin et "superstitions" dont parle le malade).

Le Trouble de la personnalité obsessionnelle-compulsive est souvent, mais pas toujours, associé à un Trouble obsessionnel-compulsif. Dans ce cas clinique, nous manquons d'éléments permettant d'étayer ce diagnostic additionnel.

Diagnostic selon le DSM-III-R

Axe I : 300.30 Trouble obsessionnel-compulsif (ou Névrose obsessionnelle-compulsive) (légère) (p. 278)

Quelque chose de bizarre !

Une jeune femme de vingt-cinq ans est admise dans un service de psychiatrie après avoir été amenée aux urgences par la police. Elle était, dit-elle, en train de faire du shopping dans une boutique de luxe lorsque, soudain, "il s'est passé quelque chose de bizarre". Ce qui est arrivé par la suite, la patiente se dit incapable de s'en rappeler jusqu'au moment ou, une heure plus tard, elle est arrêtée pour vol à l'étalage dans un grand magasin tout proche. Elle se met alors à protester de son innocence et devient si agitée, si agressive et insultante que les officiers de police, venus pour l'interpeler, l'emmènent directement à l'hôpital. Deux ans auparavant, la jeune femme dit avoir déjà été arrêtée pour la même raison et, là encore, il lui avait été impossible de se souvenir de son acte. Comme elle avait alors, en guise d'explication, dit avoir oublié de s'alimenter après une dose d'insuline, les charges contre elle avaient été donc abandonnées. Or cette fois-ci, la glycémie pratiquée dès son entrée est au contraire élevée.

Après son admission, la patiente se calme rapidement et ne présente aucun symptôme pendant deux jours. Puis quand elle apprend que sa sortie est fixée au lendemain et que, cette fois, les charges contre elle seront maintenues, elle se montre très agressive et insulte le personnel. Une fois apaisée, elle se plaint de céphalées et prétend ne pas se souvenir de l'incident. Plus tard, dans la soirée, elle aborde une infirmière avec colère qui lui répond en l'appelant par son prénom, "Elaine". La patiente fait remarquer avec véhémence que son nom est "Leslie" et qu'elle ne permet à personne de l'appeler "Elaine", qui n'est qu'une "ringarde" et une "ratée".

La voix et le maintien de "Leslie" sont un peu différents de ceux d'"Elaine". "Leslie" déclare que c'est elle qui a commis le vol et qu'elle s'est débrouillée pour qu'"Elaine" soit arrêtée et humiliée, alors qu'en fait elle aurait très bien pu ne pas être remarquée par les vendeuses. Les deux jours suivants, la patiente connaît de nombreux changements de personnalité, de maquillage et d'allure. A plusieurs reprises, "Leslie" perturbe le service et à par deux fois "Elaine" signale aux infirmières qu'elle a trouvé au milieu des siennes des affaires qui ne lui appartiennent pas.

Le changement de personnalité, ne correspond à aucune modification de la glycémie ; l'examen neurologique et l'EEG n'ont rien donné. La patiente se plaignant de perdre le contrôle d'elle-même et demandant en conséquence à ne pas en être tenue pour responsable, on décide alors de la mettre en observation.

Un spécialiste des Troubles de la Personnalité multiple venu examiner la patiente observera tour à tour "Leslie" et "Elaine" pour conclure à l'existence de différences significatives entre les deux personnalités, qui apparaissent à l'évidence à l'évocation des conséquences juridiques de l'acte délictueux. La malade a une longue histoire de comportements contradictoires qu'elle a elle-même "oubliés", mais dont son entourage se souvient très bien. Sa famille lui faisait fréquemment la remarque qu'elle était "comme deux personnes en une", en particulier lorsqu'elle s'était engagée dans une action qui avait des conséquences défavorables pour elle. Or, il se trouve que dans le service où elle est actuellement hospitalisée, trois autres personnes présentent un Trouble de la Personnalité multiple ; le jour où la patiente a appris que les charges qui avaient été retenues contre elle étaient maintenues, elle s'est entretenue avec un de ces malades qui, arrêté dans des circonstances similaires, a été défendu par son psychiatre.

Une recherche approfondie de plusieurs jours n'a pas permis de retrouver, comme cela est fréquent dans ce type de trouble, de mauvais traitements ou d'événements traumatiques sévères au cours de l'enfance. De plus, et en dépit de l'apparente authenticité de ses deux personnalités, la malade n'a jamais présenté, comme cela est tout à fait typique dans le cas d'une

Personnalité multiple, un ou plusieurs symptômes suggérant l'existence d'autres troubles mentaux associés qui d'ailleurs ont souvent pour effet de retarder l'établissement du diagnostic.

Le consultant fait également remarquer que l'"Elaine" qu'il a examiné est un peu différente de la personne que connaissent sa famille et ses amis. Habituellement agréable et aimable, elle peut cependant devenir violente et agressive lorsqu'elle est contrariée. Il fait également remarquer que la patiente est difficilement hypnotisable, ce qui est plutôt inhabituel dans ce Trouble. Il décide alors de lui faire subir un entretien prolongé de plusieurs heures, pendant lequel il se met à aborder le plus de choses possible . Or "Leslie" qui s'est montrée entièrement cohérente tant qu'on discutait du vol et des événements qui se sont déroulés dans le service, perd peu à peu au fil de l'entretien cette cohérence dans sa voix et dans ses manières. Elle se met à se plaindre que son interlocuteur essaie par tous les moyens de la "piéger". "Elaine" qui vient se substituer à "Leslie" reproche alors vivement au psychiatre de douter de ce que dit "Leslie", alors qu'elle avait antérieurement affirmé qu'elle ne pouvait jamais se souvenir de ce que "Leslie" disait ou faisait quand elle était avec le médecin. Pendant ces moments de colère, son comportement n'a pas été bien différent de celui de celui de "Leslie". Et en essayant de convaincre le psychiatre, une heure durant, qu'elle avait bien un Trouble de personnalité multiple, la patiente a donc justement cessé d'en présenter les symptômes.

Discussion

Ce cas illustre bien la difficulté du diagnostic différentiel entre la Personnalité multiple et la Simulation et ce d'autant plus que les patients qui présentent une authentique Personnalité multiple n'ont pas toujours l'exact tableau clinique de l'affection : personnalités bien distinctes, bien recouvertes, bien séparées par l'amnésie. Le cas d'Elaine nous permet de comprendre que s'il est facile de simuler un comportement de Personnalité multiple autour d'un thème central pendant des courtes périodes de temps, il en va tout autrement lorsqu'il s'agit de présenter le spectre complet des symptômes dans différents contextes et pendant longtemps.

Les personnes qui veulent se faire passer pour des Personnalités multiples pour une raison compréhensible (dans le cas d'Elaine, pour que les autorités laissent tomber les charges qui ont été retenues contre elle) ne retiennent, à partir de sources d'informations non médicales, que les seuls aspects caricaturaux de la maladie, l'expertise étant habituellement demandée en raison d'un excès de dramatisation.

Soupçonnant à juste titre que le tableau clinique de Personnalité multiple présenté par Elaine pouvait très bien avoir un rapport direct avec le délit de vol à l'étalage, le consultant s'est particulièrement attaché, au cours de son examen, à rechercher les signes discrets de l'affection : grande facilité à se faire hypnotiser, relative cohérence des différentes "personnalités", antécédents de "Personnalité multiple" préexistant aux difficultés actuelles, notion de traumatismes émotionnels sévères dans l'enfance. Cette recherche s'est avérée totalement négative ; de plus, il existait une coincidence frappante entre les manifestations évocatrices de personnalité multiple et leur contexte de survenue (actes illicites dont Elaine cherchait à éviter les conséquences). La dramatisation était telle que l'expert acquit la conviction qu'il s'agissait d'une Simulation.

Il se demanda s'il ne s'agissait pas d'un Trouble de la Personnalité antisociale ou d'un Trouble de la Personnalité limite (bordeline). En recherchant les éléments permettant d'affirmer l'un ou l'autre diagnostic, il se rendit compte qu'Elaine, dans ses efforts de se présenter comme la fille convenable que "Leslie" venait perturber, minimisait ses troubles de la personnalité. A défaut d'une information suffisante, il n'est cependant pas possible d'affirmer un diagnostic de personnalité.

Diagnostic selon le DSM-III-R

Axe I : V65.20 Simulation (p. 406)
Axe II : 799.90 Diagnostic différé (p. 410)

Suivi

Elaine a été mise en liberté surveillée. Depuis, elle n'a jamais rien manifesté un signe qui puisse faire évoquer le moindre dédoublement de personnalité. Elle a cependant manipulé une fois sa glycémie pour faire croire sans succès que le vol à l'étalage, pour lequel elle avait été prise en flagrant délit, était dû à une hypoglycémie. Depuis, elle n'a plus jamais volé.

Les psychothérapeutes qui l'ont suivie par la suite ont tous diagnostiqué un Trouble de la Personnalité limite (bordeline), mais leurs opinions ont divergé quant à la légitimité du diagnostic additionnel de Trouble de la Personnalité anti-sociale. Elaine est devenue au fil de son existence de plus en plus stable, elle n'a pas changé de travail depuis ces trois dernières années.

Ulcères

Une avocate de 42 ans, mariée et mère de deux enfants, se rend chez un psychiatre à la demande de son gastro-entérologue, après sa troisième hospitalisation pour un ulcère du duodénum. Le diagnostic remonte à quatre ans. L'examen de la partie haute du tube digestif a révélé l'existence d'un ulcère récent et de cicatrices d'ulcères déjà soignés. Le gastro-entérologue a demandé cette consultation pour savoir si l'acte chirurgical, motivé par l'importance de l'hémorragie qui a précipité la dernière hospitalisation, est réellement indiqué en même temps que pour tenter d'élucider le fait que cet ulcère est totalement indolore. Dans sa lettre, il avoue également ne pas pouvoir établir de lien direct entre les hémorragies et les difficultés de sa patiente liées à son activité professionnelle.

Arrivée à l'heure exacte pour l'entrevue, la patiente est habillée avec soin de façon stricte. Elle fait un compte-rendu précis et cohérent de ses problèmes médicaux où elle affirme qu'il n'y a jamais eu, dans sa famille, de troubles mentaux ou physiques particuliers. Elle paraît réellement préoccupée par sa dernière hospitalisation, et par la perspective d'une intervention chirurgicale. Quant à l'entretien avec le psychiatre, elle ne cache pas qu'elle doute de son efficacité. Elle ajoute : "on dit que les ulcères sont provoqués par la tension nerveuse, mais ce n'est pas du tout mon cas". C'est alors qu'elle présente à son interlocuteur un résumé écrit de sa vie professionnelle au cours des cinq dernières années, en même temps qu'une chronologie de ses différents ulcères. Effectivement, il ne semble y avoir aucune relation temporelle entre ceux-ci et les quelques dossiers particulièrement difficiles qu'elle a eu charge.

Lors d'un second entretien, on demande à la malade de parler de son passé. Elle dit alors être l'aînée d'une famille de quatre enfants, et la préférée de son père, qui exerce la profession de juge. Il a toujours voulu que sa fille devienne avocate, ce dont il n'a d'ailleurs jamais douté. La patiente pense avoir bien réussi professionnellement et se met à sourire en évoquant quelques-uns de ses succès a la barre. Rien ne peut laisser à penser qu'ils ont été pour elle des événements stressants. Elle s'est mariée avec un de ses camarades de la faculté de droit, brillant lui aussi. Jamais il n'y a eu de compétition entre eux et leur mariage semble solide. Mais quand elle commence à parler de ses deux fils, de huit et quatre ans, la patiente devient nettement plus tendue, plus émue également. A sa grande surprise, elle constate que les problèmes qu'ils ont rencontrés à l'école ou avec des camarades coïncident avec cinq de ses sept ulcères. Elle admet qu'il lui est difficile de faire part à son mari de ses soucis de mère ou encore d'en parler à ses amis. A la fin de la série d'entretiens , elle dit au psychiatre : "Vous auriez fait un bon avocat. Heureusement que je n'ai pas à argumenter contre vous". D'elle-même, elle demande de continuer les entretiens.

Discussion

Certaines maladies, comme l'ulcère duodénal, étaient rangées naguère parmi les affections psycho-somatiques, du fait qu'elles semblaient être déterminées par des facteurs émotionnels. Dans le DSM-III-R, elles sont classées dans la catégorie des Facteurs psychologiques influençant une affection physique. Pour poser ce diagnostic, il faut impérativement faire la preuve de la relation entre les facteurs environnementaux qui peuvent avoir une incidence psychologique, et le déclenchement ou l'aggravation du trouble physique. Ce cas témoigne du fait qu'il n'est pas toujours facile de retrouver les facteurs psychologiques en cause.

L'évidente corrélation entre les difficultés liées aux enfants et les rechutes de la patiente justifie pleinement le diagnostic sur l'Axe I de Facteurs psychologiques influençant une affection physique. L'existence d'un ulcère duodénal doit être mentionnée sur l'Axe III.

Diagnostic selon le DSM-III-R

Axe I : 316.00 Facteurs psychologiques influençant une affection physique (p. 376)
Axe III : Ulcère duodénal

La fille du pasteur

La fille d'un pasteur fondamentaliste, âgée de vingt-deux ans, est emmenée chez un psychiatre pour y suivre un traitement. Ses parents qui l'accompagnent sont inquiets, car depuis ces trois dernières années, ils la trouvent changée. Même si, selon eux, leur fille a toujours été quelqu'un de timide et de réservé, elle était jusqu'à maintenant "tout à fait normale" et ses résultats au lycée étaient satisfaisants. Ses problèmes semblent remonter au moment où elle a laissé tomber sa scolarité pour revenir vivre chez ses parents. Depuis, tous les emplois qu'elle a assumés n'ont duré que quelques semaines. Ces derniers temps, elle restait à la maison, ne sortant que pour aller faire des courses, avec l'argent de ses parents. Elle n'a rien envie de faire, a pris beaucoup de poids et veut s'habiller comme une petite fille. A plusieurs reprises, il lui est arrivé d'insulter ses parents. Une fois, ils auraient même été obligés de l'enfermer pendant une semaine après qu'elle ait menacé son père.

A l'examen, il semble exister une pauvreté de l'affect et quelques sourires immotivés. Elle croise le regard et ne répond habituellement que par oui ou par non. La patiente reconnaît ne pas être heureuse du fait que, selon elle, ses parents "ne (lui) donnent pas ce qu'(elle veut)". On ne retrouve pas d'hallucinations, d'idées délirantes, de catatonie, de troubles du cours de la pensée ou même d'incohérence.

Discussion

Ce tableau clinique qui ne correspond à aucun diagnostic spécifique du DSM-III-R, n'est cependant pas sans évoquer un mode d'entrée dans la Schizophrénie. Mais la présence d'un seul des critères "A" de la Schizophrénie (affect abrasé) ne permet pas d'en faire le diagnostic. Bien que le malade puisse très bien présenter des idées délirantes ou des hallucinations, elle n'en fait pas état. Nous n'avons donc aucune preuve formelle de l'existence de caractéristiques psychotiques.

Il convient, par conséquent de ne retenir que le diagnostic de Trouble mental non spécifié (non psychotique), tout en précisant bien que la Schizophrénie doit être discutée. Il n'est d'ailleurs pas exclu que le diagnostic de schizophrénie puisse être confirmé au cours des entretiens ultérieurs par l'aveu par la patiente de sa symptomatologie psychotique.

Les traits schizoïdes et excentriques, en raison de leur importance chez cette malade, peuvent également faire évoquer l'existence d'un Trouble de la Personnalité schizotypique. Ce diagnostic ne doit cependant pas être retenu, car la symptomalogie qui y fait penser, loin de refléter un état habituel du patient, correspond à une modification brutale de son comportement.

Diagnostic selon le DSM-III-R

Axe I :   **300.90 Trouble mental non spécifié (non psychotique)**
          (p. 409)
          à exclure Schizophrénie

Encore au lit !

Monsieur Winchell, comptable au chômage, âgé de quarante-neuf ans, se rend dans une clinique spécialisée dans les troubles du sommeil parce que, dit-il, "je dors quand je devrais être éveillé". Depuis plusieurs années, deux ou trois fois par jour, il ressent soudain un besoin irrépressible de dormir. Ce besoin survient au moment le plus inattendu, lorsque par exemple il s'apprête à enfiler son pardessus pour sortir. Il lui faut alors trouver un endroit où s'allonger et il dort quelques heures. En général, lorsqu'il se réveille, il se sent frais et dispos. Cependant, assez souvent, persiste une sensation de fatigue et de léthargie.

Ces crises de somnolence empêchent Monsieur Winchell d'avoir une vie sociale. Ainsi parce qu'il avait besoin de dormir, il dut quitter, quelques minutes après son arrivée, la soirée d'anniversaire organisée pour sa petite-fille. Chaque matin, sa femme essaye de l'obliger à se lever avant de partir travailler, mais bien souvent, c'est le sommeil qui l'emporte ; il reste au lit et se rendort rapidement. Le mois dernier, il a perdu son emploi parce qu'il commettait trop d'erreurs et travaillait trop lentement, c'est pour cela qu'il est venu consulter.

La femme de Monsieur Winchell a noté que lorsqu'il s'endort, tout son corps est parfois agité de secousses nerveuses, sans qu'il s'en rende compte. Elle dit, cependant, ne pas avoir remarqué de contractions périodiques des membres inférieurs (évocatrices de myoclonies), ni de ronflements (souvent associés à des apnées ou des pauses respiratoires pendant le sommeil).

Dans les antécédents familiaux, on enregistre que son père a fait une dépression assez sévère et qu'il souffrait lui aussi de somnolence dans la journée.

Une précédente consultation avait attribué ces troubles du sommeil à une dépression, sans qu'aucun des antidépresseurs qui furent prescrits comme l'imipramine, l'amitriptyline, la protriptyline, la phénylzine, la méthylphénidate et la tranylcypromine, ne purent faire disparaître les symptômes. Maintenant, il ne prend plus de médicament, mais des vitamines en grande quantité.

Lors de l'entretien, Monsieur Winchell, qui fait plus vieux que ses quarante-neuf ans, est peu soigné et sent mauvais. De temps en temps, il s'arrête brusquement de parler et regarde par-terre. Ses réponses sont prolixes, mais il ne parvient pas à les organiser de façon rationnelle. Son interlocuteur a l'impression qu'il éprouve un désespoir latent, ce que Monsieur Winchell nie.

Un diagramme de ses heures de sommeil établi sur un mois montre que le malade va se coucher entre 16 heures et 4 heures du matin, et se lève entre 6 heures et 14 heures. Son sommeil est de durée variable, en général plus de six heures, auquel s'ajoutent deux phases plus courtes. La plus longue phase ne se produit pas forcément aux mêmes horaires dans la journée, mais jamais entre 14 et 16 heures, bien qu'il lui arrive alors parfois de somnoler.

Discussion

Monsieur Winchell présente un Trouble du rythme veille-sommeil, une absence de correspondance entre l'alternance veille-sommeil induite par l'environnement et le rythme circadien (circa = environ, dies = journée) du sujet. Le rythme de Monsieur Winchell est de type désorganisé car ses périodes de veille sont réparties au hasard, de façon capricieuse, sans aucune période principale de sommeil au cours des 24 heures. Ce type de Trouble du rythme veille-sommeil se rencontre généralement chez les gens qui, pour une raison quelconque, programment leurs heures de sommeil au cours du nycthémère. Il peut s'agir de chômeurs, de personnes qui restent confinées au lit, ou de sujets qui, n'ayant aucun impératif horaire, font sans arrêt des siestes tout au long de la journée.

Nous pouvons penser que Monsieur Winchell présente également un Trouble de la personnalité. Le diagnostic sera cependant différé sur l'Axe II, faute d'information suffisante.

Diagnostic selon le DSM-III-R

Axe I :   307.45 Trouble du rythme veille-sommeil, Type
             désorganisé (p. 346)
Axe II : 799.90 Diagnostic différé

Suivi

Le traitement a consisté en des entretiens au cours desquels le malade a été, pendant une période de quatre années, tour à tour soutenu, informé, conseillé. Il a bien compris que le retour à la normale ne pourrait se faire sans un minimum de discipline horaire. Compte tenu du fait qu'il n'avait pas pu auparavant se soumettre à un travail quotidien, il s'engagea comme bénévole à l'hôpital deux jours par semaine. Il commençait à 9 heures du matin ; au bout de deux ans, il en était à quatre jours de travail par semaine. Il essaya de proposer ses services dans le secteur privé (la réalisation d'un nouveau système de rangement des documents pour les commerçants), mais il se rendit compte qu'il était incapable d'achever le travail qu'il avait commencé. Puis il eut un emploi de bureau dans une petite boutique d'accessoires automobile. Trois mois après, il était licencié pour les nombreuses erreurs qu'il avait commises. On découvrit une surdité qui une fois appareillée, lui permit de mieux comprendre les conversations téléphoniques.

Progressivement la durée de son séjour au lit diminua (de 10 heures du soir à midi). Il cessa de faire des siestes aux autres heures de la journée et n'eut plus aucune attaque de sommeil. Actuellement, il ne reste couché qu'entre minuit et 8 heures du matin, et ne prolonge son sommeil que le dimanche matin, parfois.

Monsieur Winchell a été embauché à mi-temps dans une compagnie bancaire. Les six premiers mois, il était en retard au travail et fut absent six jours. On lui a proposé ensuite de travailler à temps plein. Craignant de ne pas pouvoir tenir le coup, il préfère continuer à travailler à mi-temps.

La fille du coiffeur

Mimi, une jeune femme célibataire de vingt-cinq ans, se rend à la consultation de dermatologie d'un hôpital universitaire, pour une calvitie progressive du sommet du crâne. Comme on ne retrouve aucune maladie dermatologique, elle est adressée au service de psychiatrie. Là, elle explique que, depuis son enfance, elle a pris l'habitude de prendre ses cheveux, un par un, de les enrouler autour de son doigt, puis de les arracher. Elle le fait plutôt quand elle est seule, fatiguée, qu'elle s'ennuie ou qu'elle repense à un événement désagréable. Après avoir arraché le cheveu, elle se met à l'inspecter et le fait glisser entre ses lèvres. Cette opération dure quelques minutes. Jusqu'à présent, Mimi avait toujours réussi à dissimuler cette zone du cuir chevelu presque chauve en remontant ses cheveux, mais cela est maintenant devenu impossible. C'est après avoir vu une femme qui portait une perruque dans le bureau où elle travaille, que Mimi a fini par se décider à consulter un médecin : elle a peur qu'il lui arrive la même chose.

Mimi a depuis longtemps de sérieuses difficultés : des troubles du caractère, une tendance à boire à l'excès, et plusieurs liaisons amoureuses qui ne l'ont pas rendue heureuse. C'est la première fois de sa vie qu'elle voit un psychiatre, et elle n'a par ailleurs jamais été hospitalisée pour un problème somatique. Elle fait remonter son habitude de s'arracher les cheveux à son enfance et l'associe spontanément aux absences de sa mère.

D'autres séances révèlent que la patiente a vécu une série d'événements traumatiques au cours de ses dix premières années, dont la mort de son père, atteint d'un cancer. Bien qu'elle fût très jeune à l'époque, elle se souvient bien de lui, surtout à la période où il était malade. Mais ce n'est qu'après plusieurs entretiens qu'elle mentionne le fait que son père était coiffeur !

La patiente se considère comme quelqu'un de "propre et de soigné", mais elle nie avoir des compulsions ou des rituels de propreté. Elle fume environ un paquet de cigarettes par jour, a déjà essayé la marijuana et les amphétamines, qui dit-elle la rendaient "parano". Elle a travaillé longtemps dans une entreprise familiale et envisage de changer d'emploi.

Discussion

S'arracher les cheveux, se les entortiller, - comportement que l'on imaginerait propre aux primates - atteint chez Mimi de proportions telles qu'une alopécie importante a fini par apparaître. Elle ne peut résister à l'impulsion de tirer ses cheveux jusqu'à les arracher et éprouve alors une sorte de sentiment de soulagement. Il s'agit donc à n'en pas douter d'une Trichotillomanie, Trouble du contrôle des impulsions non spécifié.

Ce diagnostic qui correspond à une nouvelle entité du DSM-III-R, se caractérise par des modifications histopathologiques du follicule pileux qui, à la biopsie, sont bien différentes des autres causes d'alopécie. Ce Trouble qui débute habituellement dans l'enfance est souvent (mais pas dans cette observation) associé à un retard mental ou à une Schizophrénie.

Diagnostic selon le DSM-III-R

Axe I : 312.39 Trichotillomanie (p. 369)

Suivi

Après l'échec d'un traitement comportemental qui n'a pas modifié le comportement d'arrachage des cheveux, la malade a commencé une psychothérapie à raison d'une séance par semaine centrée sur le traumatisme infantile, en même temps qu'une chimiothérapie au carbonate de lithium, dont l'efficacité est reconnue dans les Troubles du contrôle des impulsions. Grâce à ce traitement le symptôme a progressivement disparu en dix mois. Mimi n'a donc plus eu besoin de se cacher le sommet de la tête car la repousse des cheveux s'est effectuée normalement. L'arrêt ultérieur du lithium n'a pas entraîné de rechute.

Le bourreau de travail

Le patient, un juriste de quarante-cinq ans, vient consulter à la demande insistante de sa femme. Elle en a assez de leur vie conjugale et ne peut plus supporter sa froideur, ses exigences, son manque d'égard, son désintérêt pour la sexualité, ses horaires de travail qui l'empêchent de le voir, ses fréquents déplacements professionnels. Quant au mari, il estime que les choses ne vont pas si mal, et c'est seulement pour satisfaire sa femme qu'il dit avoir accepté cette consultation.

Pourtant il apparaît rapidement que le patient a des problèmes professionnels. Il est celui qui travaille le plus dans son cabinet juridique, qu'il a fondé avec plusieurs autres juristes. Etant le plus jeune et le plus dynamique, il lui est souvent arrivé de s'occuper de plusieurs cas en même temps. Ce n'est que depuis peu qu'il a de plus en plus de mal à garder le rythme, mais sa fierté l'empêche de refuser de se charger d'un nouveau cas et il est trop perfectionniste pour se contenter de la qualité du travail de ses collaborateurs. Peu satisfait de la façon dont ils écrivent, il est constamment à les corriger et finit par prendre du retard sur son propre emploi du temps. Ses collaborateurs se plaignent de sa trop grande attention pour les petits détails et de son incapacité à déléguer une partie de son travail. Depuis quinze ans, il change de secrétaire deux ou trois fois par an, car du fait de ses exigences personne ne peut supporter de travailler très longtemps pour lui. Quand on lui adresse des dossiers, il ne sait pas à qui les confier, commence à dresser un planning pour lui et son équipe, puis ne parvenant pas à le tenir, se met à travailler quinze heures par jour.

Le patient semble incapable d'être à l'écoute de ses enfants, alors que, par ailleurs, il a pour eux une grande tendresse. Il dit de sa femme qu'elle est une "bonne compagne" et ne comprend pas pourquoi elle n'est pas heureuse. Peu spontané, méticuleux dans sa façon de s'habiller, il parle lentement et avec emphase ; peu communicatif, il n'a aucun humour. Et c'est avec obstination qu'il s'efforce d'arriver là où il veut en venir.

Ses parents ont énormément travaillé pour gravir l'échelle sociale. Il a grandi en étant persuadé qu'il ne travaillait jamais assez et qu'il aurait peu de temps pour réaliser ce qu'il avait à faire. Il fut un élève brillant, un "rat de bibliothèque" ; adolescent, maladroit et peu aimé de ses camarades, il a toujours aimé la confrontation et obtenu, ainsi, d'excellents résultats. Pendant les vacances, il ne parvient pas à se reposer et établit un emploi du temps pour chaque membre de la famille ; s'ils ne les suivent pas, il devient furieux. Il aime le sport mais il a peu de temps pour s'y consacrer ; il refuse d'ailleurs de jouer s'il n'est pas au meilleur de sa forme. C'est un adversaire coriace sur les courts de tennis et un mauvais perdant.

Discussion

Les problèmes conjugaux mis en avant par ce patient ne doivent pas nous masquer ses nombreux traits de personnalité inadapté. Il est en effet avare de ses émotions, psychorigide, préoccupé par les détails, perfectionniste à l'excès, volontiers indécis. Il exige que les autres se soumettent exactement à sa manière de faire les choses ; sa dévotion excessive pour le travail a des conséquences néfastes sur ses relations interpersonnelles. Il serait donc difficile d'imaginer un exemple plus convaincant de Trouble de la personnalité obsessionnelle-compulsive ! Le problème conjugal ne devra pas être mentionné sur l'Axe V, car il apparait manifestement symptomatique du trouble mental.

Diagnostic DSM-III-R

Axe I : V71.09 Absence de diagnostic ou d'affection
Axe II : 301.40 Trouble de la Personnalité obsessionnelle-
        compulsive, modéré (p. 399)

Suivi

Le patient a été vu par un psychothérapeute de façon irrégulière pendant plusieurs années. Il revenait voir son thérapeute chaque fois qu'il avait des difficultés au travail ou à la maison, mais il arrêtait de lui-même les séances dès que ça allait mieux. Il est maintenant beaucoup mieux. Il a appris à jouer au squash et il a même acheté une maison de vacances, où il passe souvent ses week-end. Ses rapports avec ses enfants se sont améliorés. D'une façon générale, il est maintenant heureux et plus détendu. En outre, il réussit très bien professionnellement et gagne bien sa vie.

Sortir de la maison

Le P.D.G. à la retraite d'une scierie, âgé de soixante-dix huit ans, vient consulter pour des crises répétées au cours desquelles il est pris d'une inquiétude croissante au point d'être obligé de sortir à l'extérieur pour ne plus ressentir de malaise. Lors de la dernière crise qui a eu lieu une semaine plus tôt, il eut, en se reveillant à trois heures du matin, l'impression que les murs allaient "s'effondrer sur lui". Cela n'avait aucun rapport avec des cauchemars, précise-t-il, car, à ce moment, il avait toute sa conscience. Il se leva, s'habilla et sortit par un froid glacial, puis une fois dehors, se sentit soulagé. Il lui fallut pourtant attendre la fin de la journée pour que tout rentre dans l'ordre.

Un interrogatoire plus fouillé ne permet pas de retrouver de sensation d'essoufflement, ni de paresthésies, ni de nausées, ni de palpitations. Par contre, le patient fait état de tremblements et de sueurs, s'accompagnant parfois de sensations vertigineuses. Il s'imagine alors qu'il va mourir (ou perdre conscience) s'il ne "s'échappe" pas de chez lui ou s'il ne se met pas à "faire quelque chose".

Toujours au cours de l'entretien, le malade évoquera spontanément plusieurs crises du même genre, survenues environ trente ans auparavant, à la suite d'une intervention chirurgicale pour une blessure aux yeux. On avait placé des caches sur ses yeux et il avait été obligé de rester couché pendant des jours, la tête immobile. Et c'est juste après sa sortie de l'hôpital qu'il commença à présenter des crises qui ne cessèrent qu'au bout d'un an.

Le patient dit ne pas avoir eu ces derniers temps de troubles du sommeil, ni de modification de l'appétit ou de son poids, ni de crises de larmes ou de diminution de son dynamisme. Pour calmer son anxiété et son inquiétude qui ne cessent d'augmenter, il a pris au cours des deux derniers mois des comprimés de *Valium* dosés à 5 et 10 mg qui lui ont par ailleurs occasionné quelques problèmes de mémoire.

Plus avant au cours de l'entretien, le patient évoquera des troubles de l'équilibre ainsi qu'une douleur intermittente à la main droite qui, l'été dernier, l'avaient obligé à ne plus faire de jardinage. L'examen physique met en évidence une langue "chargée" et rouge (douloureuse dit le patient), des troubles de la coordination motrice, de la marche, ainsi qu'un léger tremblement intentionnel. Le malade dit ne pas avoir d'incontinence urinaire.

Les examens de laboratoire révèlent une anémie macrocytaire et une carence en vitamine B12. La prescription de vitamines B12 aura pour effet de faire totalement disparaitre les crises.

Discussion

Ce patient décrit des attaques de panique spontanées tout à fait typiques qui ne peuvent que faire évoquer le diagnostic de Trouble panique. Cependant, l'examen physique témoigne d'une carence en vitamine B12 que la biologie vient confirmer. Du fait que les crises de panique ont disparu sous l'effet du traitement opothérapique, on peut raisonnablement supposer qu'il s'agit en réalité d'un Syndrome anxieux organique.

Reste à expliquer les épisodes de panique identiques qui se sont produits plusieurs années auparavant. Faute de pouvoir démontrer qu'il existait déjà à l'époque une cause organique, nous devrons admettre qu'il s'agissait alors d'un Trouble panique, le Syndrome anxieux organique actuel pouvant être la manifestation d'une vulnérabilité sous-jacente aux attaques de panique.

Diagnostic selon le DSM-III-R

Axe I : 294.80 Syndrome anxieux organique (p. 125)
Axe II : V71.09 Absence de diagnostic ou d'affection
Axe III : Carence en vitamine B12
Axe IV : Sévérité : 1 - aucun
Axe V : EGF actuel : 0 (pas assez d'informations)
         EGF le plus élevé de l'année écoulée : 0 (pas assez
         d'informations)

Préposé au ravitaillement*

Le patient, un militaire noir, était sergent préposé au ravitaillement à la fin des années cinquante. Il fut arrêté par la police militaire pour avoir volé un stick déodorant à l'économat. L'armée avait des raisons de le suspecter d'autres vols et comme aucun obstacle légal ne la limitait dans ses recherches, elle fit une perquisition à son domicile à la recherche de tout objet militaire dont la possession ne pouvait être justifiée par le sergent. Les uniformes, couvertures, pioches et pelles, cartons de boîtes de conserve, gamelles, etc, qui ont été amoncelés sur la pelouse devant la maison du sergent pour la photographie (dont le double est dans le dossier médical) auraient très bien pu remplir la remorque d'un camion !

L'armée était déterminée à le faire passer en cour martiale ; mais il avait été examiné par un psychiatre civil qui, après s'être rendu compte qu'une bonne partie de ce qu'il avait volé ne lui était d'aucune utilité, avait diagnostiqué une Kleptomanie. Dans son argumentation, destinée à la cour martiale, ce même psychiatre, en se basant sur une argumentation psychodynamique, concluait que le vol était dû à des impulsions inconscientes et irrésistibles. L'armée, estimant que ce rapport n'était pas assez convaincant, adressa le sergent à l'hôpital militaire pour une nouvelle évaluation. Après lui avoir fait savoir que tout ce qu'il dirait pourrait être utilisé contre lui pendant le procès (avertissement que le sergent accueillit impassiblement) le psychiatre militaire se mit à l'interroger.

Le sergent, dont l'intelligence était tout à fait correcte, ne réussit pourtant pas à se soustraire à la justice. De sa biographie, on retient qu'il a été élevé dans une ville du Sud au moment de la discrimination raciale. Sérieux et bon élève, issu d'une famille profondément religieuse, il obtint de bons résultats scolaires puis alla dans une petite université où il se mit à étudier la littérature. Après avoir décroché son diplôme et malgré ses rêves et ses espoirs, il ne parvint pas à trouver un emploi qui lui convienne et finit par être incorporé dans l'armée au moment de la guerre de Corée. Une fois la guerre terminée, la seule possibilité qui s'offrait à lui était de rester dans l'armée. Dès lors, il commença à s'aigrir. Il était convaincu que c'est parce qu'il était noir que l'existence ne l'avait pas gâté, et l'armée, dans le travail et la position qu'elle lui avait donnés, ne faisait que perpétuer cette discrimination. De cette impression d'avoir été floué naquit celle d'avoir droit à une compensation. Pour lui, cela justifiait qu'il puisse s'accaparer tout ce qu'il pouvait, chaque fois qu'il le pouvait. Il n'avait pas du tout le sentiment d'y être irrésistiblement

* Extrait de Stone A : (Discours du président): Conceptual ambiguity and morality in modern psychiatry. Am J Psychiatry 137 : 887-894, 1980.

poussé ; c'était plutôt par désir d'une réparation, d'une revanche en quelque sorte, contre le monde raciste qui l'avait dépouillé de ses rêves.

Il est difficile de savoir pourquoi le sergent se livra totalement au cours de cette expertise, mais c'est pourtant ce qu'il fit. Le psychiatre militaire, après s'être interrogé sur les divers diagnostics possibles, dont une Personnalité paranoïaque et une Dépression, conclut dans sa déposition devant la cour martiale que le sergent ne souffrait pas de Kleptomanie, ni d'aucun trouble mental pouvant lui retirer sa responsabilité. Pendant le procès, le sergent comparut, en uniforme et avec ses décorations, entouré de sa femme et de ses jeunes enfants pour finalement être condamné à cinq ans de travaux pénibles.

Discussion

Ce cas clinique particulièrement émouvant démontre que le DSM-III-R, de par sa façon de concevoir le Trouble mental, ne peut rendre compte de certains comportements inadaptés. Chez l'adulte, le vol peut être lié à un certain nombre de pathologies telles que la Schizophrénie, la Démence, le Trouble bipolaire, mais il est le symptôme prédominant de deux affections seulement : le Trouble de la personnalité antisociale et la Kleptomanie.

Le psychiatre militaire n'a pas eu de difficulté à réfuter le diagnostic de Kleptomanie que son collègue civil avait posé, car le Trouble du contrôle des impulsions qui sert de cadre à la Kleptomanie se caractérise par la sensation d'une tension croissante, suivie au moment de l'acte d'une satisfaction ou d'un soulagement pour le sujet. Or dans le cas qui nous intéresse, le sergent n'avait pas du tout l'impression d'obéir à une impulsion lorsqu'il dérobait ce qui appartenait à l'armée ; bien au contraire, il s'y autorisait de lui-même, pour protester contre le monde raciste qui l'avait dépossédé de ses espérances. Il n'est pas non plus possible de poser le diagnostic de Trouble de la personnalité antisociale, car il n'existe pas d'antécédent de comportement antisocial dans l'enfance et à l'âge adulte ; de même le fonctionnement social et familial du sergent à l'âge adulte est satisfaisant.

Compte tenu du fait que les objets que cet homme a volé sans en avoir besoin se sont accumulés au point de rendre inéluctable la découverte du délit et qu'il n'a pas essayé de se défendre en arrangeant les faits de façon à faire croire au diagnostic de Kleptomanie ou en refusant de coopérer avec le psychiatre de l'armée, il est possible d'évoquer l'existence d'un comportement auto-destructeur, voire inadapté.

Ce comportement doit-il être mis sur le compte d'un Trouble mental bien réel, quoique non spécifié et ne correspondant à aucune affection de classification du DSM-III-R ? Admettre cette possibilité aurait pour résultat d'élargir la notion de Trouble mental au point que tous les actes criminels (meurtre, viol, grande criminalité) pourraient virtuellement être interprétés comme des symptômes de maladie mentale. Il est pâr ailleurs certain qu'une étude psychologique approfondie de toute personne qui aurait commis un acte criminel, permettrait de découvrir les origines psychologiques de l'inadaptation de la conduite (qui, dans le cas présent, semblent se résumer au sentiment d'être dans son droit face à une société raciste).

Le DSM-III-R comporte un code correspondant au comportement antisocial de l'adulte non dû à un trouble mental et motivant l'examen, le code V.

Diagnostic selon le DSM-III-R

Axe I : V71.01 Comportement antisocial de l'adulte (p. 405)

Des voix menaçantes

Un homme de quarante-quatre ans, sans emploi, vivant seul dans une pension de famille, est emmené aux urgences par la police. C'est lui-même qui l'a appelée parce qu'il est terrorisé par des hommes dont il entend les voix dans sa rue ; ils parlent de lui et profèrent des menaces juste sous sa fenêtre. Chaque fois qu'il regarde à l'extérieur de chez lui, ils "disparaissent".

Depuis vingt ans, le patient boit presque tous les jours. Il est fréquemment ivre : souvent il se réveille en tremblant. La veille de cet épisode, il avait été obligé de réduire sa consommation d'alcool à un demi-litre de vodka, car il avait mal au ventre et à l'estomac. Lors de l'examen psychiatrique, l'état de conscience est parfaitement normal de même que l'orientation temporo-spatiale.

Discussion

L'Etat hallucinatoire alcoolique se caractérise par des hallucinations auditives intenses survenant peu après la réduction d'une consommation massive d'alcool chez un individu qui, à l'évidence, présente une Dépendance à l'alcool. Contrairement au Delirium du sevrage alcoolique, l'Etat hallucinatoire alcoolique ne comporte pas de trouble de l'attention.

Le diagnostic additionnel de Dépendance à l'alcool semble ici justifié du fait de l'importance de la consommation quotidienne d'alcool, de son incidence sur la capacité du malade à travailler, de l'existence de symptômes de sevrage (il est pris de "tremblements" le matin). L'Etat hallucinatoire alcoolique ne peut concerner que les personnes qui ont des antécédents de Dépendance alcoolique au long cours.

Diagnostic selon le DSM-III-R

Axe I : 291.30 Etat hallucinatoire alcoolique (p. 147)
303.90 Dépendance à l'alcool, (sévère) (p. 194)

Les puces

Monsieur Wallace est un homme apparemment bien conservé de soixante-dix ans, qui vient voir un dermatologue, car il pense que depuis un an, il est infesté par les puces. Devant la totale négativité de l'examen, une consultation psychiatrique est proposée au patient qui, bien que contrarié, finit par s'y rendre.

Il y a environ un an, il s'est acheté un canari qui, comme il s'en rendit compte très vite, était couvert de puces. Il utilisa alors un insecticide, mais les puces, dit-il, se mirent à "l'attaquer" et à "envahir" sa maison. Pourtant, non seulement il n'arrêtait pas de laver ses vêtements, d'appliquer diverses lotions mais il alla voir de nombreux médecins. Rien n'y faisait et, pourtant, il insiste là-dessus, il avait bien vu des puces. Désespéré et honteux, il cessa alors de fréquenter ses amis et commença à s'isoler.

Monsieur Wallace a toujours été en bonne santé, jusqu'à ce qu'il fasse un grave infarctus du myocarde, deux ans auparavant. Depuis cet accident, il a totalement abandonné la pipe et il s'est efforcé de se maintenir actif. Quant à l'alcool, il n'en avait jamais abusé auparavant. Dans sa famille, on ne note aucun antécédent psychiatrique. Il a été marié dans sa jeunesse, mais sa femme l'ayant abandonné, il vit seul depuis de nombreuses années.

Cet homme a l'esprit vif et apparait d'emblée plutôt sympathique. Il se montre affable au début de l'entretien, puis se met brusquement en colère, quand il commence à parler des médecins qui l'ont examiné, allant jusqu'à les traiter d'incompétents parce qu'ils n'ont pas réussi à le soigner. Son irritation s'accroît lorsqu'on lui demande si tout cela ne serait pas l'effet de son imagination. Ses capacités sensorielles et cognitives sont normales, ainsi que son humeur, excepté des instants de colère et d'angoisse. Sa personnalité de base parait stable. Sa conviction à propos de l'infestation est inébranlable ; il semble qu'il n'existe pas d'autres fausses croyances.

Discussion

Il est difficile de savoir si les insectes, que Monsieur Wallace prétend avoir vus, représentent une interprétation délirante de stimuli visuels normaux plutôt que des hallucinations visuelles s'inscrivant dans un contexte délirant.

Quoiqu'il en soit, ce symptôme primaire correspond à une idée délirante somatique. Cette idée n'a rien de bizarre, car il est toujours possible d'être infesté par les puces. Il s'agit donc d'un Trouble délirant, type somatique, comportant des idées délirantes somatiques non bizarres et durables, sans autre symptôme psychotique (par exemple hallucinations importantes, incohérence), sans syndrome thymique, sans cause organique connue.

Diagnostic selon le DSM-III-R

Axe I : 297.10 Trouble délirant, type somatique (p. 225)

Suivi

Monsieur Wallace a accepté de prendre un neuroleptique, le pimozide, mais avec réticence : il était persuadé que son psychiatre cherchait seulement à le "droguer" pour lui "faire oublier les puces". Son état s'est progressivement amélioré, mais au fil des semaines, il est apparu qu'il ne prenait que très occasionnellement son traitement. Une fois hospitalisé, la symptomatologie disparut grace à une dose quotidienne de 4 mg de pimozide par jour. Au bout de six mois, alors qu'il était stabilisé, il décida d'arrêter un traitement dont il ne voyait plus désormais l'utilité. Un an après cette interruption, il contine à bien se porter.

Meurtrie

Une femme de vingt-cinq ans, étudiante, se rend à une consultation parce qu'elle est déprimée et qu'elle ne s'entend pas avec son conjoint. Mariée depuis cinq ans, elle et son époux poursuivirent leurs études à l'université. Depuis trois ans, le couple se dispute souvent et violemment, ce qui n'est pas sans conséquences sur leurs résultats universitaires, ceux du mari en particulier. Mais lorsqu'il s'emporte contre elle et qu'il se met à la frapper, elle ne peut s'empêcher d'éprouver une excitation sexuelle. Il lui arrive même de provoquer son mari, puis de le pousser à avoir une relation sexuelle avec lui, dont la brutalité lui donne alors l'impression d'être violée. Elle reconnait volontiers que c'est justement cette brutalité et la sensation de recevoir un châtiment qui l'excitent tout particulièrement.

Un an avant la consultation, la patiente quittait régulièrement la maison après s'être disputée. Or il lui arriva une fois de rencontrer dans un bar pour célibataires un homme auquel elle demanda de la gifler comme prélude à leur activité sexuelle. Ce fut pour elle une expérience tellement excitante qu'elle se trouva désormais incapable de se passer du fantasme d'être battue lorsqu'il lui arrivait de se masturber. Puis elle se rendit compte que les châtiments physiques infligés par des hommes inconnus étaient incontestablement le stimulus sexuel qu'elle vivait avec le plus d'intensité. De même, être fouettée ou battue avait fini par devenir une source de plaisir dépassant très largement toutes les autres.

Contrairement à ce que l'on pourrait penser, ces anomalies de la sexualité n'ont pas été le véritable motif de la consultation. Ce dont cette femme se plaint, c'est de ne pouvoir quitter son mari, tout en étant incapable de vivre avec lui. La seule idée qu'un jour il puisse la laisser tomber lui a fait envisager le suicide.

Elle reconnaît que son comportement sexuel est dangereux pour elle-même et en ressent quelque honte. Elle ne comprend pas pourquoi cela est apparu et n'est pas du tout sûre de vouloir un traitement pour "ça", vu le plaisir qu'elle en retire.

Discussion

Les fantaisies imaginatives concernant le fait d'être humilié, battu, attaché, tourmenté, peuvent accroître l'excitation sexuelle de certaines personnes dont la vie sexuelle est par ailleurs normale. Mais ce n'est que lorsque ces fantasmes sexuels sont agis (comme dans ce cas) ou particulièrement perturbants, que l'on se doit de faire le diagnostic de Masochisme sexuel.

Avec le peu d'information dont nous disposons, il n'est pas possible de déterminer si les difficultés de cette patiente correspondent à : (1) un symptôme de Masochisme sexuel (recherche-t-elle la dispute pour être excitée sexuellement ?) ; (2) un symptôme de Trouble de la personnalité; (3) un simple Problème conjugal, situation non attribuable à un trouble mental correspondant au code V.

Diagnostic selon le DSM-III-R

Axe I : 302.83 Masochisme sexuel, (léger) (p. 322)

La cassure

Il s'agit d'un homme marié de quarante ans, menuisier de son état. Environ deux ans auparavant, il a été victime d'un accident de la circulation qui a totalement détruit son véhicule. Il n'a eu ni traumatisme crânien ni perte de connaissance. Lors de son unique journée d'hospitalisation, on lui a cependant diagnostiqué une entorse cervicale avec inflammation du nerf spinal et du trapèze, dont le traitement s'est borné à la prescription d'anti-inflammatoires et de quelques séances de rééducation.

Dans les mois qui ont suivi, il n'a pu s'empêcher de repenser continuellement à l'accident. Il avait du mal à s'endormir, devenait irritable et anxieux ; à ses difficultés de concentration épisodiques s'ajoutait une augmentation de l'appétit avec un gain de poids de treize kilos. Jamais cependant, le patient n'a présenté de conduite d'évitement, d'apathie ou de désintérêt pour la sexualité ; il a continué à voir ses amis, à conduire et il accepte sans réticence de prendre la place du passager. Toutefois, quand il passe près du lieu de l'accident, il se met à éprouver une réelle angoisse.

Les séquelles physiques de son accident l'ont empêché de reprendre son métier de menuisier, mais il continue à avoir une activité dans cette branche. Chez lui, il est devenu très irritable et les relations avec sa femme ont commencé à se détériorer. Il lui arrive cependant de passer de bons moments quand, par exemple, ils partent camper trois jours avec des amis.

Après deux ans de rééducation, son chirurgien a finalemement décidé d'intervenir. Mais au décours de l'opération, qui en elle-même s'est bien passée, le patient a eu, pour un temps, la main et le bras droits handicapés (certains mouvements sont devenus impossibles et la force musculaire a diminué). Dès son retour à la maison, son état émotionnel s'est alors mis à empirer dans des proportions considérables. A ses soucis concernant les résultats de l'opération ne font que s'ajouter des reminiscences concernant l'accident, qu'il n'arrive pas à chasser de son esprit. Il a complètement perdu le sommeil, en partie à cause des rêves terrifiants qui le réveillent et qui l'empêchent de dormir pendant une ou deux heures. Il n'a désormais plus aucune vie sexuelle. "Rien, dit-il, ni personne ne m'intéresse." Chaque bruit un peu fort, comme une porte claquée ou la sonnerie d'un klaxon, le fait sursauter. Non seulement les séquelles de l'intervention m'empêchent de conduire, mais il ne peut pas supporter d'être à la place du passager ; en sueur et dans un état nauséeux, il se met alors à injurier les autres automobilistes. Il lui est même arrivé de ne plus pouvoir se contrôler, alors qu'il venait d'assister à un accident de la route. Dans son travail, il a des difficultés de concentration. Ses relations avec sa femme ont fini par se détériorer, au point que, se sentant de plus en plus délaissée, elle envisage sérieusement le divorce. "J'ai raté ma vie", dit-il.

Discussion

Il convient de distinguer, pour la discussion de ce diagnostic, les manifestations cliniques présentes au cours des mois qui ont suivi le traumatisme de l'accident, de la symptomatologie plus bruyante, qui s'est manifestée au décours de l'intervention chirurgicale, deux ans après. Juste après l'accident, le malade se plaignait d'une symptomatologie anxieuse non spécifique : il ne cessait de repenser à l'accident, son sommeil était perturbé, sa concentration réduite. Il ne s'agissait pourtant pas d'un trouble dépressif, car il n'existait pas d'humeur dépressive, de perte de l'intérêt ou de plaisir.

Pour des raisons qui restent à élucider, le malade a développé juste après son intervention des symptômes de réviviscence de l'accident (il y pense continuellement, fait des rêves terrifiants s'y rapportant, ne supporte plus d'être le passager d'une voiture) ; il évite alors tout ce qui peut l'évoquer (il essaie de faire le vide) ; sa réactivité générale est émoussée (avec une perte de l'intérêt pour tout et une indifférence vis-à-vis de sa femme), alors qu'il présente une hypervigilance (il a du mal à rester endormi, réagit à l'excès lorsqu'il est surpris, ne peut pas se concentrer, s'emporte facilement). Vu la nature du traumatisme, dont l'intensité déborde largement les limites de ce qui est habituellement supportable, le tableau clinique qui lui fait suite répond au diagnostic du Trouble : Etat de stress post-traumatique. Ce cas a en outre la particularité de ne pas comporter le tableau clinique dans son intégralité immédiatement ou peu après le traumatisme. C'est pour cela qu'il convient d'en spécifier le début différé.

Diagnostic selon le DSM-III-R

Axe I : 309.89 Trouble : Etat de stress post-traumatique, début différé (p. 282)

Suivi

Six semaines après le début de cette symptomatologie, le malade est allé consulter son chirurgien orthopédique. Le psychiatre auquel il a été adressé a entrepris un traitement antidépresseur à l'imipramine (175 mg/jour), associé à une psychothérapie de soutien, qui ont eu pour résultat une réduction rapide des symptômes.

Au bout de deux mois, l'amélioration était telle que le malade avait retrouvé toute sa vitalité et tout son dynamisme. Cependant, toutes les tentatives de réduction de la posologie de l'imipramine se sont avérées infructueuses, car elles avaient régulièrement pour conséquence une réapparition rapide des troubles du sommeil et de l'anxiété.

Constamment malade

Une femme mariée de trente-huit ans vient se faire hospitaliser pour une dépression. Depuis un mois, elle se sent triste, ne dort pas et pleure sans arrêt. Elle se plaint également de ne pas pouvoir se concentrer et de ne plus s'intéresser à rien. Elle dit qu'enfant elle a toujours été maladive et fait remonter sa première dépression au départ de son père, alors qu'elle avait dix ans. A l'époque, le médecin de famille aurait, selon la malade, conseillé à sa mère de lui donner un peu de vin avant les repas. Rien d'extraordinaire n'aurait marqué l'adolescence de la jeune fille timide qu'elle dit avoir été.

A dix-sept ans, elle obtient son baccalauréat, puis commence à travailler comme comptable dans un grand magasin de son quartier. Elle se marie peu après. C'est pour elle un échec total : fréquentes disputes, indifférence sexuelle, douleurs pendant les rapports.

Dès l'age de dix-neuf ans, elle se met à boire. Souvent, elle est complètement ivre. Au réveil, elle est prise de tremblements qui ne cèdent qu'au premier verre. Elle prend alors le réflexe de boire dès qu'elle se lève. Elle se sent alors très coupable de ne pas pouvoir s'occuper des deux très jeunes enfants qu'elle vient d'avoir. Finalement à vingt et un an elle est admise à l'hôpital psychiatrique pour alcoolisme et dépression, où elle est traitée par des antidépresseurs. Après sa sortie, elle se remet à boire sans presque discontinuer jusqu'à l'âge de vingt-neuf ans. Elle est alors à nouveau hospitalisée, mais dans le service d'alcoologie, cette fois. Désormais, elle ne retouchera plus jamais à l'alcool, mais elle devra pourtant être hospitalisée dans différents hôpitaux psychiatriques pour des somatisations et des états dépressifs que seuls les électrochocs semblent avoir significativement améliorés.

La patiente se dit "nerveuse" depuis qu'elle est enfant et admet spontanément avoir toujours été malade avec une succession de problèmes somatiques que les médecins rattachaient à son état nerveux et à sa dépression. Elle est pourtant persuadée d'avoir une maladie physique qui serait jusqu'à maintenant passée inaperçue. Elle n'est donc que très partiellement satisfaite des diagnostics qui lui ont été attribués : "coeur irritable", pour ses douleurs précordiales et "colon spasmodique", pour ses fréquentes douleurs abdominales. Elle a consulté des chiropracteurs et des ostéopathes pour ses douleurs au niveau du dos et des extrémités et pour son anesthésie du bout des doigts. Trois mois auparavant, elle a été hospitalisée pour une symptomatologie bâtarde au niveau de l'abdomen et pour laquelle une hystérectomie a été pratiquée. Depuis cette intervention, la patiente présente des crises d'angoisse, des évanouissements qui, dit-elle, peuvent durer une demi-heure ; des vomissements, un certain dégoût pour la nourriture ; des moments de faiblesse, une asthénie. Récemment, il a fallu l'opérer à nouveau pour un abcès à la gorge.

La malade est issue d'une fratrie de cinq enfants. Elle n'a été élevée que par sa mère après que son père soit parti de la maison. On lui aurait dit qu'il était alcoolique et qu'il est mort à cinquante trois ans d'un cancer du foie. Malgré une enfance rendue particulièrement difficile du fait des réels problèmes financiers de sa mère, la patiente a passé le bac avec succès. En raison de son état de santé, elle n'aura travaillé que deux ans dans son existence. Il semble que son mari soit lui aussi alcoolique et qu'il change souvent de travail. Le couple continue à se disputer : à leurs difficultés sexuelles se sont ajoutés les problèmes de fin de mois. Ils ont actuellement cinq enfants dont l'âge s'échelonne entre deux et vingt ans.

La patiente pense que sa dépression provient d'un "dérèglement hormonal". Elle est toujours à la recherche d'une explication médicale à ses problèmes physiques et psychologiques.

Discussion

Il n'est pas inutile de bien différencier les problèmes dépressifs actuels qui ont motivé la consultation, des difficultés au long cours comme les symptômes somatiques et l'intoxication alcoolique. La malade semble dans l'immédiat présenter à nouveau un Episode de Dépression majeure (humeur dépressive depuis un mois, avec diminution de l'intérêt, insomnie, difficultés de concentration), bien qu'il nous manque un critère pour pouvoir l'affirmer (il y en a quatre sur les cinq requis). Sa réalité ne fait cependant pas de doute, car la malade a déjà fait plusieurs autres Episodes de Dépression majeure, dont certains ont été suffisamment sévères pour nécessiter une hospitalisation. Le dignostic exact est donc celui d'une Dépression majeure, récurrente, légère.

Quant aux symptômes physiques dont la patiente a souffert au cours de toutes ces années, ils ont la particularité de n'avoir, semble-t-il, aucun substratum organique, comme l'indiquent les deux diagnostics "somatiques" de "coeur irritable" et de "côlon spasmodique". On peut donc penser à un Trouble somatoforme et plus précisément à un Trouble : Somatisation, en raison du polymorphisme des symptômes et de leur répartition dans de multiples appareils. Mais l'élément essentiel du diagnostic concerne la précocité de la symptomatologie, avant l'âge de trente ans et son maintien au delà du minimum requis de plusieurs années. Des treize symptômes nécessaires au diagnostic, nous n'en avons enregistré que onze dans cette observation : indifférence sexuelle, dyspareunie, précordialgies, douleurs abdominales, dorsalgies, douleurs au niveau des extrémités, vomissements, pseudo-lipothymies, intolérance vis à vis de la nourriture, état de faiblesse, diarrhée (colite). Si, cliniquement, le diagnostic de Trouble : Somatisation ne semble pas faire de doute, il ne pourra cependant être établi que provisoirement, en espérant que, dans un entretien ultérieur, les autres symptômes seront mis en évidence.

La patiente a également eu des périodes d'intoxication alcoolique massive au cours desquelles il lui était difficile de remplir ses obligations maternelles. Le matin, elle était prise de tremblements qui ne cessaient qu'après une nouvelle absorption d'alcool. Du fait de son incapacité à s'occuper de ses enfants à cause de la boisson, on peut imaginer que la malade devait alors présenter des symptômes de sevrage ou d'intoxication fréquents, et qu'elle était consciente des problèmes qui en découlaient. Or, tous ces éléments, ajoutés à la présence d'un syndrome de sevrage, sont très en faveur d'un diagnostic de Dépendance à l'alcool. On devra cependant spécifier que la malade est actuellement "en rémission. (Il est préférable de faire cette spécification plutôt que de ne rien dire des antécédents de Dépendance à l'alcool, en raison de la très forte probalité de rechute, dans le cas de cette malade). L'ordre de l'énumération des diagnostics de l'Axe I doit correspondre à celui de notre discussion, car elle tient compte de leur importance relative selon la perspective de la présente évaluation.

Sur l'Axe II, il convient d'enregistrer un Trouble de la Personnalité non spécifié (provisoire) compte tenu de l'existence d'un mode général d'inadaptation des relations interpersonnelles et de l'image de soi-même (indépendamment des diagnostics de l'Axe I). En fait, ces troubles psychopathologiques graves et durables peuvent tout aussi bien être directement corrélés aux diagnostics de l'Axe I. Il conviendra donc de se contenter d'un diagnostic "différé" sur l'Axe II.

Sur l'Axe III, nous enregistrons les seuls symptômes physiques actuels du Trouble : Somatisation susceptibles d'être investigués et traités, comme les vomissements et les lipothymies. Sur l'Axe III du DSM-III-R, il ne s'agit pas, en effet, d'énumérer les symptômes du diagnostic de l'Axe I, mais il parait utile pour la clinique de faire figurer ces symptômes, au risque, à première vue, de se répéter.

Au cours de son existence, cette femme a dû affronter un grand nombre de facteurs de stress : les disputes avec son mari, son propre alcoolisme, l'instabilité au travail, l'hystérectomie également qui précède de trois mois la rechute de la Dépression majeure. Aussi devrons nous les mentionner, sur l'Axe IV, selon un degré de sévérité égal à 4 - sévère. (Pour donner un élément de comparaison, la présence d'une affection somatique grave serait quotée à 5 - extrême ; compte tenu de l'ancienneté des troubles présentés par la patiente, cette note légèrement inférieure semble donc tout à fait appropriée).

Du fait que la patiente se sent "constamment malade" et qu'elle ait perpétuellement de graves difficultés interpersonnelles avec son mari nous conduit à quoter sur l'Axe V, l'EGF actuel comme celui de l'année écoulée à 50. A noter que la symptomatologie dépressive mériterait un score entre 51 et 60 ; le mauvais fonctionnemment occupationnel qui résulte du trouble somatisation explique la révision à la baisse de cette quotation.

Diagnostic selon le DSM-III-R

Axe I :   296.31   Dépression majeure, récurrente, légère (p.259)

             300.81   Trouble : Somatisation (provisoire) (p. 296)

             303.90   Dépendance à l'Alcool, en rémission (p. 189)

Axe II   799.90   Diagnostic différé (p. 409)

Axe III   Vomissements, lipothymies

Axe IV : Facteurs de stress psycho-sociaux : hystérectomie récente, sévérité : 4 - sévère (événement essentiellement aigu).

Axe V :   EGF actuel : 50

             EGF le plus élevé dans l'année écoulée : 50

Pause café

Une secrétaire de trente-cinq ans vient consulter pour des "crises d'angoisse". Lorsqu'elle parle de ses difficultés actuelles de façon plus détaillée, il apparaît que ses crises se produisent en milieu ou en fin d'après-midi. Elle est alors excitée, facilement irritable, logorrhéique. Parfois même, son visage s'empourpre et elle sue abondamment. On finit par découvrir qu'avant le moment de survenue des crises d'angoisse elle a l'habitude de boire tous les jours cinq à six tasses de café.

Discussion

La séquence temporelle d'une consommation de café en grande quantité précédant les manifestations anxieuses suffit à incriminer la caféine. Dans la littérature médicale, ce trouble correspond à ce que l'on a coutume d'appeler le "caféisme". Dans le DSM-III-R, le diagnostic d'Intoxication à la caféine, qui figure dans le chapitre des Troubles mentaux organiques, exige que les symptômes qui le caractérisent tels que fébrilité, nervosité, faciès vultueux, discours décousu et excitation, surviennent après une consommation récente de caféine, habituellement supérieure à 250 mg (une simple tasse de café en contient 100 à 150 mg ; une tasse de thé est environ moitié moins dosée ; un verre de coca, environ un tiers moins dosé).

Bien que la symptomatologie évoque le Trouble anxieux, il ne s'agira pas d'en faire le diagnostic dès lors qu'existe un facteur spécifique organique connu.

Diagnostic selon le DSM-III-R

Axe I : 305.90 Intoxication à la caféine (p. 155)

Une dangereuse paranoïaque

Tracy Shaw, une femme obèse de trente deux ans, est amenée par la police aux urgences de psychiatrie. Dans un accès de colère, elle a jeté une chaise dans le miroir du bureau du principal du collège que fréquente un de ses enfants. Le psychiatre de garde qui l'examine pensant qu'elle est "paranoïaque et dangereuse pour les autres" posera, à l'issue de l'entretien, l'indication d'une hospitalisation immédiat.

Or la malade refuse catégoriquement d'être hospitalisée. Elle affirme que ses soupçons concernant les injustices dont est victime son enfant à l'école sont fondés tout en s'empressant d'ajouter qu'elle ne veut de mal à personne. Son irritabilité et son agressivité, qu'elle reconnnaît volontiers, s'expliquent, pour elle, par l'imminence de ses règles. Son mari la soutient dans sa décision de quitter l'hôpital, accepte d'en prendre la responsabilité et s'engage à la raccompagner chez le psychiatre dès le lendemain. Ce soir-là, les règles font leur apparition.

Lors de l'entretien du lendemain, Madame Shaw apparait absolument métamorphosée : détendue, sans aucune trace de colère ou d'irritabilité. Elle plaisante volontiers. Elle garde cependant la certitude que le principal du collège lui doit une explication.

Madame Shaw parle tout d'abord de ses symptômes prémenstruels qui, bien que déjà présents à la puberté, n'ont fait que s'aggraver depuis l'âge de vingt ans. Chaque mois, ils sont différents. Parfois, elle est déprimée et pense au suicide ; d'autres fois, elle se jette sur le chocolat, prend deux à quatre kilos et se couvre d'urticaire. Il lui arrive également de n'avoir aucun symptôme, mais lorsqu'ils sont présents, ils apparaissent invariablement dans la semaine précédant ses règles, pour disparaître dès qu'elles commencent.

La patiente est la fille aînée d'une mère anxiodépressive depuis toujours et d'un homme d'affaire alcoolique. Avant de se marier, c'est elle qui s'occupait de ses frères et soeurs. Il n'est peut-être pas sans intérêt de noter que l'état de santé de la mère de Madame Shaw s'améliora alors que sa fille était adolescente et empira lorsqu'elle quitta la maison.

Madame Shaw est la mère de quatre enfants qui fréquentent encore l'école primaire ; elle s'occupe d'un de ses frères, alcoolique, qui est en train de mourir d'un cancer, de son mari handicapé, depuis qu'il a subi, un an et demi auparavant, une opération chirurgicale,et qui a par ailleurs des antécédents de dépression grave. Elle vit chez ses beaux-parents. Son mari et les parents de son mari sont alcooliques.

Madame Shaw a toujours été celle qui a soutenu la famille. "Je ne peux pas m'occuper de moi si je ne me suis pas d'abord occupée des autres sous peine de me sentir coupable" dit-elle. Elle parvient généralement à tout mener de front sans se sentir déprimée, sauf avant ses règles où elle a alors l'impression que le monde se referme sur elle-même et elle se sent profondément "abattue".

Discussion

Les Troubles du comportement de Madame Shaw qui l'ont amenée à se faire examiner ont été considérés, par le psychiatre qui l'a vue, comme un authentique état psychotique dont la dangerosité potentielle vis-à-vis d'autrui nécessitait l'internement. Mais elle a fort heureusement réussi à persuader le psychiatre qu'elle n'était pas psychotique, mais qu'elle souffrait de difficultés épisodiques qui réapparaissaient régulièrement quelques jours avant les règles pour disparaître quelques jours après leur début et dont la symptomatologie, variable selon les cycles, se traduit par un état dépressif, des colères, une irritabilité, une consommation excessive d'aliments. Entre les accès, les symptômes disparaissent totalement.

Ce type d'épisodes dysphoriques récurrents, survenant au cours de la période prémenstruelle et disparaissant avec le début des règles, n'est pas sans évoquer le Trouble dysphorique de la phase lutéale tardive, diagnostic qui, absent de la classification officielle, figure en annexe du DSM-III-R.. Si l'on voulait confirmer le diagnostic, il faudrait obtenir de Madame Shaw qu'elle consigne tous les jours son humeur et son comportement pendant au moins deux cycles afin d'être sûr que les changements qu'elle ressent sont invariablement rythmés par les règles. Cinq symptômes parmi lesquels la diminution de l'intérêt pour les activités habituelles, une perte importante d'énergie, des troubles du sommeil ainsi que certains autres symptômes physiques doivent obligatoirement être présents, la plupart du temps, dès lors que la phase lutéale tardive est symptomatique.

Diagnostic selon le DSM-III-R

Axe I : 300.90 Trouble mental non spécifié (Trouble dysphorique de la phase lutéale tardive) (provisoire) (p. 415)

Le vendeur de voitures

Il s'agit d'un vendeur de voitures de vingt-neuf ans, poussé par son actuelle maîtresse qui, infirmière en psychiatrie, pense qu'il a un trouble de l'humeur que lui-même refuse d'admettre. Il reconnaît cependant avoir connu depuis qu'il a quatorze ans, ce qu'il appelle "des bonnes et des mauvaises périodes". Dans ses "mauvaises périodes", qui durent généralement entre quatre et sept jours, il dort trop, dix à quatorze heures par jour et manque d'énergie, de confiance en soi et de motivation ; il ne fait, dit-il, que "végéter". Puis tout d'un coup, il passe a "une bonne période" : il se retrouve alors plein d'assurance, la pensée plus vive et le désir de renouer avec ses amis. "Les idées fusent dans mon esprit", dit-il. Il se met alors à boire pour vivre les événements avec plus d'intensité et pour dormir, quand c'est l'heure de se coucher. Les "bonnes périodes" durent environ sept à dix jours et se terminent par des accès de colère, qui annoncent la période des mauvais jours. Il avoue prendre souvent de la marijuana, qui, selon lui, l'aide à se faire à la routine quotidienne.

A l'école, les A et les B alternaient avec le C et les D. Aussi fut-il considéré comme un élève brillant avec des résultats médiocres du fait de l'irrégularité de son travail. Pour ce qui est de la vente des voitures, ses résultats sont eux aussi très variables, avec de bons et de mauvais jours ; durant ses bons jours, il lui arrive de se laisser aller à trop discuter avec les clients et de perdre ainsi des ventes qui semblaient assurées. Bien qu'il soit considéré comme un homme charmant par ses nombreux amis, certains finissent par lui tourner le dos dès lors qu'il se montre agressif ou irritable. Enfin, il est à noter que lors des "mauvaises périodes" il laisse s'accumuler les obligations sociales auxquelles il s'empresse de répondre dès le premier jour de la "bonne période".

Discussion

Au cours de ces deux dernières années, ce patient a présenté à plusieurs reprises des symptômes correspondant autant à la manie qu'à la dépression. Les "bons jours" se caractérisent par un excés de confiance en soi, une augmentation de l'activité, une altération du jugement (trop grande familiarité avec les clients). Ces états pathologiques recouvrent presque intégralement les critères de l'Episode maniaque : ils n'ont cependant pas une gravité suffisante pour que, comme cela est requis pour le diagnostic, le fonctionnement social et occupationnel en soit profondément altéré. De la même manière, les "mauvais jours", qui se caractérisent par un excés de sommeil, un manque d'énergie, de confiance en soi et de motivation, n'ont pas la durée et la gravité suffisante pour remplir les critères de l'Episode dépressif majeur. Ajoutons à cela que les cycles se succèdent sans discontinuer, selon un rythme rapide et de façon anarchique. Il ne peut donc s'agit que d'une Cyclothymie.

Si on avait eu la notion d'un Episode maniaque franc dans les antécédents, nous aurions été obligés de poser le diagnostic additionnel de Trouble bipolaire. De même, s'il s'était agi d'un authentique Episode dépressif majeur, le diagnostic additionnel aurait été celui d'un Trouble bipolaire non spécifié, la présence d'Episodes hypomaniaques ne permettant pas le diagnostic d'un Trouble dépressif.

Les diagnostics additionnels d'Abus d'alcool et de cannabis, bien que très probables, ne peuvent être affirmés par défaut d'information.

Diagnostic selon le DSM-III-R

Axe I : 301.13 Cyclothymie (sévère) (p. 257)

Suivi

Ce patient a pu être stabilisé grâce au lithium. Il s'est marié avec l'infirmière. Il s'est bien porté pendant un an, puis il a arrêté de lui-même son lithium. C'est alors qu'il eut un certain nombre de liaisons extra-conjugales qui provoquèrent la séparation, puis le divorce du couple. Son ex-épouse l'obligea à aller voir un psychiatre, car elle avait mis comme première condition à leur réconciliation la reprise du traitement par le lithium. Lors de cette nouvelle consultation, le malade présentait un Episode dépressif majeur modérément sévère. Le lithium a été à nouveau prescrit. Le couple s'est remarié trois mois après, et le malade allait assez bien lors de sa dernière consultation.

L'épouse infidèle

Une femme approchant la cinquantaine fait une tentative de suicide par absorption médicamenteuse et en réchappe. A son réveil, elle confie à son médecin de famille que ces dix-huit derniers mois son mari n'a cessé de lui faire des scènes de jalousie. Tout récemment ses accusations en étaient devenues complètement absurdes. D'après lui, elle avait plusieurs amants : elle se levait la nuit pour aller les rejoindre et communiquait avec eux par des signaux lumineux, à l'aide de miroirs et de lampes électriques. Chaque faux numéro était une nouvelle preuve que des hommes essayaient de la contacter ; quant aux voitures qui passaient la nuit près de la maison, elles ne cessaient de faire des appels de phares.

Le mari se mit à clouer les portes et à mesurer avec précision l'emplacement de chaque meuble. A peine étaient-ils légèrement déplacés qu'il se lançait dans une tirade sur l'infidélité de sa femme. Puis il se mit à refuser les cigarettes ou la nourriture qu'elle lui apportait, tout en continuant à avoir des relations sexuelles avec elle et sans jamais lever la main sur elle. Désespéré, l'air perpétuellement hagard, il avait perdu sept kilos. Son attitude rendait sa femme si malheureuse qu'elle avait fini par envisager sérieusement de le quitter malgré le danger que cela pouvait représenter pour elle. Dans ce contexte, elle reconnut que sa tentative de suicide avait été un véritable "appel à l'aide".

Son mari fut envoyé chez un psychiatre pour un examen auquel il se soumit de bon gré. Ce qu'il raconta concordait avec ce qu'avait dit sa femme : il était absolument persuadé qu'elle le trompait. Toutefois, malgré sa véhémence et sa certitude devant toutes les "preuves" qu'il croyait avoir accumulées, il se rendait bien compte qu'il n'allait pas très bien. De plus, un entretien avec une de ses filles, qui vivait encore à la maison, ne fit que confirmer l'innocence de la mère et l'égarement du père. La cohésion du couple n'avait jamais été menacée avant cette crise ; et pourtant, lorsqu'il était jeune, le patient buvait beaucoup et il lui arrivait parfois de se montrer brutal envers sa femme. Passé la trentaine, il s'était assagi et était devenu meilleur mari et bon père de famille. Jamais, il n'a pris de drogue illicite. Habituellement plutôt têtu mais rarement querelleur, il n'avait jamais été jaloux auparavant. Il n'a pas son baccalauréat et son intelligence semble limitée. Dans sa famille, on compte plusieurs cas d'alcoolisme, mais pas d'autres troubles mentaux.

Discussion

Tous les problèmes auxquels cet homme se trouve confronté viennent de sa conviction erronée de l'infidélité de sa femme. Il n'est sans doute pas nécessaire de faire remarquer qu'il ne s'agit pas d'une idée délirante bizarre. La persistance d'idées délirantes non bizarres de jalousie qui persistent, en l'absence d'autres symptômes psychotiques (par exemple hallucinations importantes, incohérence), d'un Trouble thymique ou d'une cause organique connue, suffit à établir diagnostic de Trouble délirant à type de jalousie.

Diagnostic selon de DSM-III-R

Axe I : 297.10 **Trouble délirant, à type de jalousie** (p. 229)

Suivi

Contrairement à toutes les prévisions, le malade a accepté le traitement. Depuis trois ans, il est sous pimozide, neuroleptique incisif qui lui avait été administré en première intention. A deux reprises, il a arrêté son traitement, pour le reprendre de lui-même après une ou deux semaines, car, disait-il : "je commençais à avoir de drôles d'idées sur ma femme". Peu après l'instauration du traitement neuroleptique, le malade a présenté un Episode dépressif post-psychotique, qui a finalement cédé à l'administration d'un antidépresseur tricyclique, en association avec le pimozide. Lors de l'arrêt ultérieur de la prescription de l'antidépresseur, le Trouble thymique n'est pas réapparu.

Fraulein Von Willebrand

Une laborantine de vingt-neuf ans est hospitalisée en médecine après être passée par le service des urgences, pour un problème d'hématurie. La patiente dit qu'elle a été traitée pour un lupus érythémateux par un médecin d'une autre ville et elle ajoute que, dans son enfance, elle souffre d'une maladie de Von Willebrand. Le troisième jour de son hospitalisation, une étudiante en médecine témoigne qu'elle a déjà vu la malade dans un hôpital de la région, où elle avait été admise pour le même problème. Une fouille des affaires de la patiente permettra de dévoiler une cachette contenant des anticoagulants. Lorsqu'on la confronte à cette découverte, elle refuse d'en discuter et quitte précipitamment l'hôpital, contre avis médical.

Discussion

L'hématurie, le fait d'être en possession d'anticoagulants, la notion d'hospitalisations à répétition, le départ précipité de la malade lorsqu'elle est confondue, tout semble prouver l'inorganicité des symptômes et leur production intentionnelle par la patiente elle -même.

Lorsqu'une maladie est ainsi créée de toute pièce, les diagnostics différentiels à évoquer sont le Trouble factice et la Simulation. D'après ce que nous savons de ce cas clinique, il semble qu'il n'y ait pas de circonstance particulière permettant d'expliquer un comportement qui ne fait que répondre au besoin de jouer le rôle de malade. Il ne peut donc s'agir que d'un Trouble factice avec symptômes physiques.

Au cas où nous aurions pu établir, par exemple, que le but de la patiente était d'obtenir des indemnités, le diagnostic de Simulation aurait prévalu sur celui d'un trouble mental. La Simulation aurait ainsi été enregistrée précédée du code V, correspondant à des situations non attribuables à un trouble mental, motivant examen ou traitement.

Diagnostic selon le DSM-III-R

Axe I : 301.51 Trouble factice avec symptômes physiques (p. 358)

Arts martiaux

Dans le cadre d'une procédure de déchéance de ses droits parentaux sur Richard, son fils de sept ans, Monsieur Marshall, un homme de trente-deux ans, est adressé à un psychiatre pour une expertise, par décision du tribunal pour enfants. Monsieur Marshall est connu des services de la protection de l'enfance depuis la naissance de son fils, pour ses actes de négligence. Pendant cette même période, une plainte a été déposée contre lui pour violences physiques sur un autre enfant et il a été inculpé deux fois pour mauvais traitements sur la personne de son épouse. La liste des accusations s'arrête là.

Au début, les services de la protection de l'enfance avaient de fréquents contacts avec Monsieur et Madame Marshall, quand leur fils vivait chez eux. A trois ans, Richard avait peur de l'eau, n'était toujours pas propre, était renfermé, ne jouait pas. Il présentait par ailleurs une lésion du nerf optique bilatérale, probablement lié aux brutalités qu'on lui avait infligées. D'après les experts, il est pratiquement aveugle. A l'âge de trois ans, Richard a été placé dans une famille adoptive, car on avait découvert que son père le laissait enfermé dans les toilettes et empêchait la mère de s'occuper de son fils.

Depuis que Richard n'habite plus avec lui, son père, qui pourtant travaille, n'a jamais payé sa pension et ne lui a jamais offert quoique ce soit ; il semble préférer s'acheter des magazines tels que *Soldiers of Fortune* ou satisfaire son goût pour les arts martiaux. Il est fasciné par les pistolets, les couteaux ou, de façon générale, les armes quelles qu'elles soient. Il les considère tantôt comme des "jouets", tantôt comme le seul moyen qu'il a de devenir "quelqu'un". Souvent, il rêve d'être mercenaire pour d'aller combattre dans la Légion.

Monsieur Marshall reconnaît avoir frappé deux enfants qu'il était chargé de garder. Ils ont eu le visage marqué par des hématomes autour des yeux, tellement il s'était montré violent. Mais il pense que cela était justifié parce que l'un d'entre eux lui avait menti. Lorsqu'il rend visite à son fils, il le traite de "moutard" ou de "rat" et lui parle de sa propre histoire d'enfant battu, en même temps qu'il se plaît à jouer avec un couteau bien tranchant. Quand il a participé aux groupes de parents dont on espérait une amélioration de ses relations avec son fils, il interrompait la séance pour parler, par exemple, de sa façon de procéder pour briser la nuque des canards du parc municipal. On finit par lui demander de ne plus revenir.

Monsieur Marshall a rencontré sa femme alors qu'elle travaillait dans un salon de massage. Elle tenta plusieurs fois de le quitter, mais où qu'elle aille, il la suivait et faisait alors un tel raffut qu'elle se sentait obligée de déménager. Au travail, il ne cessait de la harceler et il la menaçait de lui faire perdre son emploi si elle le quittait. Il téléphonait alors à son patron, se faisait passer pour un détective, parlait de détournement de fonds, de fraude et de sévices sur enfant (tout cela étant évidemment faux). Peu de temps après la rupture définitive, Monsieur Marshall laissa un message sur le répondeur téléphonique de sa femme où, se faisant passer pour le père adoptif de Richard, il l'informait que son fils avait été tué dans un accident de voiture. On comprend, vu le contexte, que Madame Marshall accepta sans hésitation de remplir, le moment venu, les fiches d'accusations contre son mari.

Il rencontra une autre femme, précisément au cours des séances de groupes de parents. Peu de temps après avoir emménagé chez elle, il commença à la battre et elle porta plainte à son tour. Il se mit alors à la harceler et à l'empêcher de travailler par tous les moyens possibles. Une fois, il la suivit à son lieu de travail, puis s'enferma avec elle dans une pièce sans fenêtres en la menaçant d'une prise de karaté après avoir cassé tous les objets qui s'étaient trouvés à sa portée. En fait il ne la toucha pas.

Aîné de six enfants qui n'étaient pas issus du même père que lui, Monsieur Marshall n'a en réalité jamais connu son père. Son beau-père était militaire de carrière, ce qui explique les fréquents déménagements de la famille. Lorsqu'il était enfant, il affirme n'avoir jamais vu son beau-père battre sa mère ; il se contente de faire remarquer qu'il avait un mauvais caractère et qu'il lui arrivait de le battre sans raison. Il en résultait souvent des bleus et des coupures. Monsieur Marshall commença à s'intéresser au karaté à l'âge de quatorze ans pour pouvoir se défendre contre son beau-père.

Au collège, il était un élève moyen qui n'avait de réel intérêt que pour le sport. Jamais son beau-père, dit-il, ne le félicitait. Après le collège, il s'inscrivit à l'université ; il voulait être commissaire de police.

Le patient n'a pas eu de problème d'alcool ou de drogue, pas plus qu'il n'en existe dans sa famille. Il affirme ne jamais avoir été déprimé ni tenté de se suicider. Pour lui, les services de la protection de l'enfance et le tribunal pour enfants agissent de façon injuste. Il se considère comme une victime des tracasseries administratives, alors que les services sociaux ont des témoignages convergents concernant sa façon de terroriser la mère adoptive de son fils, l'assistante sociale, sa propre grand-mère...

Il reste en effet persuadé que les accusations portées contre lui sont non-fondées ou insignifiantes et qu'il finira bien par avoir la garde de son fils. Et c'est avec le sourire qu'il répétera ce qu'on lui a dit sur son fils, concernant ses problèmes visuels graves qui l'empêcheront à jamais de conduire.

Au cours de l'entretien, Monsieur Marshall se montre particulièrement exigeant, essayant d'arranger à sa convenance les horaires des futurs rendez-vous. Très attentif à son interlocuteur, il semble par contre ignorer la présence de l'assistante sociale qui s'occupe de son dossier, ainsi que de son ex-femme. Les tests d'intelligence indiquent une cognition, une capacité à l'abstraction, une concentration normales, mais un jugement très médiocre.

Discussion

Le mode général de comportement au long cours de Monsieur Marshall, dans lequel la cruauté et l'agressivité dominent, n'est pas sans évoquer un diagnostic de Trouble de la personnalité antisociale. Manquent cependant les antécédents dans l'enfance qui le caractérisent : école buissonnière, comportement bagarreur, vols, conduite inadaptée à l'école.

A l'âge adulte, Monsieur Marshall se montre cruel, prêt à humilier et à rabaisser les autres. Volontiers tyrannique, il ment dans le but de faire du mal. Il est fasciné par les armes et la violence. Or, lorsque ce type de comportement est dirigé contre plusieurs autres personnes et n'a pas pour but la recherche d'une excitation sexuelle, comme cela est le cas dans le Sadisme sexuel, il s'agit d'un diagnostic de Trouble de la personnalité sadique.

Les professionnels en santé mentale ont rarement l'occasion de voir ce type de malades, sauf lorsqu'ils leurs sont adressés, comme c'est le cas ici, dans le cadre d'une procédure légale, pour des voies de fait vis-à-vis d'une femme ou d'un enfant (dans presque tous les cas, ils sont eux-mêmes des hommes). Dans les expertises pénales cette affection est loin d'être rare, en particulier chez les individus qui ont commis des agressions violentes. Ce diagnostic, absent de la classification officielle, figure dans l'annexe A du DSM-III-R.

Diagnostic selon le DSM-III-R

Axe I : V71.09 Absence de diagnostic ou d'affection sur l'Axe I (p.409).

Axe II : 301.90 Trouble de la Personnalité non spécifié (Trouble de la Personnalité sadique) (p. 403).

Un garçon sur le pont

Un collégien de dix-huit ans est amené au service des urgences par la police. Il vient d'être ramassé sur la voie publique alors qu'il était au milieu des voitures sur le pont de Tribrough. Visiblement hors de son état normal, gesticulant, menaçant, il est persuadé qu'on a essayé délibérément de l'"'égarer" en lui donnant une direction erronée. Son récit est désordonné et incohérent, mais il reconnait devant l'officier de police qu'il a pris des amphétamines. Incapable de se concentrer, il ne répond aux questions que si on les lui répète. Désorienté dans le temps comme dans l'espace, il ne lui est pas possible de redonner le nom de trois objets cinq minutes après qu'on les lui ait présentés. Selon sa famille, il prend régulièrement, depuis deux ans, des excitants et est souvent "défoncé". Ses études sont un échec total.

Discussion

Une consommation régulière "d'excitants" fait immédiatement penser à la possibilité d'un Syndrome mental organique induit par l'amphétamine. Bien que les idées délirantes de persécution soient présentes ici, la désorientation, les troubles de l'attention, ainsi que l'augmentation de l'activité psychomotrice sont caractéristiques du Délirium. Les diagnostics de Trouble délirant organique ou d'Intoxication à l'amphétamine doivent donc être éliminés du fait de l'altération globale des fonctions cognitives.

Bien que nous n'ayons pas beaucoup d'éléments d'information concernant le mode d'utilisation de l'amphétamine, il apparait à l'évidence que la prise régulière de toxique les jours de classe a fortement contribué à l'échec scolaire. Nous sommes donc en droit d'établir le diagnostic provisoire de Dépendance à l'amphétamine.

Diagnostic selon le DSM-III-R

Axe I : 292.81 Delirium lié à l'amphétamine (p. 153)
304.40 Dépendance à l'amphétamine (provisoire) (p. 188)

Sur une scène

Harry est un homme de trente-trois ans qui vit avec sa femme à Seattle. Depuis qu'il a quitté l'université, il est représentant dans une compagnie d'assurances. Il se rend à la consultation d'un psychiatre libéral qui lui a été recommandé par un ami, car il dit être angoissé lorsqu'il est a son travail.

Pendant son adolescence et au début de l'âge adulte, Harry avait énormément d'amis et sortait beaucoup, sans que cela lui pose de problème dans ses études jusqu'à sa troisième année universitaire. C'est alors qu'il devint de plus en plus tendu et nerveux. Lorsqu'il avait des examens à préparer, il se mettait à trembler, son coeur battait plus fort qu'à l'ordinaire, ses mains étaient moites. Il lui arrivait même de ne pas pouvoir rendre ses devoirs ou de ne pas les remettre à temps. Incapable de comprendre pourquoi remplir une copie ou passer un examen l'angoissait à ce point, alors qu'auparavant ça s'était toujours bien passé, il dut pourtant, très vite se rendre à l'évidence : ses résultats avaient très sérieusement baissé.

Peu de temps après avoir finalement réussi à décrocher son diplôme, Harry fut donc embauché dans les assurances. La première étape de sa formation (assister à des conférences, prendre connaissance des rapports) se déroula sans difficultés. Mais, dès qu'il lui fallut établir des contacts avec la clientèle, son anxiété réapparut. Sa nervosité était extrême quand il attendait les appels des clients. Au bruit de la sonnerie du téléphone, il se mettait alors à trembler et parfois même il était absolument incapable de répondre. Finalement, pour éviter de se mettre dans cet état, il décida de ne plus prendre de rendez-vous à heures fixes et d'avoir le moins possible de relations avec les clients.

Quand on lui demande ce qui, dans ces situations, le rend si mal à l'aise, il répond qu'il a peur de ce que le client va penser de lui : "Il pourrait sentir que je suis nerveux et me poser des questions dont j'ignore la réponse ; j'aurais l'air idiot". C'est pourquoi il réécrit et reformule de multiples fois ses rapports de ventes pour l'aider dans ses conversations téléphoniques afin, dit-il, "de ne plus avoir à me faire de soucis concernant ce qu'il faut dire ou ne pas dire".

Harry n'a jamais été licencié, mais il reconnait ne travailler qu'à 2O % de ses capacités. Son employeur ne lui en fait d'ailleurs pas le reproche, vu qu'il est payé à la tâche. Ces dernières années, il a par contre dû emprunter beaucoup d'argent pour arriver à joindre les deux bouts.

Les difficultés financières de Harry ne l'empêchent pourtant pas, lui et sa femme, d'inviter régulièrement des amis chez eux, ou à des pique-niques, des soirées et des réunions plus formelles. Harry se lamente : "On attend de moi que je fasse quelque chose. C'est comme si j'étais sur une scène, tout seul, au centre de tous les regards".

Discussion

Harry présente une anxiété qui le paralyse chaque fois qu'il sent qu'il est en représentation. Déjà, au collège, il avait déjà eu le même type de problèmes, dès lors qu'il s'agissait de rédiger un devoir ou de passer un examen. Actuellement, au travail, cela se produit chaque fois qu'il doit parler aux clients, que ce soit en face à face ou par téléphone. Il craint alors de se rendre ridicule aux yeux de ceux qui se seraient rendus compte de son anxiété. Il est important de noter que le malade n'éprouve aucune anxiété dans les situations où, pour lui, il "n'est pas sur une scène" et qu'il n'a jamais présenté d'attaque de panique subite dans des situations qui ne devaient pas normalement lui déclencher de l'anxiété (comme dans les attaques de panique du Trouble panique).

La peur persistante d'une ou de plusieurs situations dans lesquelles le sujet est exposé à l'éventuelle observation attentive d'autrui et dans lesquelles il craint d'agir ou de se conduire d'une façon qui pourrait l'humilier ou l'embarrasser, constitue la caractéristique essentielle de la Phobie sociale. Or c'est justement le cas du patient de cette observation. La Phobie sociale peut soit se limiter à un stimulus phobique spécifique (comme ici), soit être généralisée à presque toutes les situations sociales. La peur de parler en public est sans aucun doute la Phobie sociale la plus répandue. Elle se limite généralement aux manifestations officielles et ne concerne pas, comme dans ce cas, le fait de parler au téléphone. Les autres Phobies sociales spécifiques, moins fréquentes, sont représentées par la peur de manger ou d'écrire en public, la peur d'utiliser les toilettes publiques. Dans le type généralisé de la Phobie sociale, la situation phobique concerne la plupart des situations sociales (voir le "Préposé au tri").

Diagnostic selon le DSM-III-R

Axe I : 300.23 Phobie sociale (sévère) (p. 274)

Piégé

Un chimiste de trente ans vient consulter un psychiatre sur le conseil de son médecin pour parler de ses problèmes conjugaux. Depuis 2 ans qu'il est marié avec une femme qu'il connait depuis cinq ans, ruptures et réconciliations se succèdent ; c'est pourtant lui, le plus souvent, qui parle de séparation. Bien qu'ils aient beaucoup de goût communs, et que, jusqu'à maintenant, leur vie sexuelle ait été satisfaisante, il pense que sa femme est quelqu'un de froid et d'égoïste, qui n'a que faire de sa carrière ou de ses préoccupations. Périodiquement, il finissent par se disputer au point d'en venir aux mains, ce qui a pour conséquence une séparation temporaire. Puis se sentant seul, il la "supplie" de revenir. Vu la froideur habituelle de leurs relations, le patient semble chercher une aide pour rompre définitivement, car il est profondément désespéré par une situation au point de devoir retenir ses larmes au cours de l'entretien. Il semble par ailleurs ne pas connaitre d'autres problèmes. Il dit avoir de bons amis, un emploi où il se sent à l'aise et pas d'autres symptômes que ceux qui viennent d'être évoqués.

Discussion

Cet homme est, certes, très perturbé par une situation conjugale qu'il semble incapable de résoudre, mais sa façon de réagir semble tout à fait normale et prévisible. Il ne s'agit donc pas d'un trouble mental spécifique, tel qu'un Trouble de l'adaptation.

Mais en dépit du fait que le Problème conjugal, que nous devrons coter précédé du code V, exclut un désordre mental à l'origine des difficultés du patient, il va de soi qu'il conviendra de lui proposer une aide dont la nature restera à déterminer.

Diagnostic selon le DSM-III-R

Axe I : V61.10 Problème conjugal (p. 407)

Sexe dans le métro

Charles a quarante-cinq ans au moment où il est adressé à un psychiatre ; il vient d'être arrêté pour la deuxième fois après qu'une femme contre laquelle il s'était frotté dans le métro ait porté plainte contre lui. Selon Charles, sa vie sexuelle avec la femme qu'il a épousée il y a quinze ans, a toujours été satisfaisante. Et pourtant, depuis dix ans, il se livre à des attouchements envers des femmes dans le métro. Habituellement, il commence par décider d'aller dans le métro pour se frotter contre une femme, d'une vingtaine d'années en général. Une fois qu'il l'a sélectionnée tout en marchant dans la station, il se met derrière elle et attend que le train arrive (il a mis préalablement une enveloppe de plastic autour de son pénis pour ne pas tacher son pantalon après avoir éjaculé). Quand le train s'est immobilisé et que les passagers montent dans la voiture, il la suit. Une fois les portes fermées, il place son pénis contre les fesses de la femme, en imaginant qu'il a un rapport sexuel normal. Lorsqu'il a éjaculé, une fois sur deux, il se rend alors à son travail ; s'il n'y est pas parvenu, soit il laisse tomber, soit il change de train pour se choisir une nouvelle victime. Charles avoue se sentir coupable immédiatement après chaque épisode, mais bien vite il y repense et recommence à rêver à la prochaine rencontre. Il estime qu'il a fait cela environ deux fois par semaine depuis dix ans ; il s'est donc frotté contre mille femmes environ.

Au cours de l'entretien, il est visible que Charles éprouve une grande culpabilité ; il se met à pleurer quand il parle de sa crainte que sa femme ou que son employeur n'apprenne sa seconde arrestation. Apparemment, il n'a jamais pensé à ce que pouvaient ressentir ses victimes.

Son histoire personnelle ne révèle aucun autre problème psychique particulier. En société, il est plutôt effacé, parfois même il peut sembler un peu niais, surtout avec les femmes.

Discussion

L'acte de toucher une personne qui n'est pas consentante et de se frotter de façon répétée contre elle, à la recherche d'une excitation sexuelle et de plaisir, correspond au Frotteurisme que le DSM-III-R range parmi les Paraphilies. Certains manuels qui font autorité distinguent le Frotteurisme (se frotter contre) des Attouchements pathologiques (caresses) ; dans le DSM-III-R, ces deux troubles sont rassemblés dans la même catégorie du Frotteurisme. Ce Trouble semble exclusivement masculin.

Le comportement de Charles est tout à fait caractéristique. Il choisit un endroit bondé offrant un large assortiment de victimes (habituellement le métro il peut s'agir également de manifestations sportives ou d'autres transports publics). L'acte de Frotteurisme peut ne pas être remarqué tout de suite ; la victime habituellement ne proteste pas, car elle n'est pas absolument sûre de ce qui s'est passé, et c'est pour cette raison, sans doute, que Charles n'a été arrêté qu'à deux reprises.

Nous ignorons la nature des fantaisies sexuelles auxquelles Charles s'est livré dans les années qui ont précédé les actes de Frotteurisme. Comme cela est habituel dans cette affection, il imaginait au moment de l'acte qu'il avait une relation sexuelle normale avec la victime.

Le psychiatre qui nous a fourni le matériel clinique de ce cas estime que cette affection est souvent méconnue dans les villes de moindre importance, car les psychiatres n'ont pas l'habitude de demander à leurs patients s'ils se livrent à ce genre de pratique sexuelle lorsqu'ils se trouvent au milieu d'une foule.

Diagnostic selon le DSM-III-R

Axe I : 302.89 Frotteurisme (sévère) (p. 319).

Un psychiatre têtu

C'est effectivement un psychiatre de trente-quatre ans qui vient consulter, avec un bon quart d'heure de retard à son premier rendez-vous. Dernièrement, on lui a demandé de démissionner de son poste dans un centre psychiatrique. Son directeur lui reprochait de ne jamais être à l'heure au travail et aux réunions, de manquer ses rendez-vous, d'oublier de faire ce dont on l'avait chargé, d'avoir pris beaucoup de retard dans ses statistiques, finalement de refuser de suivre les instructions et de manquer de motivation. Le patient accueillit les reproches du directeur avec surprise et colère, car il estimait que son travail était de qualité, compte tenu des circonstances et des exigences démesurées de son chef de service. Il reconnaissait cependant avoir depuis toujours un "problème avec l'autorité."

Les crises de colère de son jeune âge sont restées légendaires dans la famille. Il était un enfant autoritaire, qui exigeait que ses camarades fassent "comme il avait décidé que ça soit fait", sinon il refusait de jouer. Avec les adultes, en particulier sa mère et les professeurs du sexe féminin, il était souvent renfrogné, désobéissant, volontiers contradicteur, en un mot : absolument impossible. On l'envoya dans des écoles de garçons dont les professeurs étaient des hommes. Il fit des progrès sur le plan de la discipline, mais il continuait à vouloir obstinément que les choses soient faites à sa façon et supportait mal d'être commandé. Il fut un étudiant brillant mais irrégulier, ne travaillant dur que s'il le voulait ; parfois, il s'imaginait "punir" ses professeurs en ne rendant pas les devoirs. Toujours prêt à la confrontation, il était sûr d'avoir raison dès qu'on lui faisait le moindre reproche.

Son mariage est un échec. Il se plaint que sa femme ne le comprend pas et qu'elle coupe toujours les cheveux en quatre. Elle, de son côté, lui reproche son obstination et regrette de ne pas pouvoir compter sur lui. Il refuse de faire quoi que ce soit dans la maison et bien souvent ne remplit même pas les tâches qui lui reviennent. Sa déclaration d'impôts, il ne l'a faite qu'après plusieurs mois de retard ; les notes restent impayées. Quant à ses relations sociales, elles sont plutôt bonnes. Il a beaucoup de charme, mais il arrive que ses amis soient contrariés par son manque de bonne volonté quand il s'agit de sortir et d'aller dans un endroit qu'il n'a pas choisi lui-même (il est alors de mauvaise humeur pendant toute la soirée et "oublie" parfois son porte-feuille à la maison).

Discussion

Toutes les fois qu'on lui demande de faire quelque chose, qu'il s'agisse d'une exigence sociale ou professionnelle, ce patient adopte une attitude de résistance passive : procrastination (les impôts sont payés avec du retard, les factures ne sont pas réglées), oubli (de faire des commissions pour sa femme ou de s'acquitter de certaines tâches a son travail), bouderie dès qu'il n'a pas envie de faire quelque chose. Ce comportement a donc eu pour conséquences une réduction de son efficacité professionnelle ainsi que des difficultés conjugales. Ce mode général de résistance passive à la demande de faire le nécessaire face aux obligations est tout à fait caractéristique du Trouble de la Personnalité passive-agressive.

Ce comportement se retrouve fréquemment dès lors que le fait de s'affirmer n'est pas encouragé, voire même sanctionné (comme par exemple au service militaire), aussi ne doit-on porter le diagnostic qu'à la condition que le sujet puisse réellement s'exprimer.

Ce cas clinique démontre à l'évidence qu'un Q.I. élevé, de même que le fait d'appartenir au corps des professions de santé mentale, ne confère aucune immunité vis-à-vis de cette affection !

Diagnostic selon le DSM-III-R

Axe I :   V71.09   Absence de diagnostic ou d'affection (p. 409)
Axe II :   301.84   Trouble de la Personnalité passive - agressive
            (modéré) (p. 402)

Suivi

Le patient a suivi pendant cinq ans à raison d'une séance par semaine, une psychothérapie à la fois psychodynamique et comportementale quant à son inspiration. La thérapie comportementale consistait en un programme d'affirmation de soi associé à des consignes visant à réaliser des objectifs spécifiques, comme par exemple la recommandation de remplir le rapport mensuel dès qu'il était déposé sur le bureau. Au cours de la deuxième partie de la séance, il s'agissait de verbaliser les sentiments provoqués par l'accomplissement de ces objectifs. Au moment où le patient a arrêté son traitement, il n'avait plus de problème professionnel, et disait se sentir plus heureux.

Droits parentaux

Clara Cole, une femme noire de trente-quatre ans, mère de trois enfants, de treize, onze et cinq ans, est envoyée chez un psychiatre par le tribunal pour enfants, dans le cadre de la procédure visant à lui retirer ses droits parentaux sur ses deux aînés, Tyrone et Tanya.

Madame Cole décrit Tyrone comme un enfant qui a toujours été difficile et turbulent. Elle a eu de la peine à lui apprendre à être propre et à le discipliner. A deux ans, Tyrone a été soigné pour des brûlures du second degré au niveau des chevilles, en arrière des mollets, sur les fesses et le pénis. Au moment de l'accident, Mademoiselle Cole était seule avec lui ; elle prétendit qu'elle n'y était pour rien et que ça aurait pu arriver à n'importe qui. Selon elle, il s'était renversé de l'eau brûlante sur lui alors qu'elle se trouvait dans une autre pièce.

Depuis, les trois enfants ont tous eu des blessures multiples. Chacun a eu des bleus, des zébrures, des marques qui correspondaient bien à ce qu'ils disaient, à savoir que leur mère les pendait par les pieds et qu'elle les frappait avec des tuyaux de plastic. Le plus jeune, Winnie, a été soigné pour des hallucinations auditives : il entendait une voix féminine qui lui disait de frapper les autres enfants. Les deux plus âgés, Tyrone et Tanya, sont traités dans des centres proches de là où il habitent. Il est apparu qu'ils avaient peur des femmes, et ils ont même avoué que leur mère les menaçait de violences pires encore s'ils racontaient ce qu'elle leur faisait.

La mère vit comme une insulte le fait que le tribunal pour enfants s'occupe de son cas. Elle prétend que ses enfants ont été brutalisés par son ex-mari qui la violentait elle aussi, tant physiquement que moralement. Elle nie les avoir battus et ne peut expliquer pourquoi ils semblent terrorisés par les femmes. Elle reconnaît qu'elle les fouette avec une ceinture pour "leur apprendre la discipline", mais elle nie les pendre par les pieds. Son garçon le plus âgé a, selon elle, raconté n'importe quoi pour l'obliger à être moins sévère ; elle-même est persuadée qu'ils n'ont pas donné de témoignages concordants, ce qu'ils ont fait, en réalité. Madame Cole explique que, récemment, elle a arrêté de donner la fessée à son plus jeune enfant pour ne pas risquer de s'en voir retirer la garde. Elle affirme que si elle les frappe au point de leur laisser des marques, c'est parce qu'ils lui répondent, parce qu'ils ne rentrent pas à l'heure de l'école, parce qu'ils n'ont pas d'assez bonnes notes ou parce qu'ils lui manquent de respect...

Les parents de Madame Cole étaient tout deux alcooliques ; elle-même n'a jamais eu de problèmes de ce type, pas plus qu'elle ne se drogue. Sa mère la battait souvent sans raison, et elle n'a pas de mal à se rappeler combien elle redoutait que sa mère, en colère, ne saisisse le premier objet à portée de sa main pour la frapper. Parfois, après qu'elle ait été blessée, il fallait pratiquer, à la maison, des points de suture, car sa famille était trop pauvre pour payer le médecin. Sa mère l'accusait d'être à l'origine de tous ses malheurs, la cause de son divorce, la responsable de la mauvaise conduite de ses frères et soeurs. Elle se souvient qu'au lycée, elle éprouvait une telle hostilité pour les femmes, qu'elle ne choisissait que les matières où les professeurs étaient des hommes. En dépit de tout cela, elle obtint de bons résultats et fut un membre actif de l'amicale des anciens élèves.

Madame Cole a un emploi stable comme surveillante dans un service d'expédition, travail qu'elle occupe depuis trois ans. Elle a déjà obtenu deux promotions. C'est une femme assez forte, séduisante, plutôt bien habillée. Les tests psychométriques font apparaitre un niveau intellectuel au-dessus de la moyenne, un raisonnement correct, des capacités de concentration ou d'abstraction normales. Même si elle est ouvertement hostile et critique envers le service de protection de l'enfance et le tribunal, elle se montre calme et courtoise envers son examinateur.

Il semble qu'elle ait le pouvoir d'intimider son ex-mari. Tout en reconnaissant avoir lui-même mauvais caractère, il fait remarquer que c'est elle qui le provoquait physiquement lors des disputes. Il aimerait avoir la garde des enfants, mais il attend que les droits parentaux de sa femme lui soient retirés..

Madame Cole prétend n'avoir besoin ni de psychiatre, ni de soins, car elle estime ne pas avoir de problèmes. Elle ajoute que si Tyrone, qui a des troubles du comportement depuis plusieurs années, lui revient, elle mettra fin à sa psychothérapie, car elle estime que les problèmes de son fils cesseront dès qu'il reviendra chez elle. S'ils réapparaissaient, elle serait, dit-elle, prête à le confier à nouveau aux services sociaux.

Discussion

Cette malheureuse femme inflige à ses enfants les mêmes mauvais traitements que ceux que sa propre mère lui a fait subir lorsqu'elle était enfant. Elle utilise sans nécessité la cruauté physique, exige de ses enfants une discipline rigoureuse, les contraint à faire ce qu'elle veut par l'intimidation, restreint leur autonomie (il leur faut absolument rentrer à la maison immédiatement après l'école). Ce mode de comportement cruel et agressif correspond au diagnostic non officiel de Trouble de la Personnalité sadique, une affection que l'on ne rencontre pratiquement jamais chez les femmes.

Le Trouble de la Personnalité sadique s'accompagne parfois d'un Trouble de la Personnalité antisociale. Dans ce cas clinique, il manque les antécédents dans l'enfance qui le caractérisent : école buissonnière, fugues et vols.

Diagnostic selon le DSM-III-R

Axe I : V71.09 Absence de diagnostic ou d'affection (p. 409)
Axe II 301.90 Trouble de la Personnalité non spécifié (Trouble de la Personnalité sadique) (p. 417)

Le peintre en bâtiment

Un peintre en bâtiment de quarante-six ans est hospitalisé pour un alcoolisme qui a débuté il y a trente ans. Il a déjà fait deux cures de désintoxication. Cette fois-ci, cela fait deux semaines qu'il a arrêté de boire, et pourtant il ne présente pas de signe de sevrage. Il paraît dénutri ; l'examen objective une ataxie et une paralysie bilatérale de la sixième paire crâniène. Il semble confus au point de prendre un des médecins pour un de ses oncles décédé.

Au bout d'une semaine d'hospitalisation, le patient marche normalement, et sa paralysie du VI a totalement régressée. Il est orienté et peut trouver seul le chemin de la salle de bain. Il réussit à se rappeler les dates des anniversaires de ses enfants, mais ne parvient pas à énumérer les cinq derniers Présidents des Etats Unis. Il a par ailleurs du mal à retenir une information plus de quelques minutes après leur énumération. Il peut répéter une série de nombres juste après l'avoir entendue, mais quelques minutes plus tard, il ne se souvient même plus de ce qu'on lui a demandé de faire. Si on lui montre trois objets (un peigne, une bague et des clés), il les a oubliés au bout de trois minutes. Il n'a pas conscience de ses troubles. Quand on lui demande s'il se souvient du nom de son médecin, il répond "certainement", et indique "le Docteur Masters", ce qui est faux ; il ajoute qu'il l'a rencontré pour la première fois pendant la guerre de Corée, puis il se lance dans un long récit fictif de leur service militaire.

Le patient est calme, très présent au cours de l'entretien, amical. Comme sa mémoire immédiate est intacte et que sa mémoire à long terme n'est pas constamment altérée, on peut très bien rester un moment avec lui sans se rendre compte de son trouble. En fait, son amnésie est surtout antérograde. Bien que traité avec de fortes doses de thiamine, le déficit de la mémoire à court terme persiste et semble être irréversible.

Discussion

Une confusion, une ataxie avec paralysie de la sixième paire, des antécédents d'intoxication alcoolique suffisent à établir le diagnostic neurologique d'une encéphalopathie de Wernicke, que l'on enregistre sur l'Axe III. La plupart du temps ces manifestations répondent favorablement à la thiamine, mais il n'est pas rare de voir un Syndrome amnésique persister, appelé Trouble amnésique alcoolique, qui se caractérise par un déficit de la mémoire à court terme (plus qu'immédiate ou à long terme). Afin de masquer ses Troubles amnésiques, le sujet, comme dans le cas qui nous intéresse, peut confabuler, c'est à dire inventer de toutes pièces des faits et des évènements en réponse à des questions concernant des situations dont elle ne se souvient pas.

Lorsque l'altération globale du fonctionnement intellectuel, et non plus les Troubles de la mémoire, prédomine, on porte le diagnostic d'une Démence associée à un alcoolisme.

Le diagnostic additionnel de Dépendance à l'alcool est dans ce cas clinique plus que probable vu les antécédents d'intempérance alcoolique et les deux hospitalisations pour désintoxication.

Diagnostic selon le DSM-III-R

Axe I :   291.10 Trouble amnésique alcoolique, sévère (p. 149)
           301.91 Dépendance à l'Alcool, sévère (p. 194)
Axe III : Encéphalopathie de Wernicke

L'homme d'affaires latino-américain

Monsieur Zeigler, un homme d'affaires d'Amérique Latine de 55 ans, marié, est hospitalisé après huit mois de fatigue permanente s'accompagnant d'une perte de poids et d'une diarrhée. Il a été hospitalisé à plusieurs reprises, tant aux Etats Unis qu'en Europe, sans qu'on ait pu établir un diagnostic. Une consultation psychiatrique est demandée pour une suspicion d'état dépressif sous-jacent à la perte de poids et avec altération de l'état général.

Monsieur Zeigler, en évoquant en détail ses antécédents familiaux dit qu'il a quitté l'Europe quand il était enfant, puis parle de sa réussite professionnelle et, pour terminer, des difficultés grandissantes qu'il a rencontrées depuis qu'il a perdu du poids et qu'il se sent fatigué. En huit mois, il a perdu 40 kilos et il doit se forcer à s'alimenter. Avant, manger faisait partie des plaisirs de sa vie et il se considérait comme un gourmet. Bien qu'il se plaigne de ne plus pouvoir se concentrer et de perdre la mémoire, il arrive à résoudre les difficiles problèmes financiers de ses contrats. Alors que son entreprise multinationale se porte bien, il se sent triste. Il espère que l'on trouvera rapidement ce qu'il a. A l'hôpital, il se comporte de la même façon autocratique que dans ses affaires ou avec sa famille. Ses centres d'intérêt dans l'existence sont nombreux et il espère bien les retrouver intacts lorsqu'il sera guéri.

Madame Zeigler confirme ce qu'a pu dire son mari et parle de son efficacité et du contrôle qu'il exerce dans les affaires financières de la famille. Elle explique que l'attitude de son mari a été à l'origine des conflits avec ses fils, qui en veulent à leur père de ne pas vouloir leur donner un peu d'initiative et de responsabilité dans l'entreprise familiale. Selon elle, son mari est dépressif et c'est pour cette raison qu'il a tous ces symptômes ; la fatigue est le seul frein à son l'hyper-activité. Elle se dit par ailleurs incapable de répondre aux questions sur sa vie sexuelle, parce qu'elle a arrêté d'avoir des rapports avec lui depuis dix ans. Il a très bien pris la chose, et, selon sa femme, fréquenterait des prostituées.

Les jours suivants, l'état de Monsieur Zeigler se détériore nettement. Il semble avoir fait un ictus et présente une légère parésie à droite et une élocution difficile. Brutalement, il présente une détresse respiratoire. On le transfère dans une unité de soins intensifs. A la radiographie, il présente des images de pneumopathie intersitielle à pneumocytes qui sera confirmée à la bronchoscopie. Cet état ne répond pas à l'association triméthoprime sulfaméthoxazole et on commence la pentamidine. Monsieur Zeigler délire, hallucine, mélange de façon incohérente espagnol et anglais. Ses enfants, qui ont été informés de la gravité de son état, prennent l'avion pour les Etats Unis.

Il finit par s'en sortir et, après plusieurs semaines de traitement, sa pneumonie disparaît. Un scanner cérébral évoque la possibilité d'une toxoplasmose et une endoscopie gastrique met en évidence une isospora gastrointestinale. Toutes ces infections répondent favorablement au traitement.

Il est désormais évident que Monsieur Zeigler a contracté le SIDA. Son médecin le lui annonce en lui posant une série de questions sur sa vie sexuelle. Monsieur Zeigler se met en colère lorsque le médecin lui demande s'il n'a jamais eu de relation homosexuelle. Il évoque alors la décision de sa femme de ne plus avoir de rapport sexuel avec lui. C'est en Extrême Orient où il se rend fréquemment pour ses affaire, qu'il a souvent des contacts avec des prostituées, mais il ne pense pas avoir été contaminé là-bas, bien qu'il reconnaisse y avoir contracté la syphilis quatre ans auparavant.

Six mois plus tard, Monsieur Zeigler et sa femme reviennent aux Etats Unis pour une évaluation plus précise. Sa femme nous fait remarquer que la dépression s'est aggravée : il ne peut plus désormais diriger ses affaires. Sa personnalité a subi un changement radical : il ne semble plus se soucier de rien, même si son appétit est revenu et qu'il a presque retrouvé son poids. La plupart du temps, il reste dans le jardin, assis à ne rien faire.

D'après l'examen, Monsieur Zeigler semble être dans une bonne forme physique. Son état mental s'est, par contre, nettement détérioré ; il n'est plus capable de parler en anglais lors de l'entretien, alors qu'auparavant il parlait couramment plusieurs langues. Il ne cesse de sourire, semble désorienté, cherche ses mots, même en espagnol. Sa mémoire à court terme est altérée et le malade est incapable de faire des opérations simples. Sa mémoire à long terme est intacte, bien que sa femme ait le sentiment qu'il confond certains évènements passés. Monsieur Zeigler ne paraît pas avoir conscience de la détérioration de ses fonctions intellectuelles. Le bilan somatique ne révèle aucune infection en cours.

Discussion

Ce cas désespéré vient illustrer un des aspects de l'infection épidémique actuelle par le virus d'Immuno-Déficience (HIV). En reprenant les évènements, on se rend bien compte que lorsque Monsieur Zeigler a présenté pour la première fois une diarrhée, une fatigue, une perte de poids, il s'agissait déjà de symptômes à mettre en relation avec le SIDA (ARC). Les pertes de mémoire et les difficultés de concentration ont vraisemblablement constitué les premières manifestations neuropsychiatriques de l'infection HIV. Puis lors de la dernière consultation, les troubles mnésiques, l'altération des capacités intellectuelles et les modifications de la personnalité (apathie), du fait de leur gravité, avaient de réelles répercussions sur son travail. Il s'agissait à n'en pas douter d'un Syndrome démentiel.

Certains symptômes somatiques tels que la fatigue, la diminution de l'appétit, l'amaigrissement, l'insomnie, souvent présents dans la Dépression majeure, posent parfois un problème de diagnostic différentiel. Il en est de même pour la tristesse, la fatigue, l'amaigrissement et les difficultés de concentration dont le malade faisait état lors de sa première consultation. L'importance de la perte de poids (environ 40 kilos), le fait qu'il n'existe ni dépression profonde ni anhédonie suffisent à éliminer le diagnostic.de Dépression majeure.

Diagnostic selon le DSM-III-R

Axe I : 294.10 Démence, modérée (p. 114)
Axe III : SIDA

Suivi

Monsieur Zeigler est retourné dans son pays, où il mourut d'une infection intercurrente quelques mois après.

Frieda

Une femme de quarante-deux ans vient consulter un psychiatre. Son mari, qui a été à l'origine de cette démarche, est venu l'accompagner. Au cours de l'entretien alors qu'elle évoque ses problèmes domestiques qui n'ont en eux-mêmes rien de très exceptionnel, elle s'arrête subitement de parler et semble être ailleurs, comme dans un rêve éveillé. Le mari, quant à lui, rapporte que sa femme se met parfois à quitter brusquement la maison, vêtue de façon très inhabituelle pour ne revenir que douze à trente-six heures après. D'autres fois, à la suite d'une dispute mineure, elle s'asseoit dans un coin de la pièce, met ses bras autour de ses jambes et se met à parler comme une petite fille. Son mari explique qu'il ne lui est pas facile de la faire sortir de cet état et qu'elle refuse toujours d'en reparler.

Lors de l'entretien, la patiente dit ne pouvoir se souvenir de rien ; sous hypnose, au contraire, elle reparlera de ces crises avec vivacité et émotion. Elle est née en 1938, en Pologne, un peu avant l'invasion allemande. Pendant la guerre, elle vécut dans plusieurs orphelinats, son père ayant été tué au cours des hostilités et sa mère ayant fui en Italie chez des parents. Les orphelinats étaient dirigés par des religieuses qui encadraient les enfants avec une discipline très sévère. La nourriture n'était pas abondante, les amitiés rares, les déménagements, vu les circonstances, fréquents.

La patiente parle d'une petite fille du même âge, qu'elle avait créée dans son imagination quand elle avait quatre ans, à laquelle elle ne cessait de penser. Face aux privations de la guerre, elle cherchait ainsi un refuge avec la compagne de ses rêves et s'imaginait jouer avec des poupées dans un champ ensoleillé. Les deux fillettes laissaient leurs corvées et couraient jusqu'à cet endroit paisible. Elle revêtaient les habits de leurs parents, imitaient les grandes personnes, se moquaient des convenances. Ces rêveries continuèrent et s'intensifièrent lorsque, jeune adolescente, elle fut violée par deux soldats russes des troupes d'occupation de la Pologne, après la guerre. Jamais la patiente ne revit son père, ni sa mère. A l'égard de sa mère, elle éprouvait de la colère, car elle considérait qu'elle l'avait égoïstement abandonnée. Vis-à-vis de son père, ses sentiments étaient plus complexes. Elle pensait qu'il avait été tué à la fin de la guerre par les habitants de son village, car il avait collaboré avec les Allemands. L'antipathie qu'elle éprouvait pour lui rejoignait celle qu'elle ressentait pour tous les hommes, surtout depuis son viol.

Après avoir émigré aux Etats Unis, elle s'était mariée, mais elle restait sexuellement indifférente. Le couple eut du mal à résoudre ses désaccords concernant le budget familial, les vacances, la discipline des enfants. Après les disputes, la patiente se retirait dans sa chambre, s'habillait d'une robe flamboyante et quittait la maison sans dire un mot. Elle s'identifiait alors à Freida, la petite amie du soldat qui l'avait violée. Se rendant dans un bar du quartier, elle prenait n'importe quel homme, lui proposait un rapport sexuel, puis cherchait, avant de se donner à lui, à blesser sa virilité.

Les autres incidents au cours desquels elle se recroquevillait sur elle-même en prenant une voix de petite fille, survenaient après des disputes avec les enfants à propos du désordre de leurs chambres et de leurs devoirs à faire à temps. Elle se mettait alors à revivre, comme si elles étaient réelles, ses rêveries du temps de la guerre avec sa compagne imaginaire.

Lors de la poursuite de l'entretien, après l'hypnose, la patiente ne garde aucun souvenir de Frieda.

Discussion

Des changements soudains et spectaculaires du comportement peuvent effectivement se produire dans certains troubles mentaux, tels que dans la Schizophrénie, l'Amnésie psychogène, ou la Fugue psychogène. Mais, dans le cas qui nous intéresse, on ne retrouve pas de symptomatologie psychotique, et la complexité des modifications de l'identité et de la conduite est incompatible avec un diagnostic d'Amnésie ou de Fugue psychogène.

Il s'agit donc plutôt d'un Trouble de la Personnalité multiple dont la principale caractéristique consiste en une coexistence de plusieurs personnalités distinctes qui, tour à tour, déterminent la conduite du patient.

Diagnostic selon le DSM-III-R

Axe I : 300.14 Trouble de la Personnalité multiple (p. 306)

L'entente parfaite

Jim Healy est un chercheur en sciences sociales de trente-cinq ans qui, après sa troisième condamnation pour viol, vient d'être condamné à une peine d'emprisonnement à perpétuité.

Jim a été élevé dans une famille totalement chaotique. Son père était violent avec sa mère comme avec toutes les femmes. Ils avaient l'un et l'autre une sexualité anarchique dont l'enfant était parfois le témoin. Une fois, au moins, il fut sodomisé par son père. En grandissant, alors qu'il se sentait seul et mal aimé, il se mit à rêver à une femme idéale qui représenterait pour lui l'"entente parfaite", dont selon sa propre expression il "baiserait les pieds". Le temps passant, ces fantasmes, ces désirs ardents devinrent de plus en plus érotiques et obsédants. Au début, il s'imaginait qu'après avoir forcé une femme à avoir un rapport sexuel avec lui, elle finissait par y prendre du plaisir. Il imaginait alors souvent en se masturbant que leur relation devenait plus tendre et qu'elle durait.

Bien que Jim ait bien compris que ce scénario était fort improbable, il eut de plus en plus envie de réaliser ses fantasmes. A seize ans, il commit son premier viol. Après chaque viol, il se disait qu'il ne recommencerait plus jamais, alors qu'avec le temps, comme ses préoccupations et ses désirs se rallumaient, le cycle ne cessait de se répéter.

Même s'il menaçait souvent les femmes avec un couteau pour qu'elles se soumettent, il ne les blessait jamais physiquement et usait du minimum de violence nécessaire. Tout signe évident de souffrance ou d'angoisse diminuait son excitation sexuelle, plutôt qu'il ne l'intensifiait. Au cours de chaque viol, il jetait son arme pour assurer à la femme qu'il ne voulait pas la blesser, ni lui faire du mal.

Lorsqu'il regardait des magazines ou des films comportant des scènes où les femmes étaient en position de soumission, maintenues par des liens, il était excité sexuellement en imaginant qu'elles y prenaient du plaisir, mais jamais lorsqu'elles semblaient souffrir ou être dans le désarroi.

Lors d'un test effectué en prison, à l'aide d'un pléthysmographe pénien, on put vérifier que l'érection ne se produisait que lorsque l'on montrait à Jim des images de femmes qui étaient en position d'assujetissement ou d'asservissement. Son érection diminuait d'intensité lorsque les femmes paraissaient souffrir. Quant aux dosages hormonaux, ils ont permis de mettre en évidence un taux de testostérone élevé.

En dehors de ses condamnations pour viol, Jim n'a jamais été condamné ni même accusé pour une autre activité criminelle. Il n'a jamais auparavant reçu de traitement psychiatrique. Son emploi a toujours été stable, et il n'a jamais abusé ni de la drogue, ni de l'alcool.

Discussion

Jim est l'auteur de viols à répétition. Le viol est par définition un acte coercitif en même temps qu'une expérience traumatique pour la victime. Mais le fait de considérer le viol comme un acte antisocial et criminel ne doit pas empêcher d'étudier la motivation de son auteur ou de poser le problème de son état mental. La plupart des hommes qui ont commis un viol, ont par ailleurs une sexualité tout à fait ordinaire (non paraphilique) ; beaucoup répondent aux critères Trouble de la Personnalité antisociale ; la déficience intellectuelle, la psychose, l'intoxication par la drogue, le Trouble de la Personnalité multiple sont des diagnostics moins fréquents. Chez les récidivistes, en particulier, on peut retrouver les aberrations des paraphilies telles que des impulsions sexuelles et des fantaisies imaginatives sexuellement excitantes impliquant soit des objets inanimés, soit l'humiliation ou la souffrance du sujet lui-même, de son partenaire, d'enfants ou d'autres personnes non consentantes.

Dans le cas de Jim, il ne semble exister aucun autre comportement antisocial, les viols à répétition étant, semble-t-il, les seuls actes criminels qu'il ait commis.Dans sa biographie, il fait preuve d'une certaine stabilité sociale et professionnelle et tous les autres critères de diagnostic de Trouble de la Personnalité antisociale manquent. Il n'existe pas non plus de Déficience intellectuelle, d'Intoxication par la drogue, de Trouble psychotique ou de Trouble de la Personnalité multiple.

Jim a donc présenté des impulsions érotiques récurrentes et des fantasmes consistant à abuser sexuellement des femmes par la contrainte. Ces fantasmes et impulsions qui existaient déjà depuis de nombreuses années, ont donné lieu à de nombreux passages à l'acte. Il n'était pas sexuellement excité lorsqu'il infligeait une douleur, une humiliation ou une souffrance, comme dans le Sadisme sexuel, bien au contraire il cessait d'être excité sexuellement dès qu'il percevait, chez sa victime, une angoisse ou un sentiment de détresse.

Il s'agit donc d'une Paraphilie spécifique, correspondant à ce que certains ont suggéré d'appeler le Trouble paraphilique de contrainte. Cette espèce particulière de Paraphilie, qui n'est pas enregistrée dans le DSM-III-R, doit être considérée comme étant une Paraphilie non spécifiée.

Diagnostic selon le DSM-III-R

Axe I : 302.90 Paraphilie non spécifiée, sévère (Trouble paraphilique de contrainte) (p. 326)

Suivi

Lors de son incarcération, Jim a subi un traitement comportemental utilisant une situation de satiété masturbatoire, où il est demandé au malade de se masturber à l'évocation fantasmatique des scènes de contrainte qu'il avait auparavant trouvées excitantes. Un traitement pharmacologique permettant d'abaisser le taux de testostérone, l'acétate de médroxyprogestérone, lui a également été administré. La combinaison de ces deux traitements a eu pour résultat de réduire ce mode d'excitation érotique aberrant : le malade passe moins de temps à fantasmer des scènes de viol et son degré d'excitation physiologique, mesuré par le pléthysmographe pénien, est diminué.

La dernière fois qu'il a été examiné à la Maison d'Arrêt, deux ans après son incarcération, Jim recevait encore des médicaments ; il affirmait ne plus avoir, pour l'heure (en prison), de fantasme ou d'impulsion de viol.

La clé du mystère

Donna, une juriste de vingt-huit ans, vient parler de ses difficultés à un psychiatre. Elle se sent souvent anxieuse et contrariée à l'heure du coucher. Ces soirs-là, il lui faut une heure ou plus pour s'endormir. C'est la raison pour laquelle elle appréhende le moment de se mettre au lit et qu'elle se plonge dans des lectures de romans policiers qui captivent son attention toute la soirée. Son heure de coucher est des plus variable, entre 19 heures et 2 heures du matin. Au réveil, elle se sent faible et incapable de travailler, au point qu'elle a du mal à sortir de son lit. Certains matins, elle n'arrive pas à aller au travail. Les week-ends, elle dort jusqu'à midi. Ce sont ces retards qui l'ont décidée à venir consulter.

Donna souffre d'un asthme bronchique depuis l'âge de dix-huit mois. Sa mère était particulièrement angoissée à l'idée qu'elle puisse mourir pendant la nuit. Adolescente, Donna utilisait des inhalateurs d'épinéphrine pour rester éveillée jusqu'à 1 ou 3 heures du matin, à lire. Elle se souvient que son père devait se fâcher pour qu'elle éteigne sa lampe. Mais pour elle, c'est depuis toujours au moment où tout le monde dort qu'elle se sent en sécurité, délivrée des intrusions des autres.

C'était plutôt en fin de nuit, vers les quatre heures du matin, qu'elle avait tendance à faire des crises d'asthme. Cela éveillait chez elle une peur panique de mourir : "Je sentais alors que tout m'échappait, que je ne contrôlais plus rien." Le traitement consistait en de l'aminophyline à 400 mg par jour associé à des inhalations de béclométhasone, deux fois par jour. Elle utilisait aussi, irrégulièrement, un inhalateur d'albutérol, parfois avant de se coucher.

Environ une fois par an, son asthme s'aggravait au point d'exiger, pendant une courte période, un recours aux stéroïdes par voie générale.

Donna boit cinq à huit tasses de café par jour. Les boissons alcooliques ne lui réussissent guère : elles aggravent ses problèmes respiratoires et retardent l'arrivée du sommeil. Quant aux sédatifs à action rapide avant de se coucher, ils entraînent une diminution notable de ses facultés de concentration au travail, le lendemain. Les exercices de relaxation faits le soir aggravent ses craintes de rester toute seule avec ses difficultés respiratoires et lui donnent le sentiment d'être comme "un squelette avec des poumons".

Pendant la consultation, Donna s'exprime bien : elle est souriante, plutôt gaie ; elle sait moduler ses affects et expose ses symptômes avec une certaine complaisance. Assez loquace, elle organise bien son discours et donne de nombreuses informations. Parler de ses sentiments ne lui est pas trop difficile. Elle fait elle-même remarquer la contradiction ironique entre sa grande peur de la mort et sa passion pour les romans policiers : "Je suppose que c'est ma façon de la mettre à distance".

L'auscultation cardiaque met en évidence un claquement systolique ; un enregistrement électrocardiographique de vingt-quatre heures montre une activité ventriculaire ectopique significative. Tous ces éléments sont très en faveur d'un syndrome du prolapsus de la valve mitrale (qui semble impliquer une hypersensibilité aux catécholamines circulantes et qui, parfois se trouve associé a une insomnie importante).

Discussion

La crainte d'avoir une crise d'asthme, les effets des médicaments, les manifestations éventuelles d'un syndrome du prolapsus de la valve mitrale, tout contribue pour que cette patiente ne puisse pas s'endormir à des heures raisonnables. Les xanthines, les béta-agonistes, de même que les stéroïdes, ont des effets stimulants durables qui ne sont probablement pas sans conséquence sur la bonne qualité du sommeil. De même, l'alcool, une fois passé son effet sédatif initial, a pour conséquence un allègement du sommeil cinq à six heures après l'ingestion.

En raison de l'importance des facteurs organiques spécifiques impliqués, le diagnostic d'Insomnie liée à un facteur organique connu semble devoir être retenu.

Diagnostic selon le DSM-III-R

Axe I :   780.50   Insomnie liée à un facteur organique connu
          (p. 339)

Les jumelles

Un jeune cadre de vingt-cinq ans sollicite une consultation de psychiatrie car il éprouve souvent le besoin de regarder à la dérobée des femmes en train de se déshabiller ou de faire l'amour. Il a déjà été appréhendé pour cela et le service du personnel de l'endroit où il travaille, en a été informé. On lui a donc très fortement conseillé de se faire soigner en le menaçant de le licencier si cela se reproduisait. Ne tenant aucun compte de ces avertissements, il n'était pas allé voir un psychiatre et avait continué ses activités de voyeuriste. Récemment, il a failli être à nouveau pris et c'est la raison pour laquelle il a fini par se décider à prendre rendez-vous.

Le patient est un bel homme qui s'exprime avec aisance, et qui ne semble avoir aucune difficulté à attirer des partenaires. Effectivement, il fait beaucoup de rencontres et a environ deux rapports sexuels par semaine avec des partenaires différentes. En dehors de cela, il possède une paire de puissantes jumelles qu'il a l'habitude d'utiliser pour regarder dans les appartements voisins. Parfois il se trouve "récompensé" de ses efforts; lorsque rien ne s'est offert à son regard, il quitte son appartement pour se rendre sur les toits des immeubles, et de là il cherche avec ses jumelles s'il trouve une femme dans la situation désirée. Il n'a aucune envie de pénétrer dans l'appartement qu'il observe et nie avoir des impulsions de viol. S'il trouve la scène qu'il attend, il se masturbe jusqu'à l'orgasme juste après ou pendant qu'il l'observe avant de rentrer chez lui. Voir les scènes qui l'attirent est pour ce patient une source de plaisir que rien ne surpasse. Et pourtant, plus d'une fois, il a risqué d'être pris par des gardiens d'immeuble ou par la police, qui le prenaient pour un cambrioleur ou un agresseur ; une fois, il a même été poursuivi par un homme très déterminé et armé d'une barre de fer, alors qu'il traînait dans un petit chemin "réservé" aux amoureux ; une autre fois, à la campagne, il fut découvert au moment même où il observait un couple, de la fenêtre de sa chambre. Il faillit être abattu d'un coup de fusil.

Le patient a été élevé dans une famille qui comptait trois soeurs plus âgées. Son père était plutôt strict, religieux et avait à l'égard de son fils une attitude plutôt punitive. Sa mère, d'après ce qu'on disait d'elle, aimait bien les hommes et cherchait volontiers leur contact. Avec son fils, ses relations n'ont jamais eu rien d'équivoque. Quant à luï, il se rendait compte qu'il était le préféré de sa mère et ne cessait de se demander s'il aurait un jour la chance de tomber amoureux d'une femme comme elle. En fait, il n'est jamais tombé amoureux et n'a jamais connu de sentiment durable et profond pour une femme.

La famille du patient était plutôt puritaine. Les membres qui la composaient ne se dévêtaient pas les uns devant les autres, et les parents évitaient d'avoir entre eux des attitudes qui auraient pu être interprétées comme érotiques. Pourtant, le patient se rappelle qu'entre sept et dix ans, il s'est mis à observer, autant qu'il lui était possible de le faire, ses soeurs ou sa mère se déshabiller.

Il commence véritablement à épier les filles avec d'autres garçons, à dix ans, pendant un camp d'été. Il ne put expliquer pourquoi cela l'excitait de manière aussi intense alors que les autres semblaient ne plus y prendre goût au fur et à mesure que leur vie sexuelle se développait. Il utilisa des jumelles pour la première fois, à la recherche de scènes sexuellement excitantes dès l'âge de onze ans, mais c'est seulement à dix-sept ans qu'il quitta la maison pour le faire.

Le patient établit une relation entre ce qu'il appelle sa "tension psychologique" et son activité voyeuriste. Il a en effet constaté que son besoin de voir des femmes se déshabiller ou faire l'amour s'intensifie lorsque surviennent des changements importants dans son existence : son départ de la maison parentale, les fins d'années universitaires. Il ne voit par contre aucune relation entre le fait d'avoir une relation sexuelle et son voyeurisme. Si l'anxiété est souvent présente au moment où il observe, c'est seulement, dit-il, par peur d'être appréhendé. Il ne se sent ni honteux, ni coupable et considère que le voyeurisme ne fait de mal à personne. Ce qui le préoccupe, c'est de risquer d'aller en prison s'il ne change pas son comportement.

Discussion

Il ne fait aucun doute que l'acte de voyeurisme auquel ce patient s'adonne de façon répétitive, a pour but l'obtention d'une excitation sexuelle. Dans le DSM-III-R, le diagnostic de Voyeurisme s'applique au sujet qui a agi sous l'emprise d'impulsions intenses et récurrentes ou est fortement perturbé par elles.

Beaucoup de gens ont des impulsions voyeuristes, et il ne viendrait à l'idée de personne de faire un diagnostic de Voyeurisme lorsque quelqu'un, à l'occasion, a été sexuellement excité en observant sa voisine se dévêtir sans qu'elle se sache observée ou en regardant un spectacle pornographique, dont les acteurs font semblant de ne pas se savoir observés. Dans ce cas clinique, bien au contraire, les impulsions sont récurrentes et intenses. Le patient se rend très bien compte des conséquences potentiellement désastreuses de la persistance de son comportement.

Cette histoire clinique illustre bien le fait que les personnes présentant une Paraphilie peuvent également prendre du plaisir lors d'un coït hétérosexuel non paraphilique.

Diagnostic selon le DSM-III-R

Axe I : 302.82 Voyeurisme (Sévère) (p. 326)

Tueurs à gage

Monsieur Polsen, un homme noir de quarante-deux ans, employé des postes et père de deux enfants, est amené aux services des urgences par sa femme : il est obsédé par l'idée que sa tête a été "mise à prix".

Selon lui, ses difficultés remonteraient à quatre mois, le jour où son supérieur l'a accusé d'avoir voulu fouiller un colis. Monsieur Polsen a nié et, du fait que son emploi était menacé, a déposé une plainte. Lors d'une réunion officielle, le patient a été reconnu totalement innocent, ce qui, d'après lui, a rendu son supérieur furieux : "Il l'a ressenti comme une humiliation publique".

Environ deux semaines plus tard, Monsieur Polsen a remarqué que ses collègues l'évitaient. "Chaque fois que j'allais à leur rencontre, ils se détournaient comme s'ils ne voulaient pas me voir". Peu de temps après, il eut l'impression qu'ils étaient en train de parler de lui au travail. Il ne parvenait jamais à saisir clairement ce qu'ils disaient, mais il fut de plus en plus persuadé que s'ils essayaient de l'éviter, c'est parce que son patron avait "mis sa tête à prix".

Cet état de choses resta inchangé pendant deux mois, jusqu'à ce que Monsieur Polsen remarque que depuis peu, dans son voisinage, il y avait de grandes voitures blanches qui ne cessaient de monter et de descendre la rue où il habitait. A mesure que son angoisse grandissait, il fut convaincu que c'était "les hommes de main" de son supérieur qui étaient au volant. Il refusa alors de quitter son appartement sans être accompagné. Plusieurs fois, en voyant ces voitures blanches, il fut pris de panique et revint chez lui en courant. C'est après un de ces incidents que sa femme insista pour le conduire chez un médecin.

Monsieur Polsen est décrit par sa femme et par son frère comme un homme équilibré avant tout, ouvert et très attaché à sa famille. Au Vietnam, il s'est très bien comporté. Il a cependant peu combattu et un jour il fut sauvé par un de ses compagnons qui le poussa hors d'un camion en flammes quelques minutes avant qu'il se mette à exploser.

Au moment de l'entretien, le patient est visiblement très préoccupé. Mais, à part le fait qu'il est certain de risquer d'être tué, son discours et son comportement ne sont en aucune manière étranges. En réalité, il est avant tout très anxieux. Il ne fait état d'aucune hallucination, ni d'aucun autre symptôme psychotique que celui que nous venons d'évoquer. Il ne se sent pas déprimé et bien qu'il ait quelques difficultés à s'endormir, il n'a remarqué aucun changement en lui, tant au niveau de sa sexualité, que de son dynamisme ou de sa capacité à se concentrer.

Discussion

On imagine facilement que Monsieur Polsen puisse être anxieux : il est persuadé que son patron a payé des tueurs à gage pour le faire disparaitre. Comme nous n'avons aucune raison de le croire, nous en déduisons qu'il s'agit d'une idée délirante, qui cependant n'a rien de bizarre : les tueurs à gage appartiennent à la vie réelle.

Ce malade ne présente pas d'hallucination auditive ou visuelle, ni de syndrome maniaque ou dépressif, et ne semble pas avoir de facteur organique susceptible d'initier ou de maintenir le trouble. En dehors de l'idée délirante et de ses ramifications, il n'y a pas de singularité ou de bizarrerie manifeste du comportement. Voici donc rassemblées toutes les caractéristiques du Trouble délirant. Comme le malade a par ailleurs la conviction d'être l'objet d'une certaine forme de malveillance, les idées délirantes ont pour thème la persécution.

Souvent, les personnes qui présentent un Trouble délirant à thème de persécution se montrent peu disposées à se faire soigner. Mais la peur de Monsieur Polsen est telle qu'il n'a pas eu trop de mal à se laisser persuader qu'il a réellement besoin d'être aidé.

Diagnostic selon le DSM-III-R

Axe I : 297.10 Trouble délirant à type de persécution (p. 229)

Suivi

Monsieur Polsen a été hospitalisé. Il lui a été administré un neuroleptique, la thioridazine, qui n'a pas eu des effets immédiats sur le délire : au début, il était absolument persuadé que certains autres patients du service dont les noms étaient italiens, faisaient partie de "la bande des tueurs" qui avait été chargée de le supprimer. Puis, au cours des trois autres semaines, alors que le traitement était maintenu, les idées délirantes se sont estompées. Lors de sa sortie, après un mois d'hospitalisation, le malade nous a déclaré : "Je pense que mon patron a annulé le contrat. Il n'aurait pas pu mettre ses projets à exécution sans qu'on le sache".

Pendant les 18 mois au cours desquels il a été suivi, Monsieur Polsen a fait deux rechutes délirantes consécutives à l'arrêt du traitement.L'activité délirante était plus intense, mais le contenu idéique restait le même. A chaque fois, la résolution de l'épisode a été rapide, sans qu'il soit nécessaire de l'hospitaliser.

Les liens du sang

Matthew est un célibataire de trente-quatre ans qui vit avec sa mère et exerce la profession de comptable. Il se rend chez un psychiatre car il dit se sentir très malheureux depuis sa rupture récente avec son amie. Sa mère désapprouvait ses projets de mariage, avant tout parce que la jeune femme était d'une autre religion. Matthew se sentit piégé car il se trouvait forcé de choisir entre sa mère et son amie. Parce que, dit-il, "les liens du sang sont toujours les plus forts", il a décidé de ne pas contrarier sa mère. Cela ne l'empêche pas de s'en vouloir et d'en vouloir à sa mère qui, pense-t-il, ne le laissera jamais se marier, tellement elle est accrochée à lui et terriblement possessive. A la maison, c'est en effet sa mère qui "régente tout". Femme au caractère très dominateur, qui a l'habitude d'agir comme il lui plaît, Matthew la craint ; il se reproche d'être faible, mais en même temps, il admire sa mère et respecte son jugement. "Carole n'était peut-être pas faite pour moi, après tout" ! , se dit-il. Il alterne entre la rancune et l'idée que sa mère sait tout mieux que lui, pour finalement se dire que son jugement à lui n'est pas encore assez formé.

Matthew occupe un emploi bien en au-dessous de ses qualifications et de ses capacités réelles. A plusieurs reprises, il a refusé des promotions parce qu'il ne voulait pas avoir la responsablité de superviser d'autres personnes ou de prendre des décisions indépendamment d'un supérieur. Depuis dix ans, il travaille sous les ordres de la même personne avec laquelle il s'entend bien et qui le considère, en retour, comme un employé discret et sur lequel on peut compter. Il a deux amis très proches et quelques amis d'enfance. Chaque jour de la semaine, il déjeune avec l'un ou l'autre et se sent perdu si celui qu'il doit rencontrer est malade ou ne peut venir.

Matthew est le plus jeune de quatre enfants et le seul garçon. Il a été gâté par sa mère et ses soeurs. Enfant, il éprouvait une grande anxiété lorsqu'on le laissait seul, des difficultés à s'endormir si sa mère ne restait pas auprès de lui, un intérêt mitigé pour l'école et une insupportable envie de rentrer à la maison quand il lui arrivait de découcher. Les autres garçons le taquinaient pour son manque d'assurance et souvent le traitait de "bébé". Il a toujours vécu chez lui, sauf une année, alors qu'il était à l'université ; il revint chez sa mère l'année suivante car il ne pouvait supporter l'éloignement. Il est par ailleurs très normalement attiré par le sexe féminin, mais se montre incapable de quitter sa mère pour une autre femme.

Discussion

Voilà un bel exemple d'une totale soumission à une mère dominatrice avec le cas de ce patient qui a laissé sa mère décider à sa place de son mariage ! Au travail, il ne prend aucune initiative ; par manque de confiance dans son propre jugement et ses capacités, il ne cherche pas à avoir une promotion et travaille au-dessous de ses possibilités. Mal à l'aise dès qu'il est seul, il est sans arrêt préoccupé par la crainte d'être abandonné.

Un tel comportement fait de dépendance et de soumission, et dont les conséquences sur le fonctionnement social et professionnel du sujet sont bien réelles, mérite le diagnostic de Trouble de la Personnalité dépendante.

Diagnostic selon le DSM-III-R

Axe I : V71.09 Absence de diagnostic ou d'affection (p. 409)
Axe II : 301.60 Trouble de la Personnalité dépendante, léger (p. 398)

Suivi

Matthew a suivi pendant plusieurs années un traitement associant des thérapies comportementale et psychodynamique. Il a également entrepris une thérapie de groupe. Un an après le début du traitement, il a déménagé pour ne plus habiter sous le même toit que sa mère et a fini par se marier avec son amie. Lors de sa dernière entrevue, Matthew s'estimait satisfait de sa décision.

Le préposé au tri

Andy est un célibataire de vingt-cinq ans, qui vit avec sa mère et son frère. Après deux ans d'université, il a abandonné ses études et s'est fait embauché à la poste où il trie le courrier. Il se rend au centre de consultation le plus proche et se plaint de "nervosité". Il dit ne plus avoir l'esprit à ce qu'il fait et veut "mener une vie normale et retourner à l'université".

Pendant son adolescence et au début de sa vie d'adulte, Andy ne s'est jamais fait d'ami véritable, car il préférait rester seul. A son entrée à l'université, il avait un groupe de camarades, mais il était, dit-il, "supertimide" dès qu'il s'adressait à des étrangers, à d'autres camarades et même parfois à ses propres amis. Parfois il se sentait soudain nerveux, les traits de son visage se raidissant au point qu'il lui était difficile de parler. Il entendait comme un "bourdonnement dans sa tête", était, selon son expression, comme "hors de (son) corps", sentait la chaleur lui monter aux joues et transpirait abondamment. Ces "attaques de panique", (selon ses propres termes), survenaient brusquement, en quelques secondes, et seulement quand il était avec d'autres personnes ; quand un camarade de classe se mettait à lui parler, il était parfois incapable de comprendre ce qu'il disait tellement il était mal.

Plus tard, Andy commença également à ressentir un grand malaise face à certaines situations sociales. "Je pense, dit-il, que j'avais peur de dire quelque chose de stupide". Il se mit à renvoyer les invitations pour des soirées et finit par ne plus avoir aucun loisir, démissionner de son club de bowling et laisser tomber complètement l'université.

Andy explique pourquoi il a choisi de travailler à la poste : il n'a pas besoin d'avoir des contacts avec les gens. A la question concernant les autres raisons possibles de ses difficultés, il répond qu'il évite les toilettes publiques et qu'il s'y sent moins mal à l'aise quand les lumières sont faibles, qu'il n'y a pas beaucoup de monde et qu'il n'a pas à utiliser un urinoir.

Il a gardé deux bons amis qu'il voit régulièrement et avec lesquels il se sent toput à fait bien. Depuis la fac, il n'est jamais sorti avec une fille ; il évite d'ailleurs toutes les réjouissances en groupe telles que les mariages ou les soirées de danse. Il ne semble pas avoir de problèmes avec l'autorité et souvent accueille positivement les critiques constructives de son supérieur. "Je me sens nerveux, mais c'est pas pour ça que je suis têtu", s'empresse-t-il d'ajouter.

Discussion

Les crises d'angoisses intenses et brutales dont souffre ce patient lui font croire qu'il s'agit d'authentiques attaques de panique. Mais ces manifestations ne surviennent que dans des situations qu'il redoute, alors que les attaques de panique du Trouble panique se produisent totalement à l'improviste. L'anxiété d'Andy est en effet déclenchée par certaines situations sociales bien spécifiques dans lesquelles il craint d'agir de façon stupide ou embarrassante, ce qui est tout à fait caractéristique de la Phobie sociale, type généralisé. A noter cependant que ce diagnostic ne peut être porté, comme c'est le cas pour Andy, que lorsque la peur a une réelle incidence sur le fonctionnement professionnel ou lorsqu'il existe un sentiment important de détresse à l'idée d'avoir peur.

On ne doit pas porter le diagnostic de Phobie sociale lorsque la peur se rapporte à une autre affection , comme cela serait le cas d'un patient atteint d'un Trouble panique qui aurait peur d'avoir une attaque de panique en public, ou d'un malade parkinsonien qui redouterait d'exposer son tremblement en public.

Il n'est pas toujours très facile de différencier la Phobie sociale, type généralisé, du Trouble de la personnalité évitante de l'Axe II. Selon le DSM-III-R, les deux diagnostics doivent être portés lorsque les critères de chacune de ces deux affections peuvent être retrouvés. Mais cela n'est pas le cas dans cette observation, car nous n'enregistrons que deux items sur les quatre requis pour un diagnostic de Trouble de la personnalité évitante : Andy évite les activités professionnelles qui entrainent des contacts importants avec autrui et il reste réservé dans les situations sociales par crainte de dire quelque chose d'incongru ou de stupide. On ne retrouve pas les autres critères du Trouble : être facilement blessé par la critique ; craindre d'être embarrasé par le fait de rougir, de pleurer ou de montrer des signes d'anxiété devant d'autres personnes ; exagérer les difficultés potentielles entraînées par une activité ordinaire mais différente de la routine habituelle. Autre élément qui s'oppose au diagnostic : le patient a des amis proches.

Diagnostic selon le DSM-III-R

Axe I : 300.23 Phobie sociale, Type généralisé, moyenne (p. 274)

Le professeur

Un professeur d'université de trente-trois ans se rend chez un psychiatre car il ne parvient pas à éjaculer quand il fait l'amour. Il n'a pas de difficultés à avoir une érection et à la maintenir ; il mène facilement sa partenaire à l'orgasme, mais ne pouvant éjaculer, il finit par abandonner, par extinction de son désir. Au contraire, lorsqu'il se masturbe (environ deux fois par semaine), il arrive très bien à éjaculer ; jamais, pourtant, il n'a autorisé une de ses partenaires à le masturber pour atteindre l'orgasme. Jusqu'à maintenant, il avait repoussé tous les conseils de ses maîtresses qui essayaient de le convaincre d'aller consulter un médecin ou un psychologue ; il estimait en effet qu'une éjaculation intravaginale n'était pas essentielle, à moins de vouloir un enfant.

Mais son amie actuelle veut absolument qu'il l'épouse et aimerait avoir des enfants. De son côté, il n'a jamais voulu avoir d'enfant et se montre quelque peu réticent à devenir père. C'est donc finalement son amie qui lui a en quelque sorte forcé la main pour qu'il se fasse soigner. Aussi, tout au long de l'entretien, son attitude est plutôt hautaine. Il garde ses distances vis-à-vis de ce problème et en parle comme s'il était un observateur neutre, sans jamais s'impliquer.

Discussion

Le problème sexuel de ce professeur est assez inhabituel. Il peut avoir une érection sans aucune difficulté, il peut la maintenir tout au long du coït (contrairement au Trouble de l'érection chez l'homme), mais il est par contre incapable d'avoir un orgasme pendant le rapport sexuel. D'autre part, le fait qu'il n'ait pas de difficulté à avoir un orgasme par la masturbation permet d'éliminer l'éventualité d'un Trouble physique pouvant être à l'origine de l'affection. Or lorsque cette inhibition persiste et qu'elle n'est pas causée exclusivement par un facteur organique dont le plus habituel est l'effet secondaire de certains antidépresseurs, il ne peut s'agir que d'un diagnostic d'Inhibition de l'orgasme chez l'homme. De plus, nous devrons mentionner que le Trouble est ici seulement psychogène (non lié à une maladie de l'Axe III), qu'il a toujours existé, (non acquis après une période de fonctionnement normal) et qu'il est généralisé (non limité à une situation spécifique).

Les hommes qui ont ce type de problème sont considérés comme ayant souvent des traits de caractère de froideur et d'hyperintellectualisation. On peut même supposer qu'une investigation clinique plus poussée aurait pu nous permettre de découvrir chez ce patient un Trouble de la personnalité obsessionnelle-compulsive.

Diagnostic selon le DSM-III-R

Axe I : 302.74 Inhibition de l'orgasme chez l'homme, exclusivement psychogène, chronique, généralisée (p. 332)

Cocaïne

Al Santini, propriétaire de restaurant, trente-neuf ans, est adressé par un conseiller conjugal à la consultation externe d'un centre d'aide aux toxicomanes afin d'être examiné et si possible soigné, pour un "problème de cocaïne". Selon le conseiller conjugal, tout ce qui a été tenté ces six ou sept derniers mois pour résoudre les problèmes du couple a échoué et les disputes fréquentes autant qu'explosives n'ont jamais cessé. Aucun des deux conjoints n'a jusqu'à maintenant été blessé gravement, mais la tension que leurs difficultés relationnelles génère à la maison a une incidence réelle sur leurs enfants de neuf et de treize ans, qui se répercute sur les résultats scolaires.

Quelques jours avant cette consultation, le patient avait confié au conseiller conjugal, en présence de sa femme, qu'il prenait "de temps en temps" de la cocaïne, depuis au moins un an. Sa femme, avait alors très mal pris la chose au point de menacer son mari de le quitter et d'en parler à ses parents si il ne se faisait pas désintoxiquer. Il accepta donc avec réticence d'avoir recours à un psychiatre ; pour lui, la cocaïne n'est pas un réel problème, vu qu'il se sent tout à fait capable de s'arrêter de lui-même.

Au début de l'entretien, Al explique qu'il prend actuellement de la cocaïne trois à cinq fois par semaine, en la sniffant, depuis au moins deux ans. En moyenne, il prend environ 1 à 2 grammes de cocaïne par semaine, ce qui lui revient à peu près à 80 dollars. C'est au travail qu'il en prend, dans son bureau ou bien dans les toilettes. Il commence à penser à la cocaïne lorsqu'il est dans sa voiture, le matin. Une fois au bureau, alors qu'il sait que sa fiole de cocaïne est dans son tiroir à portée de main, il a beaucoup de mal à attendre une heure avant de prendre sa première prise du matin. Certains jours, il lui arrive de sniffer deux ou trois fois dans la journée. Les jours où il est particulièrement tendu ou contrarié, il prend une ou deux doses toutes les heures, du matin à la fin de l'après-midi. Parfois, c'est son associé, utilisateur de cocaïne plus irrégulier et moins assidu, qui lui propose la drogue.

Al prend rarement de la cocaïne chez lui, jamais en la présence de sa femme ou de ses enfants. Il arrive qu'il en sniffe une dose ou deux, certains soirs où il est seul à la maison. Il nie utiliser d'autres drogues illicites, mais prend 10 à 20 mg d'un anxiolytique, le diazépam (qu'il se fait prescrire par un médecin de ses amis), au moment du coucher quand, après la cocaïne, il se sent agité, irritable et incapable de s'endormir. S'il n'en a pas sous la main, il le remplace par deux ou trois bières.

La première fois qu'il a pris de la cocaïne, c'était au cours d'une soirée entre amis. Il éprouva une sensation euphorisante et dynamisante sans pour autant ressentir d'autres effets secondaires que la désagréable impression que les battements de son coeur étaient accélérés. Pendant les trois ans qui ont suivi, il ne prit de la cocaïne que lorsqu'on lui en proposait ; jamais il n'en achetait. Il sniffait rarement plus de quatre ou cinq doses quand l'occasion se présentait. Mais pendant les deux dernières années, sa consommation a augmenté jusqu'à atteindre son niveau actuel. A la même période, des changements importants étaient survenus dans son existence. Son restaurant marchant bien, il acheta une grande maison en banlieue ; l'argent rentrait, mais il avait plus de soucis.

Al affirme ne pas avoir d'autres problèmes avec la drogue ou avec l'alcool. La marijuana qu'il fumait de temps en temps à l'université, il dit ne l'avoir jamais vraiment aimée. Il nie aussi avoir eu des problèmes psychologiques et, exception faite du conseiller conjugal, c'est la première fois qu'il consulte pour des problèmes psychologiques.

Au cours de l'entretien, il fera remarquer plusieurs fois que, même s'il reconnaît que sa consommation de cocaïne "peut être un problème", il ne se considère pas lui-même comme un "toxicomane" et ne pense pas qu'un traitement soit nécessaire. En guise de preuve, il donne une liste d'arguments : (1) La quantité de cocaïne qu'il consomme ne lui pose pas de problèmes financiers et n'a aucune incidence sur son niveau de vie. (2) Il n'a aucun problème de santé lié à la drogue, à l'exception d'une sensation de léthargie le lendemain des jours où il a forcé la dose. (3) A plusieurs occasions, il lui a été possible de s'arrêter pendant quelques jours. (4) Quand il s'arrête, il n'éprouve pas de sensation de manque ni d'envie obsédante d'en reprendre. Mais d'un autre côté, il admet que : (1) Certains jours, il en prend plus qu'il ne le voudrait. (2) La drogue a une réelle incidence sur son travail, sur sa mémoire, son attention, ainsi que des répercussions sur son attitude vis-à-vis des employés et des clients. (3) Même quand il n'est pas sous l'effet de la drogue, il se sent irritable et se montre agressif avec sa femme et ses enfants, d'où l'apparition de nombreux problèmes familiaux, dont la gravité est telle qu'une séparation est actuellement envisagée. (4) Bien qu'il puisse s'arrêter pour quelques jours, il recommence peu de temps après. (5) Dès qu'il reprend de la cocaïne, son appétence redevient aussi intense qu'auparavant.

A la fin de l'entretien, Al reconnaît volontiers les bénéfices qu'il y aurait à arrêter définitivement la cocaïne, car il avoue être réellement préoccupé par ses problèmes familiaux. Selon lui, ils existaient avant qu'il prenne de la cocaïne, mais il n'ont fait qu'empirer au point qu'il craint actuellement que sa femme ne le quitte. Il se sent aussi très coupable de ne pas être un bon père. Il passe très peu de temps avec ses enfants et souvent il ne fait pas attention à eux ou s'emporte sans raison, à cause de la cocaïne.

Discussion

Comme la plupart de ceux qui ont de sérieux problèmes avec la drogue, le patient de cette observation ne veut pas croire qu'il est "accro". Pourtant, la manière dont, en réalité, il prend de la cocaïne répond pour l'essentiel à la définition de la Dépendance à une substance Psycho-active, à savoir : un ensemble de symptômes cognitifs, comportementaux et physiologiques qui indiquent que le sujet a perdu le contrôle de l'utilisation d'une substance Psycho-active et continue à faire usage de cette substance en dépit des conséquences dommageables. Al ne peut pas s'empêcher de prendre sa première dose de cocaïne du matin ; il continue à s'intoxiquer en dépit des problèmes conjugaux que cela occasionne ; il n'a jamais pu s'arrêter plus de quelques jours. Chaque fois qu'il prend de la cocaïne, c'est plus souvent que ce qui était prévu initialement ; il est fréquemment intoxiqué pendant son travail ; il présente des symptômes de sevrage (léthargie) ; les activités sociales antérieures qu'il partageait avec sa famille ont été réduites, en raison des modifications de l'humeur induites par la prise de cocaïne.

La sévérité de la dépendance est moyenne, car il se montre encore capable de travailler efficacement et ses relations sociales, bien que perturbées, sont encore relativement conservées.

Diagnostic selon le DSM-III-R

Axe I : 304.20   Dépendance à la cocaïne moyenne (p. 200)

Suivi

Al a donc entrepris un traitement ambulatoire. Selon un protocole qui comprenait des thérapies de soutien individuelle, de groupe, de couple avec participation à un groupe de soutien ("cocaïnomanes anonymes"). Le malade était par ailleurs soumis régulièrement à des contrôles d'imprégnation (analyses d'urine). Dans un premier temps, il avait du mal à réaliser la gravité de son intoxication. Il était persuadé qu'il pouvait de lui même arriver à contrôler sa consommation ; il n'arrivait pas à comprendre la nécessité d'une totale abstinence vis-à-vis de toutes les drogues capables de modifier l'humeur ; arguant du fait qu'il n'avait jamais eu aucun problème avec l'alcool, il ne voyait pas la nécessité de se refuser un verre de temps en temps au dîner ou lorsqu'il était en société. Pendant les trois premiers mois de traitement, Al a repris, à deux reprises, de la cocaïne. Une fois le besoin intense de drogue avait été suscité par l'absorption d'un verre de vin.

Puis, jusqu'à la fin des douze mois du protocole thérapeutique, il demeura dans la plus totale abstinence, et son enthousiasme pour son nouveau style de vie ne fit qu'augmenter. Ses relations avec sa famille se sont considérablement améliorées, les disputes violentes ayant cessé dès l'arrêt de l'intoxication : Al eut ainsi la possibilité de consacrer plus de temps à ses enfants sans avoir à subir les effets de la cocaïne.

Trois années après la première consultation, Al n'a pas cessé d'être abstinent. Il n'est plus en traitement, mais il continue à assister aux réunions des "cocaïnomanes anonymes" au moins deux à trois fois par semaine.

Le dessinateur

Un dessinateur industriel de soixante-cinq ans, travaillant dans un cabinet d'architectes, se met à avoir du mal à se rappeler certains détails dont il a besoin pour réaliser son travail. A la maison, il n'arrive pas à tenir correctement ses comptes ; à plusieurs reprises, il a même oublié de payer des factures. Il lui est de plus en plus difficile de travailler efficacement, aussi a-t-il été obligé de prendre sa retraite. Ses fonctions intellectuelles se détériorent en même temps que des problèmes de comportement apparaissent. Il devient extrêmement obstiné et, quand on s'oppose à lui, il est physiquement ou verbalement violent.

Lors de son examen par un neurologue, cinq ans après le début des troubles, le patient bien que très anxieux ne semble pas confus. Il est persuadé d'être sur son lieu de travail, "en 1960 et des poussières" (nous étions en réalité en 1982). Après un intervalle de dix minutes, il ne peut se souvenir d'une série de six objets, même aidé par des réponses à choix multiple. Il connaît le nom de son lieu de naissance et de son collège, mais pas celui de ses parents ou de son enfant. (Il dit qu'il en a deux alors qu'il n'en a qu'un). Il pense être encore en activité et se montre incapable de dire ce qu'il fait. Il ignore le nom du président actuel des Etats Unis, ne peut expliquer la cause de la démission de Nixon, ne se rappelle pas l'assassinat de Kennedy. Son discours est bien articulé, mais vague, plein de disgressions et de phrases qui ne signifient rien. Il ne peut que difficilement nommer des objets courants et répéter des phrases. Il est incapable de faire les calculs arithmétiques les plus simples, d'écrire une phrase correcte, de recopier une figure bi- ou tridimensionnelle ou de dessiner une maison. Il interprète des proverbes au sens propre et a du mal à trouver des similitudes entre des objets qui ont pourtant un lien.

Un examen neurologique sommaire ne montre rien d'anormal. Tous les examens de laboratoire sont normaux : vitamine B12, folates, taux de T4 et sérologie ; le scanner, par contre, met en évidence une nette atrophie corticale.

Discussion

Une Démence se caractérise essentiellement par une altération de la mémoire à court et à long terme, de la pensée abstraite (difficultés à identifier les points communs entre des objets similaires) ainsi que des autres fonctions corticales supérieures (par exemple incapacité à désigner des objets usuels, à faire des calculs arithmétiques ou à reproduire une figure), suffisamment sévères pour interférer avec les activités sociales et professionnelles. Elle survient sur une conscience claire et ne correspond pas à un trouble mental non organique (comme une Dépression majeure).

Le début insidieux par une détérioration globale et progressive, l'absence de signes neurologiques focaux, l'absence d'antécédents de traumatisme ou d'accident vasculaire cérébral, la normalité des examens sanguins, enfin la mise en évidence d'une atrophie corticale au scanner permettent d'en spécifier le diagnostic : Démence dégénérative primaire de type Alzheimer. Du fait qu'il n'existe pas de traits psychotiques ou de Troubles de l'humeur, on précise que l'affection n'est pas compliquée. La sévérité de la Démence correspond à un degré de gravité moyen, car le patient a besoin d'une certaine surveillance.

Diagnostic selon le DSM-III-R

Axe I : 290.00   Démence dégénérative primaire de type
Alzheimer, débutant dans la sénescence, non compliquée,
moyenne (p. 135).

Suivi

Peu de temps après la consultation de neurologie, les problèmes de comportement se sont aggravés au point que la famille n'était plus désormais en mesure de garder le malade à la maison. Après son admission dans un service de long séjour, les capacités intellectuelles et physiques du patient ont continué à diminuer ; par contre, le comportement agressif a pu être relativement stabilisé grace aux neuroleptiques.

Finalement, le malade a été transféré dans un autre établissement pour malades chroniques afin de le rapprocher de sa famille. Nous avons été informés de son décès, deux années plus tard, à l'âge de 74 ans, 8 ans après l'apparition des premiers symptôme. L'autopsie n'a pas été pratiquée.

Les rides

Sally est une jeune femme de vingt-trois ans, heureuse en ménage, qui actuellement travaille comme conseillère en investissements. Elle accepte avec réticence d'aller voir un psychiatre, un vieil ami de son mari, Joe, puisqu'elle pense ne pas en avoir besoin. "Mon véritable problème, dit-elle, ce sont ces affreuses rides qui me barrent le front". Elle montre alors du doigt les lignes que laissent les froncements de sourcils, au-dessus de son nez ; le psychiatre, quant à lui, ne les trouve pas plus prononcées que chez d'autres personnes de l'âge de Sally.

Elle continue : "C'est affreux, n'est-ce pas ? Bien sûr, je n'ai pas à être la plus belle fille du monde, mais je ne veux pas non plus être défigurée !"

- "Qu'est-ce qui vous fait penser que c'est aussi horrible ? ", lui demande le psychiatre.

- "Allez, c'est gentil de votre part d'essayer de me rassurer mais je sais à quoi je ressemble !"

- "A quoi ?"

- "C'est terrible. Tout le monde le remarque. Cela me fait paraître si vieille. Je suis sûre que Joe trouve cela repoussant. Je ne sais pas ce que je ferais s'il me quittait. J'ai bien essayé de beaucoup me maquiller pour les dissimuler, mais ce n'est pas possible de cacher quelque chose comme ça !"

- "Puis-je vous demander une chose? La plupart d'entre nous est sensible à son apparence et parfois exagère une toute petite imperfection. Ne croyez-vous pas que c'est votre cas ?"

- "Joe me dit la même chose, dit Sally en soupirant. J'y pense et souvent je me dis que je me fais du souci pour une chose sans importance. Mais quand je me mets devant mon miroir, elles sont là. Ne pourriez-vous pas m'aider à convaincre Joe que j'ai besoin de la chirurgie esthétique ?"

- "Avant d'en arriver là, je voudrais vous demander depuis combien de temps êtes-vous préoccupée par ces rides ?"

- "Je ne sais plus très bien. Je n'y faisais pas attention, puis il y a quelques mois, une amie, au travail, m'a dit qu'elle était allée voir un médecin pour un mauvais coup de soleil. Elle me conseilla de faire attention car j'ai la peau très claire. Dès que j'ai commencé à me regarder dans un miroir, j'ai vu ces rides."

Le psychiatre pose ensuite d'autres questions à Sally sur sa vie pour apprendre que sa préoccupation pour son apparence n'a pas de répercussion sur sa vie professionnelle, mais qu'elle s'est mise à éviter les situations où elle peut rencontrer du monde, parce qu'elle ne veut pas qu'on remarque ce défaut. Sally reconnaît que cela la rend malheureuse, sans pour autant se sentir réellement déprimée.

Discussion

Sally semble parfaitement normale mise à part sa préoccupation pour un défaut de son apparence qu'elle grossit considérablement. Sa croyance n'est pas pour autant délirante (comme dans le Trouble délirant, sous-type somatique), puisqu'elle admet elle-même qu'elle donne à ce défaut une importance exagérée.

Comme beaucoup de personnes qui présentent une affection de cette nature, Sally évite les situations sociales (cet évitement phobique n'est d'ailleurs pas ce qui caractérise le trouble). Il ne s'agit pas, à proprement parler d'une Dysmorphophobie, mais plus précisément d'une Dysmorphie corporelle (Dysmorphie = forme anormale), terme générique en passe actuellement d'être adopté.

Les plaintes les plus habituelles du Trouble : peur d'une dysmorphie corporelle portent sur des imperfections du visage, telles que des rides, des tâches sur la peau, une pilosité excessive, un gonflement au niveau de la face, une anomalie de la forme du nez, de la mâchoire, des sourcils disgracieux. Plus rarement les plaintes concernent l'aspect des pieds, des mains, de la poitrine, du dos ou de quelque autre partie du corps.

Dans certains cas, comme celui de Sally, il n'existe en réalité aucune anomalie physique. D'autres fois, c'est une anomalie physique minime qui se trouve être à l'origine d'une préoccupation tout à fait excessive.

Diagnostic selon le DSM-III-R

Axe I : 300.70 Trouble : Peur d'une dysmorphie corporelle
     (moyen) (p. 289)

Suivi

Sally a consulté un psychiatre qui lui a prescrit un antidépresseur. Elle n'en a pas supporté les effets secondaires et a donc arrêté son traitement. Progressivement, sa préoccupation concernant ses rides a disparu. Elle a suivi une psychothérapie pour des difficultés qui apparemment n'avaient rien à voir avec ses rides. Lorsque nous l'avons vue trois ans après le premier entretien, elle semblait heureuse et pleinement satisfaite de son existence.

Trop loin de chez moi

Une femme, de trente-trois ans, mariée et femme au foyer, vient consulter car elle a peur de perdre l'équilibre, de tomber ou de s'évanouir (cela ne lui est jusqu'à maintenant jamais arrivé). Ses difficultés actuelles ont commencé il y a un an, lorsqu'avec sa famille elle a déménagé loin de chez sa mère. Son mari, très pris par son activité professionnelle, était souvent absent. Avant qu'elle ne déménage, elle allait souvent voir sa mère ou sa soeur dont les maisons étaient à quelques minutes de marche. Maintenant qu'elle en est séparée, elle réalise que si elle a besoin d'elles, elles ne peuvent venir immédiatement. Au début, elle évitait de sortir de sa nouvelle maison, puis elle a fini par se décider à aller jusqu'aux magasins du quartier ou dans les supermarchés, en dehors des heures d'affluence. Il y a deux mois, un de ses amis, âgé de quarante-et-un an, est mort d'une tumeur cérébrale. Depuis, elle est constamment anxieuse, incapable de sortir ; seule la présence de son mari la rassure.

La symptomatologie actuelle est absolument identique à celle que la patiente avait présentée douze ans auparavant, juste après son mariage. Sa crainte de perdre l'équilibre et de tomber était devenue tellement importante qu'elle ne pouvait absolument pas sortir de son appartement. Elle se rappelle qu'elle se disait : "Maintenant que je ne veux plus mourir, Dieu va exaucer mes prières d'enfant et je vais mourir". Elle consulta d'abord un généraliste qui ne put rien faire pour elle, puis un psychiatre qu'elle vit à trois reprises sans amélioration et pour finir un sophrologue. Après quelques séances d'hypnose, ses symptômes disparurent.

La malade dit ne pas avoir de palpitations, de douleurs précordiales, de sueurs ni même de difficultés à respirer.

Discussion

Cette femme est terrorisée à l'idée de sortir de chez elle parce qu'elle a peur de faire une chute ou de s'évanouir. Ainsi prisonnière de sa maison, elle ne supporte pas de rester seule, même chez elle. Une telle symptomatologie semble correspondre à une Agoraphobie, qui se définit par une importante limitation de l'activité, de crainte de se trouver dans des endroits ou des situations d'où elle pourrait être difficile de s'échapper, ou de demander de l'aide en cas de survenue brutale d'un ou de plusieurs symptômes pouvant être invalidants ou très gênants.

Les études cliniques ont bien montré que l'Agoraphobie était presque toujours précédée par des attaques de panique, que le patient associe au fait d'être dans certains endroits ou situations. Plus rarement, comme dans cette observation, on ne retrouve pas cet antécédent ; il s'agit alors d'une Agoraphobie sans antécédent de Trouble panique. Dans le DSM-III-R, lorsque le sujet craint de présenter un seul ou quelques symptômes tels qu'une instabilité (comme c'est le cas dans notre observation), un état de dépersonnalisation, une perte du contrôle sphincterien, vésical ou intestinal, des troubles cardiaques, le diagnostic doit être suivi de la mention: avec attaques paucisymptomatiques.

Diagnostic selon le DSM-III-R

Axe I : 300.22 Agoraphobie sans antécédents de Trouble panique, sévère, avec attaques paucisymptomatiques (p. 272).

Psychiatre d'enfants

Le docteur Crone est un célibataire de trente-cinq ans, psychiatre d'enfants. Il vient d'être arrêté et condamné pour s'être livré à des activités sexuelles à type de caresses envers plusieurs jeunes garçons du voisinage, âgés de six à douze ans. Ses amis et ses collègues sont choqués et atterrés par son comportement. Ils le considéraient comme quelqu'un de particulièrement bienveillant, dévoué pour les enfants. En dehors de son activité professionnelle, il était chef scout depuis de nombreuses années et membre du club local des "Big Brothers".

Issu d'une famille sans problèmes, son père, lui aussi médecin, est décrit comme un bourreau de travail, qui n'avait jamais le temps de s'occuper de ses trois enfants. Le patient ne s'est jamais marié, et lors de son entretien avec le psychiatre qui l'a expertisé avant le jugement, il reconnaît n'avoir éprouvé que peu d'attirance sexuelle pour les personnes du sexe féminin, aussi bien adultes qu'enfants, et affirme n'éprouver aucune attirance sexuelle pour les hommes adultes. Lorsqu'il expose l'histoire de son développement psychosexuel, il explique qu'il avait été contrarié lorsque, enfant, son meilleur ami avait commencé à s'intéresser aux filles. Son "secret" à cette époque concernait son attirance pour les autres garçons. Souvent, il jouait au "docteur" avec ses camarades, et cela finissait parfois par des masturbations réciproques.

Sa première expérience sexuelle remonte à l'âge de six ans, quand un de ses camarades du camp de vacances, qui avait quinze ans, lui fit au cours de l'été plusieurs fellations - ce qu'il a toujours gardé pour lui. Pendant son adolescence, il se croyait homosexuel, mais en vieillissant, il fut surpris de constater que l'âge des personnes de sexe masculin qui l'attiraient ne changeait pas, du fait qu'il continuait à avoir des désirs érotiques et des fantasmes pour des enfants entre six et douze ans. Chaque fois qu'il se masturbait, il imaginait un garçon de cet âge, et à plusieurs occasions, il se sentit pris de passion pour un enfant.

Le Docteur Crone se rend bien compte que les autres désapprouveraient ce qu'il a fait avec les jeunes garçons, mais il n'a jamais imaginé qu'il pouvait nuire à ces enfants, ne pensant qu'aux sensations agréables qu'il croyait leur faire éprouver. Il aurait pourtant préféré être attiré par les femmes. Souvent, il s'est demandé s'il ne vallait pas mieux aller voir un spécialiste car il redoutait d'être découvert ; il ne cessait de se promettre à lui-même qu'il allait arrêter, mais les tentations étaient telles qu'il ny parvenait pas. En définitive, il avait tellement peur de détruire sa réputation, sa carrière et de perdre ses amitiés qu'il ne s'est jamais confié à personne.

Discussion

Ce malade présente des impulsions sexuelles intenses et des fantaisies sexuellement excitantes, impliquant une activité sexuelle avec des enfants prépubères ; il est passé à l'acte à plusieurs reprises. Cela suffit pour affirmer une Pédophilie. Il n'est d'ailleurs pas nécessaire, pour porter ce diagnostic, que le malade soit passé à l'acte, car il suffit que le sujet soit fortement perturbé par ce type d'impulsions et de fantaisies sexuelles.

Lorsque le DSM-III était en vigueur, il était nécessaire, pour porter un diagnostic de Pédophilie, que le comportement sexuel déviant soit la source de prédilection pour l'excitation sexuelle. Au contraire, dans le DSM-III-R il ne s'agit pas une condition nécessaire : chez bon nombre d'individus présentant des impulsions pédophiles (ou d'autres paraphilies), la conduite déviante peut très bien alterner avec une autre paraphilie, voire même des habitudes sexuelles plus proches de la normale;

Il convient de faire remarquer que la conduite déviante du docteur Crone concerne les enfants de son sexe, ce qui a une réelle signification pronostique : le taux de récidive pédophile des individus dont la préférence porte sur le même sexe est deux fois plus important que ceux qui choisissent le sexe opposé. Nous notons également que le patient est exclusivement attiré vers les jeunes garçons et, comme cela est habituellement le cas, d'une tranche d'âge bien précise.

Le docteur Crone, comme beaucoup d'autres hommes pédophiles qui ne sont pas des sadiques sexuels, s'intéresse véritablement aux enfants. Sa conduite, il la justifie par une rationalisation : il prétend ne faire aucun mal à ses victimes.

Diagnostic selon le DSM-III-R

Axe I : 302.20 Pédophilie, même sexe, type exclusif sévère
       (p. 320)

Emilio

Emilio est un homme de quarante ans qui, lorsqu'on le voit, en fait dix de moins. Sa mère l'amène à l'hôpital pour la douzième fois ; mais cette fois-ci, elle a peur de lui. Il est en pantoufles, porte un vieux manteau et a une casquette de baseball ; autour de son cou pendent plusieurs médailles. Tantôt il exprime sa colère contre sa mère - "Elle me donne à bouffer n'importe quoi, la merde des autres" - tantôt, il se montre obséquieux vis-à-vis du psychiatre, cherche à le séduire, ricane. Sa façon de parler et ses attitudes font penser à un enfant ; il marche à petits pas maniérés en exagérant les mouvements de ses hanches. Sa mère rapporte que depuis qu'il a cessé de prendre ses médicaments, il y a environ un mois, il s'est mis à entendre des voix, à se comporter bizarrement et à s'habiller n'importe comment. Quand on lui demande ce qu'il vient de faire, il répond : "J'ai mangé du fil de fer et allumé des feux". Son discours spontané est la plupart du temps incohérent, truffé d'associations de rythme et de sonorités. .

La première hospitalisation d'Emilio remonte à l'époque où il avait seize ans, juste après qu'il ait laissé tomber l'école. Depuis, il n'a jamais pu reprendre sa scolarité ou avoir un emploi. Il vit avec sa mère, qui maintenant est âgée. Chaque fois qu'il quitte la maison, il finit assez souvent un mois après par être ramassé par la police, errant sur la voie publique. Il n'a aucun antécédent d'alcoolisme ou de toxicomanic.

Discussion

La chronicité du trouble et l'existence d'une incohérence marquée, d'un affect inapproprié, d'hallucinations auditives, ainsi que d'une bizarrerie du comportement, laissent peu de doute sur la légitimité du diagnostic de Schizophrénie chronique en poussée aiguë. La présence d'un relâchement net des associations et d'un affect grossièrement inapproprié ainsi que l'absence de symptôme catatonique prédominant permet d'en déterminer le type : désorganisé.

Diagnostic selon le DSM-III-R

Axe I : 295.14 Schizophrénie, Type désorganisé, chronique, en poussée aiguë (p. 223)

Suivi

Emilio a été hospitalisé à cinq autres reprises en dix ans. Au cours de chacune des hospitalisations, des doses importantes de neuroleptiques lui ont été administrées. Au bout de quelques semaines, son comportement revenait à la normale et il disait ne plus se soucier de ses hallucinations auditives. Lors de la première hospitalisation, le malade a pu verbaliser de façon adéquate les difficultés de son existence, son incapacité à trouver du travail, son désir d'être pris en charge. Peu après sa sortie de l'hôpital, Emilio a arrêté de prendre ses médicaments et ne s'est plus rendu à la consultation. Au bout de quelques mois il était de nouveau très perturbé et manifestement psychotique.

Sa dernière hospitalisation en psychiatrie date de deux ans. Il avait 42 ans. Sa mère ne pouvant plus s'occuper de lui, on trouva un foyer susceptible de l'accueillir à la sortie de l'hôpital, on lui fit obtenir une allocation et l'institution continua sa prise en charge. Grâce à ces mesures, il continue à bien se porter.

Les vers

Mademoiselle Green est une bibliothéquaire à la retraite de soixante-deux ans. A peine a-t-elle pénétré dans le cabinet de consultation de son généraliste qu'elle s'écrit : "les vers sont encore là !"

Quatre ans auparavant, en prenant son bain, elle avait remarqué qu'il y avait tout un tas de "petits vers" qui flottaient à la surface de l'eau. Peu après, elle se met à sentir les vers "creuser" sa peau. Jamais, lors des multiples consultations chez différents médecins, on ne put identifier de parasites, car elle n'apportait, en guise de preuve, que des particules de peau morte. Chaque fois, on lui prescrivait un antiprurigineux et chaque fois, elle revenait chez elle exaspérée, et il n'était pas question qu'elle voit un psychiatre ! Puis, elle eut l'impression que ses collègues et ses amis l'évitaient à cause de ses vers. Elle réduisit ses sorties, qui auparavant étaient fréquentes, et décida de prendre une retraite anticipée pour un emploi qu'elle occupait depuis trente ans. Bien que bouleversée, la malade affirme ne pas avoir été déprimée à cette époque.

L'état de Mademoiselle Green est resté le même jusqu'à ce que, neuf mois avant l'évaluation, elle s'aperçoive, un jour qu'elle était à l'église, que les rosaires s'étaient mis à tourner dans le sens des aiguilles d'une montre à quelques mètres d'elle. Interprétant ce phénomène comme la manifestation d'un "champ magnétique", la malade finit par se persuader qu'il était généré par les mouvements ascendants et descendants des vers qui avaient pénétré dans sa moëlle épinière.

Mademoiselle Green est quelqu'un d'agréable, qui se montre tout à fait apte à exprimer toute une gamme de sentiments variés ; son discours est cohérent et structuré. Elle nie avoir déjà entendu des voix, ou avoir eu des symptômes de dépression, mais elle avoue avoir eu, ces derniers temps, tendance à s'isoler du fait qu'elle est réellement persuadée que son "champ magnétique" gêne les autres personnes. A part cela, elle continue à correspondre par écrit avec plusieurs personnes, aime tricoter et lire, s'occupe en tant que bénévole de la bibliothèque avec toujours la même efficacité.

Discussion

Si nous avions vu Mademoiselle Green au début de sa maladie, alors qu'elle avait pour seule plainte une infestation par les vers, nous en aurions conclu à une idée délirante non bizarre qui nous aurait permis de porter le diagnostic de Trouble délirant. Or actuellement, on se rend bien compte que son idée délirante englobe désormais des phénomènes que, de par sa culture, elle devrait considérer comme totalement irréalistes à savoir la rotation des rosaires sous l'effet du courant magnétique créé par les vers. Il s'agit là d'une idée bizarre qui élimine formellement un diagnostic de Trouble délirant.

Une idée délirante chronique et bizarre sans Trouble de l'humeur évoque plutôt un diagnostic de Schizophrénie. Il existe alors invariablement une altération marquée du fonctionnement interpersonnel et des relations au monde extérieur. Or s'il est vrai que Mademoiselle Green a réduit ses activités sociales, elle continue cependant à faire très correctement son travail et conserve intactes ses relations amicales à travers sa correspondance. Le diagnostic de Trouble psychotique non spécifié paraît donc le plus approprié.

Diagnostic selon le DSM-III-R

Axe I : 298.90 Trouble psychotique non spécifié (Psychose atypique) (p. 238)

Roulement d'après-midi

Un magasinier de trente ans a depuis cinq ans des problèmes de sommeil chaque fois qu'il lui faut travailler avec l'équipe d'après-midi. Toutes les deux semaines, il alterne le travail d'après-midi (de 15 heures à 23 heures) et le travail de jour (de 7 heures à 15 heures).

Quand il est dans le roulement d'après-midi, il se couche environ deux heures après son travail, vers 1 heure du matin. Une fois sur deux, il lui faut une ou deux heures pour s'endormir et il se réveille à 5 heures du matin, son heure habituelle de lever pour aller au travail lorsqu'il est du matin. Il prend alors habituellement un repas léger et se recouche pour se réveiller entre 8 heures 30 et 11 heures. Les week-ends et pendant les vacances, il reprend son horaire normal, avec un coucher à 10 heures, heure à laquelle il tombe dans son lit complètement épuisé.

Quand le patient dort mal, il est somnolent toute la journée du lendemain ; s'il dort bien, il est alerte. Quand il est de jour ou pendant les vacances, il dort bien et, le lendemain, il est en forme.

Discussion

Le sommeil, comme la plupart des fonctions biologiques, correspond à un rythme périodique d'environ vingt-quatre heures (rythme circadien). Le rythme du sommeil de ce patient induit par le travail du matin se maintient lorsqu'il passe en roulement d'après-midi. C'est alors que l'absence de correspondance entre le rythme circadien et l'horaire de travail auquel il est astreint provoque une insomnie (d'endormissement et de maintien du sommeil). Son horloge biologique est en fait responsable de la somnolence de

10 heures du soir et de l'état d'éveil de 5 heures du matin. Lorsqu'il doit travailler en roulement d'après-midi, il est en effet contraint de rester éveillé bien après son heure habituelle de coucher ; la nuit, il est éveillé à l'heure où il se réveille quand il est du matin.

Si le patient avait la possibilité de conserver un roulement d'après-midi pendant plusieurs mois tout en maintenant le même nombre d'heures de sommeil, son horloge biologique s'adapterait progressivement, en sorte que ses horaires de sommeil s'harmoniseraient avec ses heures de travail. Son incapacité à dormir au moment où il le voudrait est déterminée par ses fréquents changements de roulement et ce d'autant qu'il semble particulièrement sensible à l'absence de correspondance entre le rythme circadien et les horaires de travail.

Les insomnies résultant d'une absence de correspondance entre l'alternance veille-sommeil requise par l'environnement et le rythme circadien du sujet, correspondent au diagnostic de Trouble du rythme veille-sommeil. Lorsque le Trouble est provoqué par des fréquents changements d'horaires de réveil, comme dans le cas de modifications des horaires de roulement de travail ou de changements de fuseaux horaires, il convient d'en spécifier le type : avec changements répétés. Le retour à un sommeil et à une vigilance diurne normales dans la journée dès que l'horloge de sommeil interne correspond à nouveau aux nécessités de l'environnement sert de confirmation pour le diagnostic.

Diagnostic selon le DSM-III-R

Axe I : 307.45 Trouble du rythme veille-sommeil, Type avec changements répétés (p. 346)

Suivi

Nous avons conseillé au patient de ne plus rien consommer la nuit afin d'éviter de renforcer son appétit et d'augmenter sa vigilance nocturne. Nous lui avons également dit de se lever à 8 heures du matin lorsqu'il était de roulement d'après-midi, et de se coucher à 1 heure du matin, quel que soit son état de fatigue. Nous espérions ainsi qu'il se sente suffisamment fatigué à 1 heure du matin pour qu'il s'endorme immédiatement et qu'il fasse une nuit complète.

Après s'être soumis à ce protocole, le patient nous a affirmé ne plus pouvoir s'y tenir. La nuit, il était, disait-il "comme un fou", à chercher partout son casse-croûte préféré que sa femme, en accord avec lui, avait dissimulé ! Il ne lui a pas non plus été possible d'attendre 1 heure du matin pour s'endormir, les semaines où il n'était pas de roulement d'après-midi.

Le patient n'est pas revenu à la consultation, mais il a appelé quelques mois après pour nous dire qu'il avait réussi à convaincre son employeur de le sortir définitivement du roulement d'après-midi. Depuis ce jour, il n'a plus aucun trouble du sommeil.

La célébrité

Dorothée Cabot, une personnalité très en vue, âgée de quarante-deux ans, n'a jamais eu de problèmes psychiques jusqu'à aujourd'hui. Elle explique au psychiatre, qu'elle est venue consulter, qu'un nouveau théâtre est sur le point d'être ouvert avec la première mondiale d'un ballet. De par sa position dans le comité d'organisation, Dorothée a pris la responsabilité de la coordination de cet événement. Des problèmes de construction, liés en partie à une grève du personnel, font que certains détails ne seront peut-être pas règlés à temps. Le décorateur a menacé d'abandonner le projet si les matériaux n'étaient pas ceux qu'il avait très précisément spécifiés. Dorothée a donc été obligée de le calmer, tout en essayant de pousser à la négociation les diverses parties. A ces difficultés professionnelles se sont ajoutées des difficultés domestiques, sa femme de ménage l'ayant laissée tomber pour se rendre chez une parente malade.

Au milieu de cette période difficile, un événement tragique vient de se produire : sa meilleure amie a été décapitée dans un accident de voiture. Dorothée, enfant unique, avait été très proche d'elle depuis qu'elles avaient été ensemble à l'école primaire, au point qu'on les comparait souvent à deux soeurs.

Immédiatement après les funérailles, Dorothée est devenue nerveuse au point de ne plus tenir en place et de ne dormir que deux à trois heures par nuit. Deux jours plus tard, elle voit une femme conduire exactement la même voiture que celle de son amie. Cela la rend perplexe et quelques heures après, elle est persuadée que son amie est vivante, que l'accident et les funérailles ne sont qu'une mise en scène. Il s'agit là d'un complot qui, d'une certaine façon est dirigée contre elle. Se sentant ainsi menacée, elle est persuadée que seule l'élucidation ce mystère lui permettra de rester en vie. Elle se met alors à se méfier de tout le monde, sauf de son mari, croit que son téléphone est sur écoute, que les pièces de sa maison sont truffées de micros. Elle implore son mari de lui sauver la vie lorsqu'elle entend un son ondulant très aigu, qu'elle pense être un "rayon à ultrason" dirigé contre elle. Finalement, dans un état de panique totale, elle est littéralement agrippée au bras de son mari à son arrivée aux urgences le lendemain matin.

Discussion

A première vue, il semble s'agir d'un cas assez typique de Psychose réactionnelle brève : un facteur de stress psycho-social sévère (la mort et l'enterrement de l'amie) déclenche la survenue d'une symptomatologie psychotique aiguë (idées délirantes de persécution, puis hallucinations auditives). Mais à la réflexion, on se rend compte qu'il n'existe pas de bouleversement émotionnel, c'est-à-dire de transformation brutale d'un affect dysphorique à un autre, ni de perplexité, ni de confusion extrême. Or tous ces éléments sont nécessaires pour faire le diagnostic de Psychose réactionnelle brève.

On peut envisager la possibilité d'un Trouble délirant car les symptômes de premier plan sont constitués par des idées délirantes de persécution, mais le diagnostic ne peut être posé que si la durée de la maladie est supérieure à un mois. On pourrait considérer que le "rayon à ultrason" dirigé contre la patiente constitue une idée délirante bizarre et évoquer ainsi un Trouble Schizophréniforme. Mais nous devons éliminer ce diagnostic car ce type de rayonnement existe, de même que la principale idée délirante (la mise en scène de la mort de son amie) n'est pas en elle-même bizarre. Par élimination, nous optons en définitive pour le diagnostic résiduel de Trouble psychotique non spécifié.

Diagnostic selon le DSM-III-R

Axe I : 298.90 Trouble psychotique non spécifié (Psychose atypique) (p. 238)

Mauvaise rencontre

Une contractuelle londonienne de trente-six ans est envoyée chez un psychiatre par son avocat. Six mois auparavant, alors qu'elle venait de mettre une contravention sur le pare-brise d'une voiture mal garée, un homme était sorti brusquement de chez un coiffeur, s'était approché d'elle en l'insultant et, après lui avoir montré son poing, l'avait frappée à la mâchoire avec une violence telle qu'elle en avait perdu connaissance. Une collègue était alors venue à son aide et avait averti la police qui avait interpellé l'homme un peu plus loin pour l'arrêter.

A la suite de cet accident, la patiente a été emmenée à l'hôpital, où les radiographies ont mis en évidence une fêlure de la mâchoire. Ils n'était pas nécessaire d'immobiliser la mâchoire, mais la patiente dut manger des aliments semi-liquides pendant quatre semaines. Plusieurs médecins, dont le sien, l'ont trouvée suffisamment en forme pour reprendre son travail après un mois. Mais elle se plaignait constamment d'une forte douleur et d'une contracture au niveau du cou et du dos qui eurent pour effet de l'immobiliser. Elle passait ses journées assise sur une chaise ou allongée sur son lit. Parce que le bureau d'indemnisation allait cesser de lui verser de l'argent et que son employeur la menaçait de suspension si elle ne revenait pas travailler, elle s'adressa à un avocat.

La patiente rentre dans le cabinet du psychiatre, la démarche traînante et s'asseoit avec beaucoup de précautions. Elle est habillée avec goût, bien maquillée, et porte autour du cou une minerve. Elle raconte son histoire avec vivacité en donnant de nombreux détails ; elle éprouve une grande colère contre son assaillant (qu'elle appelle à plusieurs reprises "Ce foutu étranger"), contre son employeur et contre le bureau d'indemnisation. Elle raconte comme si l'accident avait eu lieu la veille. Elle voudrait retourner au travail car elle risque de se trouver très vite aux prises à des difficultés financières, mais elle avoue en même temps que physiquement elle se sent absolument incapable d'assurer un quelconque travail de bureau.

Jamais auparavant, elle n'a eu des problèmes psychologiques et elle se plait à parler de sa famille et de son enfance comme d'un parfait roman. Dans les entretiens suivants, il apparaît pourtant qu'elle a souvent été battue par son père alcoolique et qu'une fois, il lui avait même cassé le bras. Elle était aussi très souvent enfermée dans les toilettes en guise de punition quand elle s'était mal comportée.

Discussion

La première question qui vient à l'esprit à la lecture de cette observation concerne la douleur éprouvée par la malade : faut-il entièrement la mettre sur le compte de cette blessure ? La réponse, à l'évidence, est négative si l'on en croit les nombreux médecins qui l'ont examinée. Autre question qui découle de la réponse : la patiente essaie-t-elle tout simplement de toucher une pension d'invalidité de façon à ce qu'elle n'ait plus à travailler pour vivre ? Au cas où la réponse serait positive, il s'agirait d'une Simulation, donnant lieu à une production et une présentation volontaires de symptômes inauthentiques, motivées par des éléments extérieurs. Or l'apparente réalité de la souffrance de la patiente et son désir de reprendre le travail rendent cette hypothèse très improbable. Reste à envisager le cas soit d'une douleur physique non diagnostiquée, soit d'un Trouble somatoforme douloureux, qui se caractérise essentiellement par une douleur préoccupante ne pouvant être expliquée entièrement par les résultats d'un examen physique approprié.

Dans le DSM-III, il était nécessaire pour porter le diagnostic de Trouble : Douleur psychogène, de faire la preuve du rôle des facteurs étiologiques d'ordre psychologique par la mise en évidence d'une relation temporelle entre un stimulus environnemental (apparemment lié à un conflit) et le début ou l'exacerbation de la douleur. Dans le cas de cette patiente, la preuve du rôle des facteurs psychologiques peut être retrouvée dans son enfance, alors qu'elle était physiquement abusée par son père. Il n'est d'ailleurs pas du tout impossible que l'agression de l'âge adulte ait entraîné une reviviscence de cette lointaine période et ainsi une majoration de la douleur. Désormais, dans le DSM-III-R, il n'est plus nécessaire de prouver l'existence de facteurs psychologiques pouvant être à l'origine de la douleur. Il est en effet souvent difficile de retrouver ces facteurs et le traitement, selon les spécialistes concernés par le problème, est de toute façon le même, que les facteurs psychologiques aient ou non été authentifiés.

Diagnostic selon le DSM-III-R

Axe I : 307.80 Trouble somatoforme douloureux, sévère (p. 300)

Cauchemars

Martha, une femme de trente-cinq ans, fait des cauchemars depuis son adolescence. Elle vient consulter un spécialiste du sommeil, à la demande insistante de son mari qui en a assez de la savoir malade, la nuit comme la journée. Une à quatre fois par nuit, elle se réveille après un rêve dont le contenu est toujours pénible : elle s'emporte contre d'autres personnes ou elle est sur le point de se disputer avec elles et la colère qu'elle ressent alors s'accompagne d'un sentiment de frustration. Elle se réveille dans un état de tension extrême.

Pendant la journée, Martha a des accès de colère incontrôlables. Ils peuvent être provoqués par des incidents mineurs lorsque, par exemple, elle ne parvient pas à mettre la main sur ses lunettes. Elle se rend bien compte qu'elle a tort, que cela ne vaut pas la peine de se fâcher, mais elle ne peut s'empêcher d'éclater. Après, elle s'excuse.

Martha dort trop, parfois 12 ou 13 heures consécutives les week-ends avec de temps en temps des siestes de 3 ou 4 heures. Quand elle conduit sur l'autoroute, elle a tendance à s'endormir et ne réussit à rester éveillée qu'en abaissant la température et en mettant la radio à fond.

La malade ne présente pas les signes de la narcolepsie, à savoir des attaques brutales, irrésistibles de sommeil, une cataplexie (perte soudaine du tonus musculaire), des hallucinations hypnagogiques (hallucinations juste avant le réveil), une paralysie du sommeil (diminution de la motricité et incapacité transitoire à se mobiliser lors d'un réveil soudain). Elle ne se sent pas égarée ou désorientée quand elle se réveille d'un de ses rêves, comme c'est le cas dans certains états de conscience provoqués par un dysfonctionnement du lobe temporal. Son mari a remarqué que les mouvements de ses paupières et de ses yeux augmentent peu après qu'elle se soit endormie (ce qui peut signifier un début prématuré du sommeil REM, comme on le voit dans la Dépression majeure et dans les états de sevrage). Constamment agitée pendant son sommeil, il arrive que, d'un seul coup, elle frappe son mari en plein milieu de la nuit (symptôme de Parasomnie fréquent).

Lors du premier entretien, Martha retient ses larmes : on la sent complètement démoralisée. Son discours est structuré, riche de contenu. Elle fait trois erreurs de calcul, mais la conscience est claire. Elle parle de son travail de chef du service des inscriptions dans une petite université, qu'elle apprécie et considère comme "salutaire" pour elle. Elle a une petite fille de quatre ans et demi qui se porte bien.

Depuis vingt-cinq ans, Martha fume un paquet de cigarettes par jour et boit quotidiennement une tasse de chocolat et environ 1,5 litres de boissons au coca. Elle ne prend de l'alcool que de rares fois dans l'année.

L'électroencéphalogramme objective un rythme de base assez lent mêlé à des fréquences encore plus lentes : des sauts de voltage intermittents, des pointes théta de 4-6 par seconde, modérément augmentées par une hyperventilation, avec aucune asymétrie significative. (Ces dysrythmies cérébrales non spécifiques suggèrent la présence d'une anomalie du système nerveux central pouvant expliquer les problèmes de sommeil).

Un enregistrement fait sur toute la durée de la nuit montre 9 heures de sommeil continuellement interrompues par des manifestations d'éveil de 10-30 secondes qui commencent fréquemment par un complexe K (un tracé d'éveil) et qui ne sont généralement pas précédés par des mouvements du corps. Ceux-ci se produisent environ 35 fois par heure dans les stades I et II du sommeil, lors du sommeil REM, mais seulement quatre fois par heure en sommeil profond. Par ailleurs, la latence REM (temps passé avant le début du sommeil REM), sa densité et sa quantité sont normaux, de même que les autres phases, tant dans leur configuration que leurs proportions. On n'a cependant pas pu observer de cauchemars pendant cette nuit d'enregistrement. (Les constantes réactions d'éveil, liées sans doute aux anomalies notées sur l'électroencéphalogramme, ont été rares.)

Discussion

Les cauchemars récurrents de Martha rentrent dans le cadre général des Parasomnies, troubles du sommeil dont la caractéristique essentielle est la survenue d'un évènement anormal soit pendant le sommeil, soit lors de l'endormissement ou du réveil. Cette patiente présente donc un Trouble : rêves d'angoisse, parfois appelé cauchemars, caractérisé par des réveils répétés et fréquents s'accompagnant du souvenir précis de rêves inquiétants. Habituellement, ces rêves sont expressifs et relativement prolongés ; leur matériel concerne souvent un danger pour la survie, la sécurité ou l'estime de soi. Le rêve survient pendant la phase de sommeil paradoxal avec mouvements oculaires rapides, donc préférentiellement en fin de nuit. Martha présente également une augmentation inhabituelle de son temps de sommeil ainsi qu'une somnolence excessive pendant la journée (hypersomnie). Comme cette hypersomnie ne correspond ni à un facteur organique connu (comme dans l'apnée du sommeil), ni à un autre Trouble mental (tel que la Dépression majeure), il s'agit d'une Hypersomnie primaire.

Il n'est pas facile de trouver une explication à l'irritabilité et aux accès de colère de la patiente. Le psychiatre qui l'a suivie estime, pour sa part, qu'il pourrait s'agir de manifestations correspondant à une hypomanie.

Diagnostic selon le DSM-III-R

Axe I : 307.47 Trouble : Rêves d'angoisse (Cauchemars) (p. 349)
780.54 Hypersomnie primaire (p. 344)

Suivi

Le traitement a associé à la fois une psychothérapie, un contrôle des productions oniriques par des séances de rêve éveillé (au cours desquelles le rêveur tente d'influer sur le déroulement du rêve et de lui donner un sens), une chimiothérapie constituée d'un antidépresseur, l'imipramine à raison de 200 mg par jour pendant six semaines et d'un anticonvulsivant, la carbamazépine selon une posologie de 800 mg par jour pendant 4 semaines. Aucun de ces traitements n'a été efficace. Quant au lithium, qui a également été essayé, il a eu pour effet de diminuer de façon significative les accès de colère, mais ce bon résultat n'a été que provisoire puisqu'il n'a pas duré plus de deux semaines, en dépit d'une augmentation de la posologie.

Après huit mois de traitement, la malade, découragée et mécontente de son thérapeute, a refusé toute thérapeutique.

Ronds de fumée

Beth est une actrice de quarante-deux ans qui fume deux paquets de cigarettes par jour depuis vingt-deux ans. Elle vient consulter dans l'espoir de s'arrêter. Pendant les dix ans qui ont précédé, elle a suivi un traitement comportemental, des séances d'hypnose et d'acupuncture, pour un résultat très éphémère. Elle a, selon ses estimations, essayé une trentaine de fois de s'arrêter par elle-même. Elle commence habituellement le matin : elle essaye de se retenir de fumer pendant toute la matinée, aussi pénible que cela puisse être, mais elle "craque" au moment du déjeuner ; dès sa seconde bouffée, elle est soulagée. Des bronchites à répétition, deux grossesses et l'insistance répétée de son mari ont été jusqu'à maintenant les moteurs successifs de toutes ces tentatives.

En entrant dans le bureau pour son premier rendez-vous avec le psychiatre, elle demande : "Est-ce que ça vous gêne si je fume pendant qu'on discute ? C'est l'idée de m'arrêter qui me donne encore plus envie de fumer ! "

Discussion

Cela fait de nombreuses années que l'on sait que la dépendance aux substances telles que les opiacés ou l'alcool comporte de nombreux traits cliniques semblables à ceux induits par la nicotine. De même, la manière totalement incontrôlée dont Beth fume la cigarette n'est pas sans rappeler l'attitude de l'héroïnomane. La malade a essayé à plusieurs reprises d'arrêter de fumer sans jamais y parvenir. Elle passe un temps considérable à fumer et continue à le faire, bien qu'elle sache que le tabac aggrave une affection somatique (bronchite). Il ne peut donc s'agir que d'une authentique Dépendance à la nicotine.

En raison de la facilité à se procurer des cigarettes et de l'absence de syndrome cliniquement significatif d'intoxication à la nicotine (on ne se "défonce" pas à la cigarette), il n'est pas nécessaire qu'existe une altération du fonctionnement social et professionnel pour que la Dépendance à la nicotine soit considérée comme sévère. Beth ne nous contredirait probablement pas si on lui disait que sa dépendance au tabac est sévère.

Diagnostic selon le DSM-III-R

Axe I : 305.10 Dépendance à la nicotine, sévère (p. 188)

Suivi

Le traitement a consisté en des séances au cours desquelles Beth était soutenue dans ses efforts et informée, ainsi qu'une prescription de clonidine (produit qui réduirait les symptômes de sevrage à l'arrêt du tabac). Comme ses précédentes tentatives pour arrêter de fumer n'ont duré que quelques heures, c'est donc la première fois qu'elle a présenté les symptômes caractéristiques du sevrage à la nicotine (besoin intense de tabac, irritabilité, agitation, anxiété et difficultés de concentration).

Pendant les deux premiers jours sans cigarettes, Beth ne pensait qu'à fumer et seul le sommeil la soulageait. La plupart du temps, anxieuse, agitée et irritable, il lui arrivait parfois de se laisser aller dans l'apathie et l'insouciance.

Dans la semaine qui a suivi, le besoin intense de nicotine n'était plus qu'intermittent et l'anxiété a laissé la place à des "crampes d'estomac" et des maux de tête sévères. Vers la troisième semaine sans cigarettes, bien que ces symptômes aigus furent devenus beaucoup plus rares, Beth avait souvent des insomnies, était toujours irritable et incapable de concentrer son attention sur un quelconque travail. Elle était contente d'avoir réussi, mais elle était encore loin de penser que cela pouvait durer. Au bout de six semaines de sevrage, elle a fini par ne ressentir le besoin de tabac que très occasionnellement, au moment du café, lorsqu'elle étudiait un script, ou quand elle se disputait. Après six mois d'arrêt du tabac, ce besoin de fumer ne se manifestait que le soir, après le dîner, lorsqu'elle observait un ami faire des ronds de fumée.

L'antiquaire

Il s'agit d'un antiquaire de cinquante-neuf ans qui a été admis à l'hôpital pour bilan d'une hypertension sévère. Trois jours après son admission, il semble "déprimé". Le psychiatre consultant trouve le patient assoupi dans son lit, son repas en partie renversé sur ses draps. Il est difficile à réveiller et bien qu'il réponde à son nom et ouvre les yeux pour regarder le médecin qui l'examine, il ne paraît pas comprendre de simples questions comme celle de la date ou du lieu où il se trouve ; il bafouille des phrases incohérentes. Après l'examen des fonctions supérieures, on s'aperçoit qu'il présente une perte de la force musculaire du bras et de la jambe du côté droit. Un examen neurologique confirme le diagnostic d'accident vasculaire cérébral.

Discussion

La diminution de la capacité à maintenir son attention (le patient ne semble pas comprendre les questions simples), la désorganisation de la pensée (discours incohérent), la diminution du niveau de vigilance (assoupi dans son lit, le malade n'est pas facile à réveiller), la présence d'une étiologie organique (diminution de la force musculaire du côté droit) évoquent un Delirium dû à un Psycho-syndrome organique. Avant, le terme de Délirium correspondait à un état d'agitation confusionnelle. Actuellement, ce syndrome traduirait une incapacité à focaliser l'attention et la pensée vers un but. Les troubles de la perception (interprétations erronées, idées délirantes, hallucinations), l'augmentation de l'activité psychomotrice, les troubles mnésiques, bien qu'absents de cette observation sont également des symptômes fréquents de Delirium.

Il ne fait pas de doute que si le malade avait été examiné par un neurologue et non par un psychiatre, le diagnostic de Delirium aurait à peine été mentionné, alors que le processus étiologique, l'accident vasculaire cérébral (ictus) aurait, du même coup, focalisé l'attention.

Dans le DSM-III-R, le Delirium est codé dans le sous-chapitre des Troubles mentaux organiques associés à des affections ou à des troubles physiques de l'Axe III ou d'étiologie inconnue. L'accident vasculaire cérébral doit être mentionné sur l'Axe III, puisqu'il représente l'affection somatique causale.

Diagnostic selon le DSM-III-R

Axe I :   293.00 Delirium (p. 114)
Axe III : Accident vasculaire cérébral

Paul et Pétula

Paul et Pétula vivent ensemble depuis six mois et envisagent de se marier. C'est Pétula qui explique le problème qui motive leur venue à la consultation du sexologue.

"Cela fait maintenant deux mois qu'il ne peut maintenir son érection quand il m'a pénétrée."

Le psychiatre se tourne alors vers Paul pour lui demander comment il voit le problème. Paul, embarrassé, confirme ce que dit Pétula et ajoute : "Je n'y comprends rien." Paul, vingt-six ans, est un juriste qui vient tout juste d'être diplômé et Pétula, vingt-quatre ans, travaille avec succès comme courtière pour un grand magasin. Ils sont tous les deux issus de la classe moyenne américaine, qui habite la banlieue et qui a fait des études. Ils se sont connus chez des amis communs et ont eu leurs premiers rapports sexuels quelques mois après s'être rencontrés. A cette époque, il n'y avait aucun problème.

Deux mois plus tard, Paul quittait ses parents et emménageait dans l'appartement de Pétula. C'était son idée à elle, Paul n'étant pas tout à fait sûr de vouloir franchir cette étape importante. Quelques semaines après, Paul avait remarqué que, même s'il éprouvait encore du désir vis-à-vis de sa partenaire et qu'il voulait avoir des rapports avec elle, il pouvait à peine la pénétrer, faute d'être capable de maintenir son érection. Puis, lorsqu'ils essayaient à nouveau, son désir s'était évanoui au point de ne plus avoir d'érection.

Les premières fois que cela arrivait, Pétula se mettait tellement en colère qu'elle s'emportait contre lui en le frappant dans la poitrine à coups de poing. Paul, qui pèse près de 100 kilos, laissait là sa partenaire de 44 kilos, ce qui la mettait encore plus en rage.

Le psychiatre apprendra aussi que le sexe n'est pas la seule cause de dissension dans le couple. Pétula se plaint de ce que Paul ne passe pas assez de temps avec elle et préfère jouer au baseball avec ses copains. Même quand il est à la maison, il regarde les émissions sportives à la télé et n'a pas envie de sortir avec elle pour aller au cinéma, au musée ou au théatre. En dépit de ces différences de caractère, Pétula veut absolument se marier et demande à Paul de lui fixer une date.

Un examen physique du couple ne révèle aucune anomalie, et rien ne peut laisser penser que l'un des deux soit déprimé.

Discussion

Les praticiens spécialisés dans la thérapie de couple seraient sûrement intéressés par les nombreuses difficultés de Paul et Pétula, par l'ambivalence de Paul lorsqu'il s'agit de pousser plus avant sa relation avec Pétula, par les efforts désespérés de Paul pour s'engager. Or ces problèmes ont des conséquences évidentes sur le fonctionnement sexuel de cet homme jeune : il ne parvient pas à maintenir une érection jusqu'à l'accomplissement de l'acte sexuel.

Il s'agit là d'un Trouble de l'érection chez l'homme, dans la mesure où la perturbation n'est pas liée exclusivement à des facteurs organiques (tels qu'une neuropathie diabétique ou la prise de certains médicaments). Un Trouble de l'érection, dont la cause aurait été organique, serait enregistré sur l'Axe III comme une affection somatique. Nous devons également mentionner qu'il s'agit d'un trouble acquis (début récent).

Diagnostic selon le DSM-III-R

Axe I : 302.72 Trouble de l'érection chez l'homme, uniquement psychogène, acquis (p. 331)

Suivi

Aucun des deux partenaires n'a accepté de discuter des problèmes qui n'étaient pas directement en rapport avec la sexualité. Ils ont donc été traités par des exercices de focalisation de la sensation selon Masters et Johnson. Il s'agissait, pour le couple, d'explorer les modes non génitaux d'obtention du plaisir sans se soucier de faire la preuve de sa compétence sexuelle. Pétula poussait continuellement Paul à faire ces exercices. Elle se considérait comme le thérapeute et le professeur, et Paul comme son élève. Bien que Paul se soit soustrait à plusieurs reprises à ce qui était pour lui une obligation, son Trouble de l'érection disparut progressivement au bout de six mois, et ils finirent par se marier trois mois après la fin du traitement.

Paul et Pétula sont revenus consulter à deux reprises au cours des huit années qui ont suivi. A chaque fois, l'ambivalence de Paul à prendre des engagements (acheter une maison, avoir des enfants) était à l'origine de ses difficultés, à savoir un nouveau problème d'érection alternant avec une éjaculation précoce les rares fois où il était capable de maintenir une érection intra-vaginale. Contrairement à la première consultation, il a été possible d'aborder les difficultés relationnelles de Paul et Pétula et ainsi de ne pas se limiter aux seuls troubles sexuels. La dernière fois qu'ils ont donné de leurs nouvelles, ils avaient acheté une maison en banlieue et leur problème sexuel était à nouveau résolu.

La brute

J. P., un homme de vingt-quatre ans, à la carrure impressionnante, est venu de lui-même se faire hospitaliser. Il dit au médecin qui le reçoit qu'il vient de prendre 60 comprimés de Largactil à 100 mg dans le bus qui l'amenait à l'hôpital. Après avoir reçu un traitement médical pour sa "tentative de suicide", il est hospitalisé.

Lors de l'examen de son état mental, le patient raconte une histoire incroyable sur son père. Chirurgien célèbre, il aurait été tué par le mari d'une patiente qui serait morte sur sa table d'opération. J.P. dit avoir poursuivi l'assassin de son père dans tous les Etats Unis. Lorsqu'il finit par le retrouver, il l'aurait bien tué, si son arrière grand-mère de quatre-vingt quatorze ans, au dernier moment, ne s'y était pas opposée. Il raconte plusieurs autres histoires du même style, une à propos de sa voiture de sport de 64 000 dollars équipée d'un moteur diesel de douze cylindres, une autre sur ses enfants : deux fois des triplets. Il est bien évident que de toutes ces histoires rocambolesques, aucune n'a pu être confirmée. Le patient prétend également entendre des voix, à la télé ou dans ses rêves. Il répond par l'affirmative à des questions concernant l'existence d'une pensée imposée, d'une diffusion de sa pensée à la télé ou à la radio, ainsi que d'autres symptômes psychotiques. Il se dit également déprimé.

Son état de conscience est par ailleurs normal, son raisonnement cohérent et il est au courant de beaucoup de choses, excepté qu'il croit que ce sont les Allemands et non les Soviétiques qui ont envahi l'Afghanistan. Il ne présente aucun signe de manie ou de dépression et semble ni particulièrement euphorique, ni abattu, ni irritable quand il raconte toutes ses histoires.

Lors de son séjour dans le service, le patient a pris l'habitude d'intimider les autres malades, de prendre leur nourriture ou leurs cigarettes. Il est très réticent à l'idée de quitter l'hôpital et, chaque fois qu'on lui en parle il se plaint, à nouveau, d'avoir des "idées suicidaires" et des hallucinations auditives. Le personnel a toujours pensé que le patient n'a jamais été psychotique mais qu'il fait semblant de l'être chaque fois que son départ de l'hôpital est à l'ordre du jour ; il veut y rester pour intimider à loisir les autres patients et ainsi jouer au "caïd".

Discussion

Bien que ce patient aurait bien voulu qu'on le croit psychotique, le récit qu'il nous fait de sa vie, dès le début, ne permet d'évoquer aucun syndrome psychiatrique défini. L'inauthenticité de sa symptomatologie se trouve d'ailleurs confirmée par la constatation, par le personnel du service, de sa recrudescence toutes les fois que la sortie était envisagée.

Reste à savoir pourquoi cet individu tient absolument à passer pour un malade mental, car il n'est pas motivé par un élément extérieur, tel que, par exemple, le fait de vouloir éviter l'incorporation, comme c'est le cas dans la Simulation. En fait, seules les particularités psychologiques de ce patient peuvent rendre compte de son attitude : il se complait dans le rôle du "caïd" du service. Il s'agit donc d'un Trouble factice avec symptômes psychologiques.

Diagnostic selon le DSM-III-R

Axe I : 300.16 Trouble factice avec symptômes psychologiques (p. 360)

Gloria

La patiente est une femme de quarante-trois ans, séduisante, bien habillée, qui, un mois environ avant d'être admise à l'hôpital, a débuté un épisode psychotique grave. Avant qu'elle ne tombe malade, elle travaillait avec son mari dans leur entreprise de vente par correspondance. Une fois bouclé le catalogue de Noël, dans l'angoisse que les délais de l'imprimeur ne soient dépassés, la patiente se mit à avoir peur que son mari ne la frappe. Elle sentit dans l'immeuble qu'ils habitent une "force mauvaise" qu'elle voulut fuir en allant s'installer chez une amie. Puis elle voulut écrire une lettre à son mari, mais au moment de se mettre devant la machine à écrire électronique, elle se dit que c'était un machine qui "faisait disparaitre les personnes" et qu'elle serait la seule à rester en vie. Dans la rue, il lui semblait que les gens qu'elle voyait n'était pas ceux qu'ils semblaient être et qu'ils lui transmettaient des messages en clignant des yeux. De temps en temps, elle entendait une voix qui disait "Gloria est dingue" et lui conseillait de ne pas fumer.

Au moment de son admission, Gloria parle de façon hésitante et incohérente. Son humeur est labile, elle semble effrayée quand elle parle de son mari, pleure souvent, puis, brusquement, son visage s'éclaire pour dire que quelque chose de "merveilleux" va arriver.

Il n'y a pas eu de perte de l'appétit ou de trouble du sommeil, même si les dernières semaines, elle est devenue plus soucieuse de manger une nourriture "saine".

C'est à neuf ans que la patiente a été traitée pour la première fois pour des difficultés psychologiques, après avoir été prise sur le fait à voler à l'étalage. Elle a passé ses dernières années de collège dans un foyer en raison des conflits qui l'opposaient à sa grand-mère qui l'a élevée. A vingt-sept ans, elle a connu un grave épisode psychotique au cours duquel elle était désorientée et interprétative ; elle fut hospitalisée pour neuf mois. Peu de temps après avoir quitté l'hôpital, elle se maria avec un ami qu'elle fréquentait depuis longtemps et qui est toujours son mari. Entre trente-trois et quarante-trois ans, la patiente connut deux brefs épisodes psychotiques, qui furent traités en ambulatoire par du *Melleril* associé à une psychothérapie. Après chaque épisode, elle se remettait totalement, sans symptôme résiduel. Elle travaillait avec succès comme secrétaire, voyageait avec son mari afin de sélectionner des objets à importer, tenait le livre de comptes de l'entreprise, et menait une vie sociale active.

Discussion

Ce cas clinique serait facile à résoudre si l'épisode actuel n'avait pas été précédé par d'autres épisodes psychotiques. Si l'on fait abstraction des antécédents psychopathologiques pour ne considérer uniquement que la symptomatologie la plus récente, on note la présence d'idées délirantes bizarres (la machine à écrire fait "disparaître les personnes"), des idées de référence (les gens lui envoient des messages en "clignant des yeux"), des hallucinations auditives (la voix qui lui dit : "Gloria est dingue"). Du fait de l'absence d'un facteur organique connu ou d'un syndrome thymique, on ne peut qu'évoquer le diagnostic de Trouble schizophréniforme, compte tenu de la durée de l'épisode inférieure à six mois qui ne permet pas de poser celui d'une Schizophrénie.

La réalité clinique de cette observation apparaît en réalité beaucoup plus complexe. Il existe en effet plusieurs épisodes similaires quant à la symptomatologie, d'égale durée et suivis d'une complète rémission. En théorie, si le Trouble schizophréniforme peut très bien donner lieu à des épisodes récurrents, leur multiplication diminue considérablement les chances d'obtenir une rémission complète. L'autre difficulté concerne le premier épisode psychotique qui a nécessité une hospitalisation de neuf mois. Si les symptômes psychotiques ou résiduels de la maladie n'avaient pas disparus au bout des neuf mois, le diagnostic de cet épisode aurait alors été celui d'une Schizophrénie. La période de rémission complète, en apparence, pourrait être considérée comme une Schizophrénie en rémission. Ce concept de Schizophrénie en rémission (distinct du Type résiduel) étant en lui-même critiquable, le DSM-III-R ne fait aucune recommandation concernant la façon de caractériser un nouvel épisode psychotique qui mettrait fin à cette rémission. On peut également considérer que l'épisode psychotique a duré moins longtemps que les six mois d'hospitalisation. Il est possible d'imaginer que Gloria est restée à l'hôpital parce qu'elle y faisait "une bonne psychothérapie" ou, plus prosaïquement, parce que la préparation de sa sortie dans les meilleures conditions possibles a nécessité de nombreux mois.

Aussi, devant l'incertitude où nous sommes concernant les neuf mois d'hospitalisation et la réalité de la guérison des deux autres épisodes psychotiques de courte durée, nous opterons pour le diagnostic provisoire de Trouble schizophréniforme. Nous devons mentionner le bon pronostic de l'affection, en raison de mode de début aigu de la symptomatologie psychotique, du bon fonctionnement social et professionnel antérieur à la maladie, de l'absence d'un émoussement de l'affect. Nous ne verrions pas d'inconvénient à ce qu'un autre évaluateur puisse préférer le diagnostic provisoire de Trouble psychotique non spécifié en attendant, pour le diagnostic définitif, d'avoir davantage d'informations sur les neuf mois d'hospitalisation.

Diagnostic selon le DSM-III-R

Axe I : **295.40 Trouble schizophréniforme, avec caractéristiques de bon pronostic (provisoire) (p. 234)**
Schizophrénie chronique avec poussée aiguë à éliminer

Faire face

Mindy Markowitz est une belle femme de vingt-cinq ans, vêtue avec recherche, qui travaille comme directrice artistique dans une revue professionnelle. Elle se rend dans un centre de consultation spécialisé dans les troubles anxieux après avoir vu une publicité dans les journaux. Elle vient chercher un traitement pour ce qu'elle appelle ses "attaques de panique" qui se produisent avec une fréquence accrue depuis l'année dernière, souvent deux à trois fois par jour. Elles commencent avec l'impression soudaine d'une "peur atroce" qui semble venir de nulle part, parfois pendant la journée, parfois en pleine nuit. Elle se met alors à trembler, est prise de nausées, sue abondamment, a l'impression d'étouffer et craint de perdre le contrôle d'elle-même et de faire n'importe quoi, comme se mettre à courir dans la rue en hurlant.

Mindy se rappelle avoir eu des crises identiques quand elle était au collège. Elle fréquentait un garçon que ses parents n'aimaient pas et était bien obligée d'organiser ses sorties à leur insu pour éviter les disputes avec eux. A cette époque, elle était particulièrement sollicitée car elle dirigeait la rédaction de l'annuaire des élèves et préparait son entrée aux universités de l'Ivy League. Elle se souvient que sa première "attaque de panique" a eu lieu juste après que l'annuaire soit sous presse et qu'elle soit acceptée à Harvard, Yale et Brown. Ses crises ne duraient que quelques secondes et elle les supportait. Mais cela l'inquiétait, au point de se confier à sa mère ; étant par ailleurs en bonne santé, elle ne chercha pas à se faire soigner.

Au cours des huit dernières années, les crises étaient devenues totalement irrégulières. Elles pouvaient disparaître pendant des mois ou, comme maintenant, se produire plusieurs fois par jour. Leur intensité subissait de grandes fluctuations, elles pouvaient même être tellement intenses que le lendemain, Mindy n'était pas en état d'aller travailler.

A part ces attaques et une courte période de dépression au moment de sa rupture avec un ami à dix-neuf ans, Mindy s'est toujours bien comportée à l'école, dans sa vie professionnelle et dans sa vie sociale. Très vivante et d'un contact agréable, elle est respectée par ses amis et par ses collègues pour son intelligence et sa créativité comme pour sa faculté à jouer la conciliatrice dans les conflits.

Même dans les moments où elle a des crises intenses et répétées, Mindy ne réduit pas ses activités. Elle peut rester chez elle une journée car elle est épuisée par une série de crises, mais elle n'associe pas ses attaques à un lieu particulier. Elle explique, par exemple, que la crise peut aussi bien se produire dans son lit que dans le métro : elle n'a donc aucune raison de ne pas prendre le métro. Qu'elle ait une attaque dans le métro, au supermarché ou chez elle, elle se dit : "Il me faut faire face ! "

Discussion

La malade a raison de penser qu'il s'agit d'attaques de panique. Survenant de façon totalement imprévisible, elles se manifestent par une crainte intense et soudaine s'accompagnant de manifestations végétatives à type de sueurs, tremblements, nausées, sensation d'étouffement, dont l'intensité est telle que la malade craint de perdre totalement le contrôle d'elle-même. Contrairement à la plupart des patients dont les attaques de panique ont ce degré de sévérité, Mindy n'a jamais associé le fait d'avoir ses crises d'angoisse aiguë avec des situations particulières (endroits bondés ou transports publics), d'où l'absence de symptômes d'évitement phobique. Le diagnostic est donc celui du Trouble panique sans agoraphobie dont le degré de gravité actuel des attaques est sévère.

Diagnostic selon le DSM-III-R

Axe I : 300.01 Trouble panique sans agoraphobie, avec attaques de panique sévères (p. 270)

Le fabriquant de jouets

Un homme de quarante-cinq ans, fabriquant de jouets, est admis à l'hôpital à la suite d'une série de gestes suicidaires qui ont culminé avec la tentative de s'étrangler à l'aide d'un câble. Quatre mois avant son hospitalisation, sa famille a remarqué qu'il devenait déprimé : à la maison, il restait longtemps assis dans un fauteuil, dormait plus que d'habitude et avait abandonné sa lecture quotidienne du journal et son activité de bricolage. Un mois après, il ne pouvait plus se lever le matin pour aller au travail et exprimait des idées de culpabilité. Incapable de se décider à chercher une aide psychologique, c'est donc sa famille qui l'a incité a le faire. Cela fait deux mois qu'il prend un traitement antidépresseur en ambulatoire, sans résultat. Avant la tentative de suicide qui a motivé l'admission, le malade a plusieurs fois tenté de se couper les veines.

L'examen clinique a objectivé une hypertension intracrânienne et le scanner a permis de mettre en évidence une importante tumeur du lobe frontal.

Discussion

L'humeur dépressive, les tentatives de suicide, l'hypersomnie, la diminution de l'intérêt et la culpabilité, tout cela évoque un Episode dépressif majeur. Mais comme les investigations ont mis en évidence une tumeur du lobe frontal à l'origine de cette symptomatologie, il s'agit donc en réalité d'un Syndrome thymique organique.

Dans l'attente des résultats chirurgicaux, ce diagnostic peut être considéré comme "provisoire". Au cas où la Dépression disparaîtrait après ablation de la tumeur cérébrale, le Syndrome thymique organique se trouverait confirmé. Si au contraire la Dépression persistait malgré l'intervention, le diagnostic demeurerait incertain, car il n'est pas possible d'écarter définitivement une Dépression majeure qui se serait développée parallèlement.

La tumeur du lobe frontal, bien sûr, doit être enregistrée sur l'Axe III.

Autre élément : il semble utile de spécifier que le Syndrome thymique organique, dans ce cas, est de type dépressif.

Diagnostic selon le DSM-III-R

Axe I :   293.83 Syndrome thymique organique, dépressif (p. 125)
Axe III : Tumeur du lobe frontal

Suivi

Le patient a été opéré, et la tumeur enlevée. Deux années après l'intervention, sa femme a fait part au chirurgien des espoirs qu'elle avait eu lorsque la dépression de son mari avait disparu juste après l'intervention, puis de sa déception : très vite elle se rendit compte que son intérêt n'était plus désormais suffisant pour qu'il se décide à reprendre son travail ; aussi passait-il tout son temps à la maison. Certes, il ne se plaignait que rarement, mais son enthousiasme, son ancien allant lui faisaient défaut et il lui était désormais difficile de se concentrer lorsque, par exemple, il lisait le journal.

Le diagnostic de Syndrome thymique organique n'est donc actuellement plus valable. Le malade présente en effet, au premier plan, une altération importante de la personnalité se manifestant par une apathie et une indifférence. Bien que l'altération de la personnalité soit fréquente au cours de la Démence, ce patient, en dépit des quelques difficultés de concentration, ne présente pas de détérioration globale de son fonctionnement intellectuel. Le diagnostic de la période correspondant au suivi de ce patient, à inscrire sur l'Axe I, est donc plutôt celui d'un Psycho-syndrome organique (p. 129). Le problème somatique, ablation post-chirurgicale d'une tumeur du lobe frontal, est enregistré sur l'Axe III.

La défonce

En plein milieu d'une nuit pluvieuse d'Octobre 1970, dans la banlieue de Chicago, un médecin est réveillé par un de ses vieux amis qui le supplie de se lever et de se rendre rapidement chez des voisins où lui et sa femme étaient invités. Celui qui l'appelle, Lou Wolf, est en effet très inquiet parce que sa femme Sybil a fumé de la marijuana et "délire complètement".

Le médecin, très ennuyé, arrive dans la maison qu'on lui a indiquée et y trouve Sybil, allongée sur le divan, l'air égaré et qui n'arrive même pas à se mettre debout. Elle dit qu'elle est trop faible pour se lever, qu'elle a des vertiges, des palpitations et que son sang "coule à flots dans [ses] veines". Elle ne cesse de demander de l'eau parce que sa bouche est sèche au point de ne pouvoir avaler. Elle est absolument convaincue que la marijuana était empoisonnée. En voyant le médecin, elle a été soulagée, car elle croyait que les voisins ne laisseraient pas son mari l'appeler par peur d'être arrêtés pour détention de drogue, alors qu'elle était certaine que sans un médecin elle allait mourir.

Sybil Wolf, quarante-deux ans, est la mère de trois adolescents. Elle travaille dans la bibliothèque d'une université. C'est une femme qui a une bonne maîtrise de soi, est bien organisée et qui est fière de se comporter de façon rationnelle ; Sybil avait déjà fumé une fois de la marijuana, en petite quantité. Elle s'était alors sentie juste "un peu éméchée". Cette fois-ci, c'est elle qui a demandé aux voisins de lui faire partager un peu de la marijuana qu'elle avait faite pousser dans son jardin parce que, disait-elle, les étudiants en faisaient "toute une histoire" et qu'elle voulait voir ce que "ça faisait vraiment".

Son mari raconte qu'à peine en avait-elle pris quatre ou cinq bouffées, elle se commença à se plaindre : "Je ne me sens pas bien, je ne peux plus tenir debout ! " Lou et ses voisins essayèrent de la calmer en lui disant que si elle s'allongeait, elle irait mieux ; mais plus ils essayaient de la rassurer, plus elle était convaincue qu'elle allait mal et qu'ils voulaient le lui cacher.

Le médecin l'examine. Tout ce qu'il trouve, c'est une accélération du pouls et des pupilles dilatées. Prenant un ton très professionnel, il dit alors à la patiente : "Pour l'amour de Dieu, Sybil, vous êtes juste un peu sonnée. Rentrez chez vous et mettez-vous au lit, et cessez de faire tout ce scandale !" Sybil semble rassurée. Il passe dans une autre pièce pour dire à son mari, Lou : "Si ça ne marche pas, il faudra l'emmener dans un service d'urgences psychiatriques."

Discussion

La mauvaise expérience de Sybil avec la marijuana (cannabis) se traduit par des symptômes caractéristiques tels qu'une sècheresse de la bouche et une accélération de la fréquence cardiaque ! Ces symptômes physiques ont été à l'origine de l'appel du mari. Sybil a par ailleurs présenté une anxiété importante s'accompagnant d'idées de persécution (la marijuana contient du poison et ses voisons ont empêché le mari d'appeler le médecin). Cette réaction inadaptée a la prise récente de cannabis est carctéristique d'Intoxication au cannabis.

En étudiant cette observation de plus près, on peut se demander, comme nous-mêmes l'avons fait, si les idées de persécution présentées par la malade pouvaient ou non correspondre au diagnostic de Trouble délirant lié au cannabis. En fait, il n'en est rien. Les voisins peuvent très bien avoir effectivement hésité à appeler le médecin, vu qu'ils se trouvaient dans une situation illégale. Deuxièmement, Sybil a été rassurés lorsque le médecin lui a affirmé que la marijuana ne contenait pas de poison, alors que, par définition, une idée délirante constitue une croyance erronée, fermement soutenue en dépit de la preuve évidente du contraire.

Diagnostic selon le DSM-III-R

Axe I : 305.20   Intoxication au cannabis (p. 157)

Suivi

Lou a donc porté sa femme dans leur voiture (elle était toujours incapable de se lever) et l'a mise au lit dès qu'ils furent rentrés chez eux. Sybil est restée couchée pendant deux jours ; son angoisse s'est atténuée, mais elle se sentait "ramollie" et faible. Elle a réalisé qu'elle n'avait aucune raison de penser que la marijuana était empoisonnée, puisque c'était elle qui l'avait faite pousser. Cependant, elle continue à penser que ses voisins ne voulaient pas appeler le médecin de crainte que la police n'intervienne. Elle se promit de ne plus recommencer à fumer de la marijuana.

Charles

La patiente, vingt-cinq ans, qui se fait appeler Charles, veut être opérée pour changer définitivement de sexe. Depuis trois ans, Charles a vécu et a été employée en tant que personne du sexe masculin. Elle a partagé le même appartement avec une autre femme, bisexuelle et ayant fui un mariage malheureux. Charles rapportait l'argent à la maison et jouait ainsi le rôle du mari. Les deux jeunes enfants de sa compagne considèrent Charles comme leur beau-père et le lien affectif qui les unit à elle semble très fort.

En ce qui concerne son apparence, la patiente ressemble à un homme peu viril, dont le développement sexuel pendant la puberté peut passer pour avoir été retardé ou incomplet. La voix de Charles est basse mais elle n'a pas la gravité d'un baryton. Elle porte des vêtements volumineux comme un camouflage qui dissimule une poitrine très serrée et presque plate. Un pénis artificiel lui permet de porter des pantalons tout en ressemblant à un homme ; il a été conçu pour pouvoir être utilisé, le cas échéant, comme conduit urinaire en position debout. Sans succès, Charles a demandé à subir une mammectomie afin de pouvoir travailler en T.shirt, l'été, comme conducteur d'engin sur les chantiers. Charles a aussi essayé d'obtenir une prescription de testostérone pour faire apparaître les caractères secondaires du sexe masculin et ne plus avoir de règles. La patiente voulait une hystérectomie et une ablation des ovaires, pour ensuite se faire faire une phalloplastie.

Charles raconte son histoire personnelle avec franchise, en évoquant sa progressive prise de conscience, pendant l'adolescence, qu'elle ne pouvait tomber amoureuse que d'une femme, son enfance de garçon manqué, et pour finir, désormais, son rôle son identité transsexuels bien affirmés.

Un examen physique montre une anatomie féminine normale, que la patiente trouve personnellement repoussante et incongrue, source de désespoir renouvelé. Les résultats des tests hormonaux sont, pour une femme, dans les limites normales.

Discussion

Le souhait de cette patiente, tel qu'il apparaît au début de l'observation, d'être débarrassé de ses caractères sexuels primaires et d'acquérir ceux de l'autre sexe, évoque d'emblée un diagnostic de transsexualisme. Les autres particularités cliniques de cette affection sont présentes : un inconfort persistant et un sentiment d'inadéquation par rapport à son sexe désigné, un souhait permanent pendant au moins deux ans de ne plus avoir ses caractères sexuels primaires et d'acquérir les caractères sexuel de l'autre sexe. Comme cela est presque toujours le cas, il n'existe pas d'hermaphrodisme ou d'anomalie génétique.

Du fait que le choix sexuel antérieur de la patiente se portait sur les personnes appartenant à son même sexe anatomique, ce Transsexualisme est de nature "homosexuelle". Cette spécification serait probablement contredite par la patiente étant donné qu'elle a la conviction d'appartenir à l'autre sexe.

Les sujets souffrant de Transsexualisme ont eu, pratiquement toujours un problème d'identité sexuelle dans l'enfance, bien que le syndrome complet (comme celui de Charles) n'apparaisse, le plus souvent, qu'en fin d'adolescence ou au début de l'âge adulte. Et c'est pour cela que le Transsexualisme, de même que les autres Troubles de l'identité sexuelle, est répertorié dans la classification du DSM-III-R parmi les Troubles apparaissant dans l'enfance.

Diagnostic selon le DSM-III-R

Axe I : 302.50 Transsexualisme avec tendance sexuelle antérieure homosexuelle (p. 84)

Petits sommes

Nora, une étudiante déjà licenciée de vingt-quatre ans, se plaint de crises d'extrême somnolence qui l'obligent à faire des siestes dans la journée. Souvent, alors qu'elle essaie de lutter contre le sommeil pour rester éveiller, elle finit par s'endormir, qu'elle soit en train de dîner ou de marcher. Elle a parfois du mal à rester suffisamment éveillée pour descendre à temps du bus. En fait, elle est incapable d'être assise sans se mettre à somnoler ; durant les cours, elle s'endort.

Nora présente souvent des épisodes de cataplexie : après une émotion soudaine, elle devient complètement molle et, pendant quelques instants, incapable de bouger. C'est arrivé par exemple, quand elle a découvert, que son chat avait uriné sur le tapis ou quand elle s'est fâchée contre l'autre jeune fille qui partage son appartement. Et cela est d'autant plus grave qu'elle conduit et qu'elle risque de s'emporter, au volant, contre un autre automobiliste.

Quand elle s'endort, la nuit, Nora voit des scènes qui lui semblent réelles et elle a l'impression qu'il y a quelqu'un dans la pièce. Pourtant, elle se sent encore éveillée et sait bien qu'il n'y a personne. Son sommeil est souvent ponctué de cauchemars. Elle se réveille en ayant faim et va manger quelque chose.

Mais ce qui perturbe profondément Nora, c'est son comportement automatique continuel. Par exemple, après une longue période de travail, il lui arrive souvent de se rendre compte qu'elle n'a presque rien fait, parce qu'elle a passé deux heures à essayer de remettre ses lunettes ; souvent, c'est son amie qui le lui a fait remarquer. Ce comportement automatique lui rend difficile le passage d'une tâche à une autre. Il lui faut deux heures pour sortir de la maison, le matin et pour se coucher le soir. Son coucher différé l'empêche de bien dormir, ce qui aggrave encore sa somnolence pendant la journée. La jeune fille, qui partageait l'appartement avec elle, a fini par se lasser de ne pas pouvoir compter sur elle et est retournée vivre chez ses parents.

Le traitement constitué d'un antidépresseur, d'un stimulant et d'un sédatif à prendre au coucher, n'a donné aucun résultat.

Discussion

Les attaques de sommeil et la somnolence excessive au cours de la journée présentés par la malade sont symptomatiques d'une Hypersomnie. Les attaques de sommeil de la journée, la cataplexie, les hallucinations hypnagogiques (au moment de l'endormissement), le comportement automatique, les cauchemars, et la perturbation du sommeil sont tout à fait caractéristiques d'une affection neurologique, la narcolepsie. Il convient donc d'enregistrer sur l'Axe I une Hypersomnie liée à un facteur organique connu et sur l'Axe III une Narcolepsie.

Diagnostic selon le DSM-III-R

Axe I :   780.50 Hypersomnie liée à un facteur organique connu
(p. 343)
Axe III : Narcolepsie

Suivi

Nous avons demandé à Nora de consigner ses heures de coucher et de sieste, ses attaques de cataplexie, ses épisodes d'alimentation nocturne et les éventuels comportements automatiques. La psychothérapie s'est bornée à élucider l'incapacité de la patiente à se soumettre à des heures régulières de coucher qui lui étaient données, ses oublis de prendre les médicaments, ainsi que d'autres comportements qui avaient des conséquences négatives sur son état. Les sédatifs ont été arrêtés. Un antidépresseur, la protriptyline, et un psychostimulant, la dextroamphétamine, ont été prescrits, avec un ajustement des posologies en fonction des données que la malade consignait.

Les symptômes de Nora ont progressivement disparu, et après avoir déménagé pour ne plus vivre chez ses parents, elle réussit à trouver un travail, reprit une vie sociale normale et recommença à fréquenter l'université.

Les prières de l'athlète

Richard Gramm, un homme noir de vingt-quatre ans, est mutique et complètement raide lors de son arrivée aux urgences. D'après les amis qui l'ont accompagné, il jouait au basketball avec eux dans le gymnase de l'université quand soudain il a mis sa tête par terre, proféré des paroles qui ressemblaient à des prières, pour ensuite devenir "catatonique". Une heure après, quand on l'interroge, Richard n'arrête pas de répeter : "Je suis en communication directe avec Dieu".

Selon ses amis, Richard était devenu "complètement speed" ces derniers temps, mais ils rejettent avec fermeté l'idée qu'il ait pu prendre de la drogue ou se mettre à boire. Un coup de téléphone à sa fiancée, dont le nom et le numéro ont été communiqués par ses amis, fournit les informations suivantes.

Richard allait bien et se comportait normalement jusqu'à l'épisode qui nous occupe. Il vivait avec sa petite amie, allait à l'université et travaillait à mi-temps. Il y a une semaine, il a commencé à dire des choses étranges, concernant la religion en particulier. Il ne dormait presque plus la nuit et était devenu sexuellement très exigeant. Il s'était mis à la gymnastique de façon intensive, pour "brûler son excès d'énergie", disait-il. Toujours d'après son amie, il aurait déja présenté ces mêmes symptômes lors de son séjour à l'hôpital, l'année précédente. Il n'y était pas resté, car il avait quitté l'hôpital contre avis médical, pour ensuite s'enfoncer dans une dépression d'environ trois mois. Totalement opposé à l'idée de se faire suivre par un psychiatre, il avait cessé d'aller à l'université et passait quatorze heures par jour à dormir. Quand sa petite amie le menaça de le quitter, il redevint subitement celui qu'il était auparavant. Elle le décrit comme un jeune homme sympathique, ouvert, énergique, qui, normalement, s'intéresse à ses études et au sport, et qui réussit aussi bien dans le domaine universitaire que professionnel.

Tous les examens de laboratoires effectués aux urgences, en particulier la recherche de toxiques, ont été négatifs. Un examen clinique a permis de vérifier que Richard était un jeune athlète en excellente santé, mis à part qu'il était muet et que son corps était raide. Le dossier médical contenant le compte rendu de la première hospitalisation de l'année précédente comportait le diagnostic de "Psychose atypique, excluant une psychose organique ou due à la drogue". Richard était resté seulement quatre jours à l'hôpital, au cours desquels il avait des hallucinations auditives et pensait être en communication directe avec Dieu.

Pendant les premiers jours de cette dernière hospitalisation, Richard alterna entre une extrême immobilité et une "légère hyperactivité". D'un seul coup, il cessait d'être raide et se mettait à déambuler sans arrêt dans le service à la recherche de quelqu'un qui soit suffisamment patient pour l'écouter témoigner de sa nouvelle foi.

Discussion

Le mutisme et la rigidité soudaine de Richard, qui l'ont conduit à l'hôpital, ne sont pas autre chose que les signes cliniques d'une catatonie. On considère généralement que les symptômes catatoniques correspondent soit à une Schizophrénie, soit, bien que plus rarement, à des désordres neurologiques centraux. Il est désormais établi que l'on peut également les observer au cours des Episodes maniaques du Trouble bipolaire.

Ainsi, les symptômes catatoniques de Richard, comme la rigidité posturale, qui continuent à se manifester alors qu'il est à l'hôpital, semblent alterner avec ceux d'un Episode maniaque classique. Il existe en effet une humeur expansive, comme semble en témoigner son entourage. Ses camarades disent que Richard était "complètement speed": il n'hésite pas à aborder les gens pour leur parler de ses idées religieuses; son amie parle de son appétit sexuel débordant. Le patient présente par ailleurs des idées de grandeur (il est en communication avec Dieu), une hyperactivité (il ne cesse de déambuler dans le service), une insomnie. En outre, il semble avoir fait antérieurement un Episode dépressif majeur au cours duquel il était triste, coupé de tout contact social, et dormait jusqu'à 14 heures par jour.

Autre caractéristique du Trouble bipolaire, la survenue rapide d'un Episode maniaque et la reprise du fonctionnement habituel entre deux épisodes de trouble thymique. L'idée délirante exprimée par Richard d'être en communication avec Dieu est une idée de grandeur typiquement congruente à l'humeur. Il s'agit par conséquent d'un Trouble bipolaire, maniaque, avec caractéristiques psychotiques, congruentes à l'humeur.

Diagnostic selon le DSM-III-R

Axe I : 296.44 **Trouble bipolaire maniaque, avec caractéristiques psychotiques (congruentes à l'humeur) (p. 255)**

Suivi

Le malade a été traité par un neuroleptique, le thiothixène, et un stabilisateur de l'humeur, le carbonate de lithium, à dose progressivement croissante jusqu'à obtention de la dose efficace au bout de cinq jours. Les épisodes de catatonie se sont alors espacés et l'hyperactivité a diminué. Douze jours après son admission, l'état mental de Richard pouvait être considéré comme satisfaisant : les hallucinations et les idées délirantes avaient disparu.

Après sa sortie, il a été suivi par le dispensaire de l'université. Au bout d'un mois, Richard a fait une légère dépression, qui a cédé à l'augmentation de la posologie du lithium. Pendant l'année au cours de laquelle il a continué à se faire suivre, ce patient n'a développé aucun symptôme psychotique ni présenté d'épisode dépressif ou maniaque.

Travail utile

Un homme de quatre-vingt-cinq ans est examiné par un travailleur social dans une maison de retraite, dans le cadre d'une évaluation des soins pour lui et sa femme grabataire. A priori, il semble bien se porter et il ne paraît pas exister de détérioration mentale ou de troubles mnésiques. Jusqu'à maintenant, c'est lui qui s'occupait de sa femme, mais on a réussi à le persuader, avec quelques difficultés, d'accepter de se faire aider : l'état de sa femme s'est aggravé, sa force et son dynamisme s'amenuisant avec l'âge.

Selon les informations qu'il a données en présence de sa fille, notre candidat à l'expertise affirme n'avoir jamais eu besoin des psychiatres. Il se sent d'ailleurs à l'abri des difficultés psychologiques car il pense être quelqu'un de logique. Ancien juriste et homme d'affaire, il a réussi professionnellement. Marié depuis soixante ans, sa femme est la seule personne vis-à-vis de laquelle il ait manifesté des sentiments tendres et à qui il ait fait confiance. Aux autres, il a toujours pris des précautions pour ne rien révéler sur lui-même car il est persuadé qu'ils ne pensent qu'à se servir de lui. Il rejette des propositions sincères d'aide de la part de ceux avec lesquels il est en relation car il pense qu'ils ont de mauvaises intentions. Lorsqu'il répond au téléphone, il ne donne jamais son nom sans demander d'abord ce que veut la personne qu'il a au bout du fil. Souvent au cours de son existence, il s'est montré méfiant à l'excès ; il lui est même arrivé de garder les lettres d'un client dans un coffre secret, afin de pouvoir les utiliser comme preuve si celui-ci essayait de le poursuivre en justice pour avoir mal géré un bien.

Pendant les heures de la journée, il s'occupe toujours de ce qu'il appelle le "travail utile" et dit ne pas avoir le temps de se détendre, alors qu'il est à la retraite depuis 20 ans. Il passe plusieurs heures par jour à s'occuper de ses investissements en bourse. On ne compte plus ses altercations avec son courtier, dès qu'il s'aperçoit d'une erreur dans son relevé mensuel ; il est alors persuadé qu'il s'agit là d'une tentative de dissimuler une fraude.

Discussion

Cet homme présente une tendance générale et injustifiée à interpréter les actions d'autrui comme délibérément menaçantes. Il s'attend à ce que les autres l'exploitent ou lui nuisent (il s'imagine qu'on veut le déposséder de ce qu'il a, il ne livre son identité qu'après avoir questionné son interlocuteur). Il est facilement offensé et prompt à contre-attaquer (il s'est disputé avec son courtier qu'il soupçonnait de réaliser à son insu une affaire frauduleuse). Il met en doute la loyauté ou l'honnêteté de ses amis (il a toujours fait très attention à ne rien révéler de lui-même). Ces particularités psychologiques, lorsqu'elles existent depuis toujours, et en l'absence d'idées délirantes de persécution ou d'autres symptômes psychotiques, sont tout à fait caractéristiques du Trouble de la personnalité paranoïaque.

On devine à la lecture de cette observation la nature égo-syntonique de l'affection, qui suffit à expliquer que le malade ne soit pas demandeur de soin; on retrouve également les autres traits de caractère souvent associés, tels qu'une incapacité à se reposer (il n'a jamais le temps de se détendre) et une restriction de l'affectivité (il est d'ailleurs particulièrement fier d'être "quelqu'un de logique").

Existent également certains traits schizoïdes, mais pas assez cependant pous justifier un diagnostic additionnel de Trouble de la personnalité schizoïde.

Diagnostic selon le DSM-III-R

Axe I : V71.09 **Absence de diagnostic ou d'affection (p. 409)**
Axe II : 301.00 **Trouble de la Personnalité paranoïaque, moyen (p. 381)**

Les leçons de musique

Gary et Norma viennent consulter un sexologue. L'oncle de Norma est mort quelques semaines auparavant. Au cours des funérailles, elle s'est soudain rappelé certains moments de son enfance passés avec son oncle qui, pense-t-elle, pourraient être l'origine psychologique de ses problèmes sexuels.

Gary et Norma n'ont pas plus d'un rapport sexuel tous les deux ou trois mois et seulement parce que Gary insiste. Leur activité sexuelle se résume pratiquement de la part de Gary à caresser le sexe de Norma jusqu'à ce qu'elle jouisse, pendant que lui se masturbe jusqu'à éprouver un orgasme. Le couple a essayé plusieurs fois sans succès le rapport intra-vaginal, Norma présente souvent des spasmes du vagin qui rendent la pénétration du pénis difficile et douloureuse, sinon impossible.

Ces problèmes ne sont pas les seuls. Gary travaille énormément, et le reste du temps, il rend visite à sa mère qui est veuve, lui fait ses courses et s'occupe de ses tâches ménagères. Dernier problème : il joue. Trois ou quatre fois par semaine, il parie aux courses. Comme leur revenu n'est pas énorme, les pertes de Gary aggravent leur situation financière.

Norma a toujours éprouvé une aversion au contact ou à la vue du sexe de son mari. Pendant l'entretien, elle explique qu'elle n'avait aucune idée de l'origine de cette aversion jusqu'aux récentes funérailles de son oncle. C'est là qu'elle fut surprise de ne pas supporter qu'on lui fasse des éloges funèbres. (Son oncle était un interprète de renommée internationale, très respecté et admiré). Alors que sa colère montait, elle se rappela soudain avoir été abusée sexuellement quand elle était enfant. De 9 à 12 ans, il a été son professeur de musique. Les leçons incluaient des notions de rythme qu'il lui enseignait en lui faisant caresser son pénis selon les battements du métronome. Cela lui répugnait, mais elle était trop effrayée pour en parler à ses parents. Elle finit par refuser d'aller aux leçons sans dire pourquoi. A l'adolescence, elle avait, dit-elle, oublié tout cela.

Discussion

Les expériences sexuelles traumatiques de Norma avec son oncle lorsqu'elle était enfant semblent être la cause de son incapacité, une fois adulte, à éprouver du plaisir pendant l'acte sexuel. Norma éprouve une sorte de dégoût de la génitalité de l'homme et évite d'avoir des rapports sexuels avec son mari. Cette attitude n'étant pas symptomatique d'un autre trouble de l'Axe I, comme une Dépression majeure, il s'agit d'un Trouble : Aversion sexuelle.

La présence de spasmes persistants et involontaires des muscles du vagin, dont l'intensité est telle que le coït est impossible, permet de poser en même temps le diagnostic de Vaginisme.

Diagnostic selon le DSM-III-R

Axe I : 302.79   Trouble : Aversion sexuelle, exclusivement psychogène, chronique (p. 330)
306.51   Vaginisme, exclusivement psychogène, chronique (p. 333)

Dettes de jeu

Un avoué de quarante-huit ans a un entretien avec un psychiatre avant de passer en jugement. Il a été arrêté pour avoir détourné des fonds dans son entreprise, qu'il dit avoir eu l'intention de rembourser une fois qu'il aurait "touché le pactole" aux courses. Il semble être profondément humilié de s'être comporté de la sorte et en éprouve du remords, même s'il a déjà failli être arrêté une fois pour détournement de fonds de l'entreprise où il travaille. Son père lui avait alors fourni l'argent pour étouffer l'affaire ; mais cette fois, il a refusé. Le patient a donc été obligé de démissionner sous la pression de son supérieur. Cela, dit-il, l'afflige particulièrement parce qu'il a toujours travaillé avec zèle et efficacité, sauf ces derniers temps où il lui est arrivé de s'absenter pour aller jouer.

Depuis plusieurs années, le patient parie sur les courses de chevaux. Chaque jour, il passe plusieurs heures à étudier les résultats de la veille sur le journal. Récemment, il a perdu beaucoup d'argent et a dû avoir recours à des emprunts illégaux afin d'augmenter ses mises et compenser ses pertes. Mais, ceux qu'il appelle les "requins" voulaient se faire rembourser. Il dit que, s'il a détourné des fonds pour rembourser ces dettes illégales, c'est parce que le fait de leur devoir de l'argent le perturbait au point qu'il ne pouvait plus ni se concentrer ni dormir. Quant à sa femme et à ses amis, il reconnaît que depuis qu'il leur avait déjà, à eux aussi, emprunté de l'argent, ils avaient cessé de le soutenir car ils n'avaient plus confiance en ses éternelles promesses de réduire ses paris. Sa femme, qui est allée vivre chez ses parents, a décidé de le quitter.

Au cours de l'entrevue, le patient est anxieux et ne tient pas en place : de temps en temps, il éprouve le besoin de se lever pour faire quelques pas. A certains moments, il se retient pour ne pas pleurer, alors qu'il évoque sa crainte de son ulcère du duodénum se réveiller. Il semble bien réaliser que tous ses problèmes viennent de son goût immodéré pour les paris, mais, malgré tout, il avoue ne pas avoir perdu le désir de jouer.

Discussion

C'est la passion du jeu qui a conduit cet homme en prison pour abus de confiance, défaut de paiement, et a détruit son ménage. Contrairement à ceux qui jouent pour se divertir, il se montre totalement incapable de se restreindre. Il s'agit donc d'une forme particulière de manque de contrôle des impulsions : le Jeu pathologique. Ce trouble est, dans ses principaux aspects, assez superposable à celui d'une dépendance à une substance psycho-active. Dans les deux cas, le sujet ne contôle plus une conduite qui lui est pourtant très dommageable.

Le comportement antisocial de ce patient ne doit pas nous faire porter le diagnostic de Trouble de la personnalité anti-sociale car il ne fait que répondre à la nécessité de se procurer de l'argent pour payer les dettes de jeu. De plus, on ne retrouve pas dans l'enfance de comportement antisocial ; l'activité sociale et professionnelle, en dehors de ce qui touche directement au jeu, n'est pas particulièrement perturbée.

Pour être complète, l'évaluation diagnostique doit mentionner l'ulcère duodénal (enregistré sur l'Axe III). Comme ce trouble somatique est très probablement exacerbé par le comportement de jeu incontrôlé, l'existence de facteurs psychologiques influençant une affection physique mérite être notée sur l'Axe I.

Diagnostic selon le DSM-III-R

Axe I: 312.31 Jeu pathologique (p. 365)
          316.00 Facteurs psychologiques influençant une affection
          physique (p. 376)
Axe III: Ulcère duodénal

L'homme qui voyait l'air

Un étudiant de vingt ans se présente à la consultation pour se plaindre de "voir l'air". Son trouble visuel consiste en la perception de points blancs minuscules et innombrables au niveau du champ visuel central et périphérique. Ils sont constamment présents et sont suivis d'une traînée que laisse le mouvement des objets, au point qu'il lui est difficile de regarder un match de hockey sur glace car les tenues brillantes des joueurs laissent pendant quelques secondes une sorte de trace lumineuse sur fond blanc. Le patient décrit aussi la fausse perception de mouvement des objets immobiles, en général dans le champ périphérique, ainsi que des halos entourant les objets. Les autres symptômes consistent en un état dépressif léger, des maux de tête au niveau des tempes et une perte de la concentration depuis l'année dernière.

Le syndrome visuel s'est affirmé progressivement au cours des vingt-cinq derniers mois, après qu'il ait pris un hallucinogène, le LSD-25, à trois différentes occasions dans les trois mois qui ont précédé son apparition. Le patient craint avoir désormais "le cerveau endommagé", bien qu'il nie s'être toujours abstenu de l'alcool, des narcotiques, des amphétamines ou de la phéncyclidine. A dix-sept ans, il a fumé de la marijuana deux fois par semaine, pendant sept mois.

Le patient a consulté deux ophthalmologues, qui ont confirmé que ces minuscules points blancs n'étaient pas des corps vitrés (des particules de matière, sans signification diagnostique, qui, en suspension dans l'humeur vitrée, peuvent donner au patient l'impression de voir des petits grains). L'examen neurologique est également négatif. L'administration d'un produit anticonvulsivant, le clonazépam, a eu pour résultat une amélioration de 50% des symptômes visuels du patient et une rémission de sa dépression.

Discussion

Les multiples troubles visuels présentés par ce jeune homme sont très probablement les mêmes que lors de sa prise de LSD. Il n'est pas rare que se produisent, bien après l'arrêt de l'utilisation d'hallucinogènes, des troubles de perception minimes et transitoires. Mais, on ne parle de Trouble des perceptions post-hallucinogènes que lorsque la symptomatologie, en raison de son intensité, provoque une gêne marquée. Habituellement, ces altérations de la perception ne durent que quelques secondes. Plus rarement, comme dans le cas de ce patient, elles peuvent s'étendre et durer toute la journée, pendant des années. Les symptômes sont souvent déclenchés par l'obscurité, la prise de cannabis ou de phénothiazines ; ils peuvent parfois être provoqués intentionnellement.

Diagnostic selon le DSM-III-R

Axe I : 292.89 Trouble des perceptions post-hallucinogènes (p. 166)

Bardé de cuir

Un employé de bureau marié de trente-cinq ans vient consulter de lui-même parce qu'il a peur de ne plus pouvoir résister à ses impulsions homosexuelles sadiques et de tuer quelqu'un.

Le patient est marié depuis quinze ans; au cours de l'année dernière, il n'a eu de rapports sexuels avec sa femme que deux fois par mois. Les fantasmes homosexuels dominent, depuis qu'il a neuf ans, sa vie imaginaire. Depuis l'enfance, il s'est senti attiré par les hommes, mais il a résisté à ses impulsions jusqu'au milieu de sa vie d'adulte, bien après s'être marié. Sexuellement excité par la pornographie homosexuelle (à laquelle il eut accès par des revues dès son adolescence), à contenu sadique en particulier. Il est également attiré, quoique à un degré bien moindre par la pornographie hétérosexuelle, mais il n'a jamais été excité par la pornographie hétérosexuelle à tendance sadique.

Il a fait un mariage de convenances, en espérant secrètement qu'une activité hétérosexuelle régulière diminuerait la force de ses impulsions homosexuelles sadiques. Ce ne fut pas le cas. Les fantasmes érotiques qu'il aurait bien voulu chasser ne cessaient de refaire surface quand il se masturbait. Parmi eux, le plus typique était celui d'un homme attaché, torturé puis tué. Les personnages imaginaires qu'il mettait en scène étaient tantôt des gens qu'il connaissait, des collègues ou des professeurs, tantôt des stars de cinéma ou des étrangers. Ces fantasmes etaient plus intenses à certains moments qu'à d'autres. Le patient se rappelle, par exemple, avoir été "sauvagement" excité par la lecture dans un magazine policier d'un meurtre passionnel homosexuel. Il s'était alors masturbé plusieurs fois par jour, imaginant invariablement des scènes homosexuelles et sadiques. Cette excitation intense finit par se calmer au bout de quelques semaines, mais le patient continua à fantasmer le scénario du magazine chaque fois qu'il se masturbait.

Il y a environ huit ans, il se rendit dans un bar gay avec un camarade de bureau. A cette époque, il avait beaucoup de travail et tout ce qu'il faisait était examiné de près par un supérieur exigeant et peu disposé à son égard. Son associé ne cachait pas son homosexualité et le patient le suivit dans ce bar soit disant "pour plaisanter". Sur le chemin, ils passèrent devant d'autres bars à propos desquels son associé lui dit qu'ils étaient réservés à "aux sado-maso bardés de cuir". Le patient eut ensuite une brève liaison avec une homme qu'il rencontra dans le bar de son ami, puis arrêta, pour un temps, de penser au sexe.

Ce n'est que quelques mois plus tard, après une semaine de surmenage , qu'il se rendit dans ces fameux bars "sado-maso" dont lui avait parlé son collègue. Là, il rencontra un homme qui lui demanda de le battre. Le patient se mit alors à éprouver un plaisir intense, bien que son partenaire masochiste ne lui donna pas la possibilité de donner à ses coups toute la force qu'il aurait souhaité. Cet épisode, qui se déroula alors qu'il avait vingt-huit ans, fut le prélude d'une longue série. Environ une fois par mois, le patient fréquentait le bar pour homosexuels sado-masochistes. Il mettait alors un blouson de cuir et une casquette en cuir. Une fois dans le bar, il se cherchait un partenaire avec lequel il se livrait à toute une série de jeux sexuels qui l'excitaient : attacher le partenaire avec des cordes, le fouetter, le menaçer de le brûler avec une cigarette, le forcer à boire de l'urine, jusqu'à ce qu'il le supplie d'arrêter. En général, l'orgasme survenait au moment où il "forçait" son partenaire à lui faire une fellation.

Pendant l'année qui a précédé la consultation, l'épouse du patient est devenue de plus en plus insatisfaite de son mariage. Elle ignorait les activités homosexuelles de son mari et ne se doutait pas davantage qu'il avait ses tendances sadiques. Mais ayant constaté que leur sexualité était intermittente, elle en conclut qu'il avait une maîtresse. Elle se montra alors moins bien disposée et plus exigeante à son égard. Quant à lui, il commença à prendre conscience du besoin qu'il avait de sa femme et de sa propre incapacité à se séparer d'elle. Réalisant l'impossibilité où il se trouvait de pouvoir la satisfaire, il l'évitait autant que possible pour ne pas avoir à s'expliquer. Puis, assailli à nouveau par des soucis professionnels, il ne put que constater avec consternation que ses impulsions sadiques se mettaient à refaire surface.

Une fois, il réussit à convaincre son partenaire de se laisser brûler ; après, il se sentit honteux et coupable. Peu avant la consultation, il avait attaché un partenaire et lui avait entaillé le bras. A la vue du sang, il eut une soudaine envie de le tuer qu'il réussit à maîtriser. La consultation en psychiatrie répond, de la part du malade, à cette inquiétude de ne plus pouvoir maîtriser ses impulsions sadiques.

Discussion

C'est au milieu de son adolescence que cet homme a été pour la première fois excité par des fantaisies sadiques homosexuelles qui ne l'ont jamais quitté et qu'il a fini par mettre en acte. Il s'est marié, en espérant que cela constituerait une sorte d'antidote à ses impulsions homosexuelles sadiques, pour, au bout du compte se rendre à l'évidence qu'il n'en était rien. Actuellement, il vient consulter car il a peur de ne plus pouvoir contrôler ses impulsions sadiques et en arriver à tuer un des ses partenaires sexuels

Cette histoire clinique est tout à fait caractéristique d'un Sadisme sexuel, sévère. L'observation a été faite en 1978, avant que ne se déclare l'épidémie du SIDA. Si le malade venait nous voir aujourd'hui, nous chercherions à savoir s'il est séropositif et, dans l'affirmative, nous nous demanderions quels sont les risques encourus par les autres personnes.

Diagnostic selon le DSM-III-R

Axe I : 302.84 Sadisme sexuel, sévère (p. 324)

Que tout soit parfait

Sandra est une célibataire de vingt-sept ans, admise dans un hôpital de Chicago pour s'être enfuie d'un immeuble voisin, car elle le croit rempli de "démons" et pense qu'on cherche à la tuer. Pendant l'entretien, elle est anxieuse et réticente vis-à-vis de son interlocuteur. Peu disposée à parler de ses symptômes, elle reconnait cependant entendre des voix et vouloir se protéger de ceux qui habitent dans son immeuble. Elle reste discrète sur les raisons de la malveillance de son entourage, mais elle évoque sans trop de difficulté son histoire personnelle. Sandra fait remonter le début de sa maladie à huit ans, au moment où elle a abandonné l'université. A cette époque, il lui fallait ranger ses vêtements et ses chaussures dans le placard jusqu'à ce qu'ils soient "parfaits", ouvrir et fermer les tiroirs plusieurs fois pour finalement ne jamais parvenir à quitter sa chambre : rien n'était jamais "à sa place". Elle avait même le sentiment qu'elle ne pouvait regarder les gens en face, si tout n'était pas "parfait" dans sa chambre.

Au cours de l'année passée, elle a été hospitalisée plusieurs fois, toujours pour ses rituels. Aucun des médicaments qui lui ont été administrés n'a été efficace, alors que cela fait six ans qu'elle entend des voix étrangères qui lui ordonnent "Que tout soit parfait !", qui l'accusent de "tout bâcler", ou qui lui disent qu'elle ne doit pas sortir avant d'avoir parfaitement rangé sa chambre. (Pendant l'entretien, elle insiste sur le fait qu'elle a vraiment entendu ces voix et qu'elle ne cesse de les entendre).

Cinq ans auparavant, pour des raisons qui demeurent obscures, elle a perdu son emploi de secrétaire. Elle était alors persuadée que la jeune fille avec laquelle elle partageait son appartement avait de mauvaises intentions à son égard ; aussi n'arrêtait-elle pas de lui demander : "Pourquoi veux-tu me tuer?". Finalement, elle retourna habiter chez ses parents, en banlieue, resta pendant deux mois enfermée dans sa chambre à ne rien faire jusqu'à ce qu'ils la fassent hospitaliser. Depuis, elle a toujours été ou bien hospitalisée ou bien traitée en hôpital de jour ; elle n'a de toute façon jamais pu être indépendante.

Discussion

Les premiers symptômes de Sandra, il y a huit ans, étaient constitués par un certain nombre de compulsions (ranger ses vêtements, ses chaussures, ouvrir et fermer les tiroirs), répondant à l'idée obsessionnelle que tout, dans sa chambre, devait être "parfait". Le diagnostic de Trouble obsessionnel-compulsif aurait, à cette époque, été parfaitement fondé puisque les obsessions et les compulsions, en raison de leur intensité, semblaient avoir une influence non négligeable sur le fonctionnement de la patiente.

Ce cas clinique vient à se compliquer lorsque deux années après apparaissent des hallucinations (les voix disant à la malade "Que tout soit parfait") puis des idées de persécution (la jeune fille qui partage avec elle son appartement veut la tuer ; son immeuble est rempli de démons qui semblent la menacer). Or la présence d'hallucinations et d'idées délirantes, s'accompagnant d'une altération marquée du cours de la pensée permet de porter le diagnostic additionnel de Schizophrénie, dont il convient de spécifier le type indifférencié : les voix et les idées délirantes présentées par la patiente ne semblent pas être rattachées à un thème unique.

Naguère, le diagnostic de Schizophrénie excluait celui d'un Trouble obsessionnel-compulsif. Dans le DSM-III-R, cette préséance du diagnostic a été supprimée, de sorte qu'il est désormais possible de porter les deux diagnostics en même temps, à condition que les critères de chacune des deux affections soient présents. Dans le cas de Sandra, les obsessions et les compulsions semblent avoir diminué dès que sont apparus les symptômes de la Schizophrénie ; actuellement, on ne retrouve d'ailleurs plus aucun symptôme du Trouble obsessionnel-compulsif. Après avoir porté le diagnostic de

Schizophrénie, on doit donc inscrire comme deuxième diagnostic de l'Axe I le Trouble obsessionnel-compulsif suivi de la mention entre parenthèse antérieur.

Si les seuls symptômes psychotiques présentés par la malade avaient été essentiellement des hallucinations ne correspondant qu'aux seules obsessions (par exemple "Que tout soit parfait"), on aurait pu évoquer une forme psychotique du Trouble obsessionnel-compulsif. Selon le DSM-III-R, qui ne reconnaît pas cette entité, le fait que les hallucinations soient au premier plan et qu'elles ne correspondent pas à un Trouble thymique, suffit à justifier le diagnostic additionnel de Schizophrénie.

Diagnostic selon le DSM-III-R

Axe I : 295.92 Schizophrénie, du Type indifférencié, chronique (p. 224)
300.30 Trouble obsessionnel-compulsif (état antérieur) (p. 278)

Un nouveau visage

Le patient, un célibataire sans emploi de dix-neuf ans, est envoyé chez un psychiatre avant de subir une opération de chirurgie maxillo-faciale, visant à rectifier une protrusion de la mâchoire inférieure, lui permettant d'améliorer à la fois son esthétique du visage et le fonctionnement de sa mâchoire. L'évaluation psychiatrique qui est demandée a donc pour but de déterminer s'il n'y a pas des contre-indications psychiatriques à cette intervention..

Le patient affirme que son anomalie de la machoire existe depuis qu'il est enfant et il ajoute, en guise d'explication, que lorsqu'il était petit, il tirait souvent la langue, ce qui, pour lui, aurait eu pour effet d'allonger son mandibule. Pour lui, ses molaires sont en place, alors que ses dents sur le côté sont "pointues". Ses amis ne le taquinent pas trop à propos de sa mâchoire ; mais lorsqu'ils le font, c'est pour lui dire: "Ca te fait comme une galoche", et cette remarque le vexe énormément. Il se décrit comme quelqu'un de timide du fait même que sa mâchoire est malformée. Il a du mal à parler et à manger car les dents implantées sur sa mandibule avancent et sa langue ressort à l'extérieur, il lui est donc impossible de mordre sa nourriture et il ne peut que la déchirer. Cela fait longtemps qu'il veut se faire opérer, mais jamais jusqu'à maintenant, il n'avait osé le demander. C'est pour cela qu'il n'est pas allé chez le dentiste depuis quatre ans. Il sait bien que certaines de ses dents devront être enlevées, qu'il devra garder sa mâchoire immobilisée pendant six semaines, ne se nourrir que d'aliments liquides, mais il espère qu'au moins la chirurgie arrivera à résoudre son problème masticatoire, qu'il se sentira mieux avec un nouveau visage, et donc plus à l'aise en société.

En ce qui concerne ses études, le patient a obtenu de bons résultats jusqu'au collège où il commença à sècher des cours. Il finit par abandonner avant le baccalauréat, pour travailler pendant deux ans comme gardien. Il est actuellement sans travail et souhaite reprendre ses études pour être mécanicien.

Le patient est le troisième d'une famille de huit enfants. Ses parents se sont séparés quand il avait quatorze ans. Il vécut ensuite avec sa mère et ses frères et soeurs. Comme il se disputait souvent avec eux, il a fini par déserter la maison. La plupart du temps, il ne fait actuellement qu'entrer et sortir, et préfère rester avec ses amis. Il ne réagit plus quand ses camarades se moquent de lui et il garde secret son ressentiment en espérant que si l'opération réussit, ils cesseront de lui faire des remarques.

L'examen de ce jeune homme met en évidence une acné modérée et une mâchoire inférieure très proéminante. Sur le plan psycho-moteur, il n'est pas très adroit, mais il n'existe pas d'anomalie cliniquement décelable de la pensée, de la perception et du comportement. Le patient affirme ne pas avoir de problèmes thymiques, de troubles du sommeil, de l'appétit. Il ne prend ni drogue, ni alcool.

Discussion

Les plaintes de patients faisant état de certaines imperfections de leur apparence nous amènent à juger cliniquement de leur légitimité. Lorsque la plainte est sans commune mesure avec le défaut physique, il convient d'évoquer la possibilité d'un Trouble : peur d'une dysmorphie corporelle, correspondant à l'ancienne Dysmorphophobie. Dans le cas de ce patient, l'évidente protrusion de la mâchoire et l'implantation anarchique des dents, nous permettent d'éliminer ce diagnostic.

Dès lors, il s'agit de savoir si la réaction du patient à son apparence physique est ou non inadaptée, si, par exemple, elle n'a pas pour conséquence un retrait social, des préoccupations excessives, un état dépressif. Cela ne semble pas être le cas de ce jeune homme certes timide, sensible aux commentaires de ses amis concernant son apparence, mais réellement indemne de toute psychopathologie caractérisée.

Selon les informations dont nous disposons, il convient d'enregistrer l'absence de diagnostic sur les Axes I et II. La protrusion de la mâchoire et les anomalies de la denture peuvent figurer sur l'Axe III où est enregistrée normalement toute affection physique susceptible d'avoir une importance pour la compréhension ou le traitement du Trouble mental. Les mentions de l'Axe II constituent une indication pour mieux comprendre les troubles mentaux, ce qui n'est pas le cas dans cette observation.

Diagnostic selon le DSM-III-R

Axe I : V71.09 **Absence de diagnostic ou d'affection (p. 409)**
Axe II : V71.09 **Absence de diagnostic (p. 409)**

Clairvoyante

Il s'agit d'une célibataire de trente-deux ans qui, ne travaillant pas, vit de ses allocations. Elle se plaint de se sentir "comme flottant dans l'espace". Cette sensation d'être détachée de son corps est devenue progressivement de plus en plus forte et désagréable. Pendant des heures entières, chaque jour, elle a l'impression de se voir évoluer au milieu des autres, avec le sentiment que le monde est irréel et, lorsqu'elle se regarde dans un miroir, elle éprouve un sentiment d'étrangeté. Depuis plusieurs années, elle se sent capable de lire les pensées des autres grâce, dit-elle, à une "sorte de clairvoyance que je ne peux d'ailleurs pas m'expliquer", un don qu'elle dit avoir en commun avec plusieurs autres membres de sa famille. Elle se dit également préoccupée par l'idée d'avoir une mission très exceptionnelle à accomplir sur terre, mais dont elle n'arrive pas à saisir la nature exacte, n'étant pas particulièrement religieuse. En public, elle est plutôt timide : souvent, elle a l'impression que les gens font attention à elle et il lui arrive même de croire que des étrangers traversent la rue pour l'éviter. Elle n'a pas d'amis, se sent seule et isolée, et passe une bonne partie de ses journées à rêvasser ou à regarder à la télévision des feuilletons à l'eau de rose.

Les propos de la patiente sont plutôt vagues et abstraits, mêlés souvent de digressions, de réponses à côté. A aucun moment pourtant, elle n'est incohérente. Elle semble être très réservée, sensible à la critique. Indemne actuellement d'hallucinations ou d'illusions, elle n'a jamais auparavant été traitée pour des problèmes psychiques. Elle a déjà fait un certain nombre d'emplois qu'elle finissait toujours par quitter, parce qu'ils ne l'intéressaient plus.

Discussion

Les symptômes de cette patiente, qui ne sont d'ailleurs devenus gênants que très récemment, représentent des manifestations au long cours d'un mode général de difficultés d'adaptation, qui évoquent davantage un Trouble de la personnalité qu'une affection correspondant à l'Axe I. Ces expériences perceptives inhabituelles de dépersonnalisation (sensation de détachement de soi-même, sentiment d'auto-observation), de déréalisation ("sentiment que le monde est irréel"), s'accompagnant de certaines croyances bizarres et d'une pensée magique (voyance), d'idées de référence (étrangers qui traversent la rue pour l'éviter), l'absence d'amis proches, la bizarrerie du discours (vague, abstrait, disgressif), la méfiance, toute cette riche symptomatologie permet de poser le diagnostic de Trouble de la personnalité schizotypique.

Reste à savoir si la croyance de la patiente en son aptitude à lire dans les pensées constitue une idée délirante témoignant de la présence d'un trouble psychotique ou d'un simple mode de pensée magique. Le fait qu'elle avoue elle-même qu'elle "ne peut d'ailleurs pas s'expliquer" comment elle arrive à lire dans les pensées, semble pourtant en faveur de la deuxième hypothèse : à l'évidence, il ne s'agit pas, comme dans la psychose, d'une croyance à laquelle la malade accorderait tout son crédit.

On pourrait se demander si cette patiente n'a pas déjà présenté antérieurement un Episode psychotique, les symptômes actuels pouvant alors correspondre à une Schizophrénie résiduelle. Mais faute de pouvoir retrouver cet antécédent psychopathologique, nous resterons donc sur notre diagnostic de Trouble de la personnalité schizotypique.

Diagnostic selon le DSM-III-R

Axe I : V71.09 Absence de diagnostic ou d'affection (p. 409)
Axe II 301.22 Trouble de la Personnalité schizotypique, sévère (p. 384)

Suivi

La patiente a d'abord été traitée par un neuroleptique, l'halopéridol. En dépit de sa réelle efficacité sur les symptômes de détachement, la prescription dut être interrompue en raison des effets secondaires, mal tolérés par la patiente. Pendant les huit années qui ont suivi, alors qu'aucun médicament n'était prescrit, la malade a fait une psychothérapie de soutien avec deux thérapeutes successifs. Les séances ont été espacées (une toutes les deux à trois semaines) et, bien que le matériel apporté n'ait jamais été très important, elle restait très attachée à son thérapeute, au point d'avoir toujours beaucoup de mal à supporter la période des vacances. Son existence n'a pratiquement pas changé depuis le début de la prise en charge. Elle n'a jamais eu besoin d'être hospitalisée.

Sage comme une image

Marianne est une séduisante célibataire de trente-cinq ans, originaire de San Diego , qui travaille actuellement comme rédactrice de magazine à Boston où elle réside dans un quartier plutôt délabré. Son médecin, une femme, lui avait conseillé de suivre une psychothérapie pour qu'elle réfléchisse à sa relation avec les hommes. Pendant un an, Marianne a refusé de suivre ce conseil ; elle disait : "Je n'aime pas être aidée. Je préfére me débrouiller toute seule".

Lors de l'entretien, Marianne apparaît comme une femme très intelligente, elle est affable, s'exprime avec aisance. Elle parle d'une voix enfantine et fluette. Ses cheveux sont d'un noir métallique, elle est vêtue tout de noir - une jupe et une veste de cuir avec un chapeau noir - et elle porte des lunettes de style punk. Dès le début de l'entretien, elle annonce qu'elle ne veut pas de thérapeute masculin parce qu'elle ne fait pas confiance aux hommes qui, d'après son expérience, cherchent toujours à exploiter toutes les situations. Et pourtant, excepté son médecin, elle n'a pas d'amies très proches.

Elle vient de mettre fin à une relation "destructrice" avec un homme, son "amant qui ne respectait rien", drogué à l'héroïne. Elle a beaucoup lutté contre elle-même pour ne pas retourner près de lui. Une fois, il y a quatre ans, alors qu'il venait de la frapper, elle l'avait menacé de le quitter s'il recommençait, et de fait, cet incident ne se reproduisit jamais plus. Elle affirme qu'il ne lui faisait pas peur et se reproche de l'avoir provoqué : "Je lui disais souvent des choses qu'il ne voulait pas reconnaitre, et il se mettait alors dans des colères folles. Je ne le faisais que pour le faire réagir. Mais je touchais le point sensible".

Il continuait à prendre de l'héroïne et Marianne continuait à lui donner de l'argent chaque fois qu'il en avait besoin. Puis elle finit par se rendre compte que leur relation ne pouvait la rendre heureuse : il avait eu un certain nombre de liaisons avec d'autres femmes, il avait été incarcéré une courte période pour avoir vendu de la drogue et elle lui reprochait de ne jamais faire avec elle des activités agréables, sexualité mise à part. Marianne, contrairement à son amant, avait fréquenté l'université. Elle avait l'impression qu'il était comme un enfant qui aurait besoin d'une mère. Chaque fois qu'elle lui disait de laisser tomber la drogue, il se rebiffait et, malgré son ingratitude, elle continuait à s'accrocher à lui. En dépit du ressentiment et de l'amertume qu'elle avait fini par éprouver à l'idée de tout ce qu'elle avait fait pour lui, Marianne était toujours disponible lorsqu'il revenait chez elle, habituellement tard le soir, pour lui demander de l'argent ou de l'aide. Elle se considérait "plus comme mère Thérésa que comme une maitresse".

Marianne se dit à nouveau "attirée" par un autre homme qui lui aussi se drogue. Alors qu'elle se considère "de gauche", son nouvel ami est un collectionneur d'objets de l'époque nazie. Elle n'ignore pas qu'il a été infidèle et violent vis-à-vis de celle qui l'a précédée auprès de lui, mais elle n'imagine pas que cette conduite puisse se répéter. Cela fait un an qu'ils se voient de temps en temps. Alors qu'il lui jurait fidélité, il continuait à voir une de ses anciennes liaisons. Elle a été bouleversée de l'apprendre, mais elle continue comme par le passé. De nombreux hommes bien plus sympathiques et monogames ont essayé de se lier avec elle, mais elle les a toujours évités, en prétextant qu'ils étaient "ennuyeux".

Avec les autres, Marianne est de façon générale toujours prête à rendre service, sans rien demander en retour, même quand elle est dans le besoin. La plupart de ses amis, ainsi que ses anciennes liaisons, sont des toxicomanes ou l'ont été. Elle-même n'a jamais pris de drogue. Souvent elle va les voir en prison pour les réconforter ; une fois libérés, ils viennent rarement la voir.

Sur le plan professionnel, Marianne travaille beaucoup ; elle est habile à résoudre les conflits. Parfois, elle se heurte avec son patron lorsqu'elle lui demande de débloquer de l'argent pour des personnes qui sont dans le besoin. Elle a l'impression que ses collègues femmes sont injustement liguées contre elle, parce qu'elles jalousent ses capacités de travail, alors qu'elle a beaucoup fait pour elles.

Marianne est l'aînée des quatre enfants, dont elle s'est beaucoup occupée. Elle était la petite fille "sage comme une image", alors que ses frères et soeurs avaient le droit de faire des bêtises. Recueillie à l'église et attentive à l'école, son comportement digne d'éloges prit fin à l'adolescence, lorsque, n'en pouvant plus, elle quitta la maison de ses parents. "L'enfer" que ses parents lui avaient prédit au moment de son départ fut, en réalité une période de "libération sexuelle" pendant laquelle elle eut une cinquantaine d'amants, d'une nuit la plupart du temps, et qui ne semblaient lui convenir que très médiocrement car, dit-elle, "je n'aimais pas ces types". Jeune femme, elle s'engagea régulièrement pour des causes en faveur des pauvres ou des victimes des régimes politiques.

Discussion

Marianne semble avoir passé sa vie à jouer le rôle de la martyre. Elle ne cesse d'être attirée et choisit inlassablement des amants qui ne lui conviennent pas et qui la maltraitent. Elle a mis du temps à venir consulter car elle n'aime pas qu'on lui vienne en aide. Pourtant, elle a réalisé depuis longtemps que ses relations avec son entourage étaient pour elle une source de souffrance. Elle provoque de la part des autres des réactions d'hostilité, qui semblent la conforter dans son sentiment d'être blessée ou rejetée (elle est d'ailleurs toujours prête à avouer ses fautes, à son amant en particulier). Marianne n'éprouve aucun intérêt pour les hommes qui ont des égards pour elle, car elle les trouve "ennuyeux" ; elle est prête à toujours se sacrifier sans même qu'on la sollicite (elle rend visite aux prisonniers).

Chez les déprimés ou chez les personnes qui se sentent menacées psychologiquement ou physiquement, il n'est pas rare d'observer des conduites d'échec. Mais dans le cas de Marianne, il s'agit apparemment d'un mode général de la personnalité qui se manifeste dans un certain nombre de situations et de relations qu'elle-même a choisies, ce qui justifie pleinement le diagnostic non officiel de Trouble de la personnalité à conduite d'échec.

Diagnostic selon le DSM-III-R

Axe I : **V71.09 Absence de diagnostic ou d'affection (p. 409)**
Axe II: **301.90 Trouble de la personnalité non spécifié (Trouble de la Personnalité à conduite d'échec) (p. 403)**

Bribes de souvenirs

Un vétéran de la guerre du Vietnam, âgé de vingt-trois ans, est hospitalisé un an après la fin des hostilités à la demande de sa femme : il est déprimé, ne dort pas et ne cesse de revivre son expérience de la guerre. Cela fait deux ans qu'il a été libéré après un an passé au front. Il n'a pas été confronté à de trop grandes difficultés lors de son retour à la vie civile ; il a repris ses études à l'université et s'est marié six mois après. Sa femme avait bien remarqué que jamais il ne parlait de son expérience militaire, mais elle considérait jusqu'à maintenant qu'il devait s'agir d'une réaction normale à des souvenirs pénibles.

Les symptômes actuels du patient se sont déclarés au moment de la chute de Saïgon. Il est alors devenu soucieux chaque fois qu'il voyait à la télévision les nouvelles s'y rapportant. Il commence à avoir des troubles du sommeil, des difficultés à s'endormir, des cauchemars qui le réveillent en pleine nuit et dans lesquels il revit ses expériences passées. Un jour, alors qu'il se trouve dans le jardin, un avion passe un peu plus bas que d'habitude. Le patient se jette par terre, persuadé que c'est une attaque d'hélicoptères. Plus il regarde la télévision, plus il est morose. Lorsqu'il est question des atrocités qu'il a lui aussi connues, il se sent coupable d'avoir survécu, alors que tant d'autres parmi ses amis sont morts. A d'autres moments, il se met en colère et devient amer en pensant à tous les sacrifices inutiles que lui et les autres ont faits.

Son épouse nous avoue être particulièrement préoccupée, car son mari est désormais tellement absorbé dans ses pensées concernant le Vietnam, qu'il semble ne s'intéresser à rien. Sur le plan affectif, il s'est totalement éloigné d'elle. Quand un jour, elle a parlé à son mari de son désir d'avoir des enfants, il lui a répondu qu'il n'y avait pas d'avenir, comme si la vie s'était arrêtée à la guerre.

Discussion

Cet ancien du Vietnam semble en effet très perturbé par l'année qu'il a passée à la guerre. Or il s'agit là d'un stress qui, dépassant très largement les limites de l'expérience humaine habituelle, suffirait à expliquer, chez la plupart d'entre nous, l'apparition de symptômes de détresse. Le patient de cette observation revit son expérience traumatique dans ses rêves et les bribes de souvenirs qui lui reviennent. Sa réactivité à son environnement habituel est considérablement diminuée (ne s'intéressant plus à rien, affectivement détaché de sa femme, il vit pratiquement deux ans en arrière). Si l'on ajoute à cela les symptômes d'hyperactivité neuro-végétative (Trouble du sommeil, accès de colère, réaction de sursaut exagérée), on voit bien qu'il s'agit là d'un authentique Trouble : Etat de stress post traumatique qui a cependant la particularité de comporter un début différé, six mois après le traumatisme.

Ce patient présente un symptôme fréquemment rencontré chez les personnes dont l'expérience du traumatisme impliquant une menace vitale a été vécue en même temps que d'autres : ils se sentent coupables d'en avoir réchappé.

Diagnostic selon le DMS-III-R

Axe I : 309.89 Trouble : Etat de stress post-traumatique, début différé, sévère (p. 282)

Obèse

Gregory, un directeur de théâtre de quarante-trois ans, est examiné pour un bilan psychiatrique dans un établissement de San Francisco spécialisé dans les troubles de l'alimentation. Bien qu'il ait déjà perdu 26 kilos ces cinq derniers mois, passant de 112 à 86 kilos pour une taille de 1mètre 85, il a encore peur de grossir.

Gregory a commencé son régime il y a cinq mois après que sa femme l'ait traité de "gros lard" et menacé à mots couverts de divorcer. Il se mit alors à un régime strict : une omelette et du son au petit déjeuner, du café au déjeuner et une salade avec des crevettes ou du poulet pour le dîner. Le but qu'il s'était fixé au départ était de perdre 22 kilos. Quand il estima que les résultats n'étaient pas assez rapides, il prit l'habitude d'aller se faire vomir en mettant son doigt au fond de la gorge, juste après le repas.

Gregory est maintenant "obsédé" par la nourriture. Avant de se rendre au restaurant, il réfléchit à ce qu'il va commander de façon à ne prendre que des aliments qu'il est facile de régurgiter. Après avoir mangé, il ne peut pas supporter cette sensation d'avoir l'estomac "plein" qui lui donne l'impression d'être "gras". Deux ou trois fois par semaine, il ne résiste pourtant pas à l'envie de "faire bombance". Il se met alors à avaler trois hamburgers, deux portions de frites, environ 500 ml de glace et deux paquets de cookies, avant de se forcer à vomir. A noter qu'il n'a jamais eu recours aux laxatifs, ni aux diurétiques, ni aux comprimés pour maigrir.

Comme Grégory a décidé d'être mince, il a dans un deuxième temps révisé à la baisse ses premiers objectifs et il s'est donné pour but les 83 kilos et non les 86 prévus initialement. Il s'est donc mis à faire de l'exercice, à faire de la marche au moins une heure par jour et, tout récemment de la musculation plusieurs fois par semaine. Il est persuadé que les femmes le voient maintenant différemment : alors qu'auparavant elles ne semblaient pas faire attention à lui, il croit lire désormais dans leur regard une certaine admiration.

Gregory a toujours été un peu corpulent; il se reportait parfois sur la nourriture lorsqu'il était tendu. Mais il ne s'était jamais soucié de son poids avant que sa femme ne critique son physique. Il n'arrive plus à prendre plaisir à manger et se rend bien compte qu'il ne peut plus se contrôler puisqu'il est incapable d'arrêter son régime, alors que sa femme lui a dit qu'il était devenu trop mince. C'est d'ailleurs la raison pour laquelle il est allé consulter un médecin qui, n'ayant décelé aucun problème somatique, l'a adressé au psychiatre.

Discussion

Le Trouble de l'alimentation de Grégory a commencé, comme cela est fréquent, à l'occasion d'un banal régime amaigrissant. Très vite, l'idée de perdre du poids est devenue le centre de ses préoccupations, en même temps que l'image de son corps subissait une distorsion manifeste : il se sentait "gros" alors que son entourage se rendait bien compte qu'il ne l'était pas. Le diagnostic d'Anorexie mentale suggéré par ces éléments cliniques est cependant inexact, car le patient a gardé un poids corporel supérieur au minimum correspondant à sa taille.

Les épisodes de frénésie alimentaire (consommation rapide d'une grande quantité de nourriture dans un temps limité) qui surviennent, selon Grégory, deux à trois fois par semaine, la perte du contrôle du comportement alimentaire, les vomissements réguliers, la préoccupation excessive concernant le poids constituent autant d'éléments qui caractérisent la Boulimie. Cette observation comporte, en outre, la particularité de concerner un homme, alors que cette affection est beaucoup plus fréquente chez les femmes.

Diagnostic selon le DSM-III-R

Axe I : 307.51 Boulimie (Bulimia Nervosa) (p. 76)

La fièvre du samedi soir

Une jeune secrétaire de dix-neuf ans, célibataire, est transférée du service de médecine au service de psychiatrie pour y être hospitalisée. A l'âge de seize ans, on lui a découvert un lupus érythémateux disséminé, pour lequel des stéroïdes avaient été instaurés. Trois mois environ avant cette hospitalisation, elle a présenté des complications rénales, qui ont entraîné une augmentation de la dose quotidienne de cortisone jusqu'à 70 mg par jour. Il y a un mois, sa mère a remarqué un changement dans son attitude : habituellement réservée et conciliante, elle s'était mise à sortir tard le soir, vêtue de façon extravagante, et à rester dans les boîtes de nuit jusqu'au matin.

Le jour de son hospitalisation, la patiente n'arrête pas de déambuler dans les couloirs de la clinique ; elle dit ne pas pouvoir attendre l'arrivée du médecin ; vis-à-vis du personnel masculin, elle alterne les propos insultants et une attitude séductrice. Elle n'arrête pas de tenir des propos totalement décousus concernant son avenir de danseuse de night-club, son mariage avec George Michael (une star du rock), ou encore le manque de goût dans la façon dont le personnel féminin de la clinique est habillé.

Discussion

La présentation de cette malade est caractéristique d'un syndrome maniaque : perte de l'autocritique (elle porte des vêtements extravagants), logorrhée (elle n'arrête pas de parler), agitation psychomotrice (elle déambule dans les couloirs de la clinique), idées de grandeurs (elle parle de se marier avec une star du rock). On peut supposer que son humeur est tantôt irritable, tantôt expansive.

Il semble s'agir d'un Syndrome thymique organique car il existe une évidente coïncidence dans le temps entre l'augmentation des doses de cortisone administrées et les modifications comportementales observées. Les stéroïdes ne figurant pas sur la liste des facteurs spécifiques du DSM-III-R, le diagnostic doit préciser que le trouble de l'humeur est induit par une substance psychoactive "autre", à savoir un stéroïde.

Diagnostic selon le DSM-III-R

Axe I : 292.84 Syndrome thymique organique induit par un stéroïde (maniaque) (p. 125)

L'incendiaire

Il s'agit d'un homme de cinquante-deux ans, Monsieur Rodriguez, originaire de Cuba et président d'une entreprise familiale située à Miami, qui est emmené à l'hôpital par sa femme, après qu'il lui ait dit qu'il venait soudain de se souvenir d'avoir allumé plusieurs incendies importants quand il était enfant et tué un homme, trente ans auparavant.

Monsieur Rodriguez a récemment dû faire face à des difficultés financières dans son entreprise, qui l'ont particulièrement préoccupé. Il y a quelques semaines, il s'est fâché contre un de ses employés auquel il était pourtant très attaché, parce qu'il n'avait pas su placer une somme d'argent considérable appartenant à la compagnie ; la dispute avait été si violente qu'il s'était retenu pour ne pas lui lancer un cendrier au visage. Une fois la colère passée, Monsieur Rodriguez se mit à réaliser combien il pouvait être coléreux, voire même haineux, envers ses collaborateurs comme envers sa femme et ses enfants.

Puis une fois rentré chez lui, il se mit à réfléchir à ce qui s'était passé : "Soudain, dit-il, le rideau était tombé et le flot de souvenirs qui m'étaient complètement sortis de l'esprit, m'envahissait". Il se rappela qu'à cinq ans et parce que son père lui avait dit de le faire, il avait mis le feu à une maison dont la propriétaire était à l'intérieur. Il se souvint aussi qu'il avait également incendié des cabinets médicaux et des bibliothèques, et qu'à dix-neuf ans, il avait tué d'un coup de feu un mari qui avait agressé sa femme. D'autres souvenirs d'actes violents, dont il avait, pensait-il, totalement perdu le souvenir, lui sont revenus à la mémoire.

Pendant deux semaines, Monsieur Rodriguez n'est pas sorti de chez lui. Assis, complètement apragmatique, les yeux souvent baignés de larmes, il pensait aux atrocités qu'il croyait avoir commises et se reprochait sans arrêt de ne pas être un bon père. Même si ces pensées lui étaient douloureuses, il avait en contrepartie "le plaisir de savoir et de découvrir tout ce que jusqu'alors il ignorait". Selon lui, il n'était pas alors déprimé, il n'avait pas perdu l'appétit, son sommeil et sa mobilité étaient intactes. Il reconnait pourtant qu'il avait des difficultés de concentration depuis qu'un mois auparavant, il avait commencé à avoir des problèmes financiers qui ne cessaient de le préoccuper. Parfois même, il lui arrivait de penser au suicide.

Le jour précédant son hospitalisation, une soudaine "révélation" lui avait permis de se "rappeler" la première fois où son père l'avait battu et sodomisé. En comprenant l'origine de cette volonté destructrice qu'il avait en lui, il ne se sentit plus désormais coupable des crimes qu'il avait commis. Il accepta cependant, à la demande de sa femme, d'aller à l'hôpital.

Monsieur Rodriguez est un homme grand et mince, vêtu avec soin; il a le regard franc, sa démarche est équilibrée ; il est courtois. Pendant tout l'entretien, il fume cigarette sur cigarette. Il a l'esprit vif et fait preuve d'un certain humour, même lorsqu'il évoque les crimes qu'il dit avoir commis. Ses résultats aux tests cognitifs sont bons. Quand on lui dit que sa femme et d'autres personnes disent que ce qu'il raconte est faux, il répond : "leurs témoignages sont en contradiction avec mes souvenirs, et je ne peux me l'expliquer. Je suis pourtant absolument certain d'avoir allumé ces feux." Lorsqu'on lui objecte l'absence de rapport de police, il répond qu'il était "si rusé et si rapide" que personne n'avait pu l'attraper. Selon lui, sa femme ne veut pas croire que tout cela est vrai, car "elle en a été tellement bouleversée qu'elle est incapable de s'en souvenir."

Au moment de l'hospitalisation, l'examen clinique y compris l'examen neurologique ne révèle aucune anomalie. Tous les examens de laboratoire sont négatifs.

Discussion

Il n'y a aucune raison de croire que les "souvenirs" de Monsieur Rodriguez correspondent à des évènements qui se sont réellement produits. Aussi devons-nous conclure en l'existence de nombreuses idées délirantes se rapportant au passé. Elles ne peuvent être qualifiées de bizarres car elles concernent des situations de la vie réelle : provoquer des incendies, commettre des crimes violents. Bien que le malade semble au premier abord bouleversé et déprimé à l'idée de ce qu'il pense avoir fait, le diagnostic d'un Trouble de l'humeur avec caractéristiques psychotiques doit être éliminé car le syndrome dépressif est loin d'être complet. Il s'agit donc d'un Trouble délirant, dont le thème est tout à fait inhabituel. L'idée délirante de Monsieur Rodriguez : une terrible exaction dont il aurait été l'auteur, ne correspond à aucun type clinique spécifique.

Diagnostic selon le DSM-III-R

Axe I : 297.10 Trouble délirant, de Type non spécifié (p. 229)

Suivi

Monsieur Rodriguez a finalement été mis sous neuroleptique. Dès l'instauration du traitement, les idées délirantes ont commencé à s'estomper et il se rendit vite compte que ces évènements ne s'étaient jamais réellement produits. Cinq jours après son admission, le malade disait "ne plus pouvoir rester à l'hôpital" et signa sa sortie contre-avis médical. Comme il ne semblait dangereux ni pour lui-même ni pour les autres, il quitta le service après s'être engagé à se faire suivre à Miami.

L'héritière

Une très belle femme de trente-quatre ans, fortunée, vient exposer à un psychiatre son problème conjugal. Elle est l'héritière d'une riche famille européenne et son mari est le président d'une petite entreprise d'import. Elle le trouve insensible et exigeant ; quant à lui, il accuse sa femme d'être égoïste, impulsive et une "menteuse invétérée". Pendant leurs dix années de mariage, ils ont eu chacun de leur côté de nombreuses liaisons, qui toujours finissaient par être découvertes. Ils essayaient alors de trouver une solution, cessaient d'être infidèles, discutaient de leurs difficultés de couple, puis se réconciliaient avant de recommencer un peu plus tard à se tromper mutuellement.

La patiente évoque aussi un problème tout particulier dont elle n'a jamais parlé à son mari. Périodiquement, elle ressent le besoin d'aller dans un des plus élégants magasins de la ville pour y voler un vêtement. Au cours des trois ou quatre dernières années, elle a ainsi dérobé plusieurs chemisiers, deux pulls et une jupe. Comme le revenu de son mari s'élève à plus de 1.500.000 francs par an, et comme ses investissements à elle valent plusieurs fois cela, elle reconnaît aisément l'absurdité de son geste. Elle explique aussi que ce qu'elle vole est rarement très cher et ne correspond généralement pas à ses goûts.

Quelques jours avant de passer à l'acte, la patiente éprouve un envie de voler qui ne la quitte pas jusqu'au moment où, n'y tenant plus, elle se rend dans un magasin, arrache un article de son support pour le cacher dans son manteau ou dans un sac. Une fois sortie, elle éprouve un sentiment de bien-être et de satisfaction; mais une fois rentrée à la maison, elle devient anxieuse et éprouve un sentiment de culpabilité. Il lui est arrivé une fois d'être prise sur le fait ; elle s'était mise alors à raconter une histoire compliquée comme quoi elle avait bien l'intention de payer mais qu'en se rendant dans une autre partie du magasin, ça lui était complètement sorti de la tête. Les gardiens du magasin la laissèrent partir avec quelques soupçons.

Au cours de l'entretien, la patiente passe un bon moment à parler de ses propres réussites et à exposer ses talents. Elle affirme que ses liaisons prouvent qu'elle est vraiment superbe et complètement hors du commun. Elle pense qu'elle et son mari, un homme "séduisant, actif et qui réussit", devraient logiquement faire un couple parfait, mais il n'est pas assez attentif à elle et, de toute façon, il ne veut qu'une seule chose : qu'elle soit continuellement à son entière disposition. Elle dit ne plus se sentir capable de supporter leurs fréquentes disputes, et c'est la raison pour laquelle ils ont pensé s'adresser à un spécialiste. En ce qui concerne son accusation d'être une "menteuse invétérée", elle reconnaît qu'il est plus facile pour elle de faire de "pieux mensonges" que de devoir assumer un acte "stupide" qu'elle a commis.

Discussion

La description des actes de vol qui suit l'exposé par la patiente de ses difficultés conjugales, principal motif de consultation, semble tout à fait caractéristique de la Kleptomanie. Il lui est en effet impossible de résister aux impulsions de vols d'objets qu'elle ne trouve pas à son goût et dont elle n'a aucune utilité. La sensation de tension croissante qui se manifeste avant l'acte est suivie d'une impression de soulagement lors de sa réalisation, puis, dans un deuxième temps, de remords. L'acte de voler n'est l'expression ni de la colère, ni de la vengeance.

Quant aux problèmes conjugaux, s'ils apparaissent sans rapport avec la Kleptomanie, ils semblent au contraire très déterminés par certains traits de personnalité narcissique de la patiente, comme le sens exagéré de sa propre importance (elle s'estime "hors du commun"), la totale méconnaissance des droits de l'autre (ses mensonges), le manque apparent d'empathie (elle considère que son mari est le seul responsable de ses problèmes conjugaux). On peut même avancer que la recherche de nouveaux partenaires réponde en grande partie au besoin d'être admirée et de susciter l'attention d'autrui. Bien que nombreux, ces traits narcissiques ne suffisent pourtant pas à établir un diagnostic de Personnalité narcissique. Il manque, par exemple, la réaction aux critiques par des sentiments d'indifférence ou de rage ; l'envahissement du champ des préoccupations par des sentiments d'envie. Aussi est-il préférable de n'enregistrer sur l'Axe II que des Traits de Personnalité narcissique.

Les difficultés de couple, que les Traits de Personnalité narcissique permettent ainsi de mieux comprendre, sont en fait le véritable motif de consultation. C'est pour cette raison que le problème conjugal du code V doit obligatoirement précéder au niveau de l'Axe I la mention du diagnostic de Kleptomanie.

Diagnostic selon le DSM-III-R

Axe I : V61.10 Problème conjugal (p. 407)
         312.32 Kleptomanie (p. 364)
Axe II : Traits de Personnalité narcissique.

"Absolument répugnant"

Clara, une secrétaire âgée de trente-trois ans, est adressée par son gynécologue à la consultation d'un sexologue, car il lui a été impossible de pratiquer l'examen gynécologique en raison de l'intensité des contractions de ses muscles périvaginaux.

Lors de la première consultation, Clara est visiblement peu à l'aise quand il lui faut évoquer ses problèmes sexuels. Depuis la naissance de son fils, il y a deux ans, elle ne peut avoir aucun rapport sexuel avec son mari dont elle ne cesse de repousser les avances. L'intensité des spasmes de son vagin est telle qu'il ne peut même pas y introduire son petit doigt. Il y a peu de temps, son mari à parlé d'avoir un second enfant. Or elle aimerait bien lui faire plaisir et souhaiterait elle aussi avoir un autre enfant.

Le début de ses spasmes a débuté au moment de son mariage, il y a huit ans ; Clara était alors vierge et, pendant un an, son mari n'est pas arrivé à la pénétrer. Après cette longue période de mariage blanc, le couple est allé consulter un conseiller conjugal grâce auquel des relations sexuelles furent désormais possibles, quoique épisodiques, pendant les cinq années qui ont suivi. La pénétration vaginale est en fait, pour Clara, plus une source d'angoisse que de plaisir, même si elle dit avoir éprouvé, en de rares occasions, un orgasme véritable.

Pendant les cinq premières années de son mariage, Clara n'a pas réussi à être enceinte, en raison, très probablement, de son endométriose chronique ; lorsque finalement cela aura été possible, elle accouchera d'un enfant né onze semaines avant le terme dont le poids était de 1,5 kilo. Clara s'est sentie coupable de cette naissance prématurée car elle avait pris des oestrogènes pour son endométriose ; et c'est alors qu'elle se mit à avoir peur d'être à nouveau enceinte.

Clara se rappelle les difficultés de sa mère à lui parler de la menstruation ou de la sexualité. Dans sa famille, la religion empêchait toute discussion concernant les relations sexuelles avant le mariage, la contraception ou l'avortement, car tout cela était considéré comme quelque chose de coupable. Clara ignorait tout du préservatif comme moyen contraceptif et elle avoue encore ne pas savoir où se trouve son clitoris, pas plus qu'elle ne peut l'identifier sur un schéma. Jamais elle ne s'est livrée à la masturbation, et ce n'est que récemment qu'elle en a entendu parler pour la première fois. Elle ressent du dégoût à l'idée que son mari puisse lécher ou sucer certaines parties de son corps, au point de dire que tout cela est "absolument répugnant". Au cours de l'entretien, elle confiera sa crainte venue de son enfance que l'eau du bain ne pénètre dans son vagin et ne "l'infecte", et ses rêves répétitifs où elle voyait d'effrayants objets de grande taille pénétrant dans son corps.

Discussion

Comme cela est fréquent, c'est cours de l'examen gynécologique qu'a été découverte, chez Clara, une contracture des muscles périvaginaux. Or des nombreuses dysfonctions sexuelles qu'elle présente, celle-ci semble lui poser actuellement le plus de problèmes. Il s'agit d'un Trouble sexuel douloureux, répété et persistant de la musculature du tiers externe du vagin pendant le coït, qualifié habituellement de Vaginisme.

Clara présente également depuis toujours, une aversion pour tout ce qui se rapporte à la sexualité. Aussi le diagnostic de Trouble: Aversion sexuelle semble justifié, dans la mesure où elle évite pratiquement toute activité génitale. Les rares fois où elle a un rapport sexuel, elle semble ne pas pouvoir être excitée et ne parvient pratiquement jamais à l'orgasme. Du fait même de cette quasi abstinence, il n'apparaît pas nécessaire de mentionner les diagnostics de Trouble de l'excitation sexuelle ou de l'inhibition de l'orgasme chez la femme.

Diagnostic selon le DSM-III-R

Axe I : 306.51 Vaginisme, exclusivement psychogène, acquis (p. 333)
302.79 Trouble : Aversion sexuelle, de tout temps (p. 330)

Suivi

Le traitement a associé des consultations avec ou non la présence du mari de la patiente. Les séances avec le mari avaient pour but de l'aider à supporter sa frustration, à temperer sa colère et son impatience, et de lui permettre de l'initier aux exercices de retour à la sensibilité cutanée sans rapport sexuel. Clara a été également vue individuellement et il lui a été prescrit un anxiolytique, l'alprazolam, à 0,5 mg, deux à trois fois par jour.

L'objectif principal du traitement était de dilater le vagin, et la méthode consistait, pour la malade, à y introduire progressivement ses doigts préalablement trempés dans de l'eau chaude. Les progrès de la dilatation ont été lents, par paliers successifs, avec d'abord une extrémité de doigt, puis progressivement, deux ou trois doigts. Les exercices de retour à la sensibilité cutanée n'ont pas permis de vaincre la répulsion de la malade à être sucée, léchée, embrassée par son mari; et il lui a fallu beaucoup de temps pour se sentir à peu près à l'aise dans son corps. Par la suite, la patiente a entrepris une thérapie de groupe de femmes anorgasmiques qui semble avoir amplifié ces résultats.

Les progrès réalisés lors des consultations hebdomadaires puis mensuelles ont au moins permis à Clara d'avoir des rapports sexuels normaux. Elle continuait à avoir peur d'être enceinte, même lorsque son mari utilisait un préservatif, car elle disait qu'il pouvait se rompre ou glisser. Après plusieurs autres mois de thérapie, la crainte d'être enceinte a diminué au point qu'elle accepte maintenant un rapport sexuel non préservé.

Le charpentier accidenté

Il s'agit d'un charpentier de trente-deux ans, vivant au Nevada, qui n'a jamais connu de problème de santé avant l'accident de voiture qu'il vient d'avoir à son retour d'un voyage de trois mois au Mexique. C'est la police de l'Etat qui est intervenue sur place pour l'emmener à l'hôpital. Il a une fracture du bassin, une fracture au pied droit,et plusieurs fractures de côtes à gauche. Deux petites coupures au visage ont nécessité quelques points de suture. Le patient affirme avoir perdu connaissance au moment de l'accident et ne plus se souvenir des évènements qui se sont déroulés pendant les quinze minutes qui ont suivi. Il répond correctement aux questions, n'est pas désorienté. Comme il se plaint de la colonne vertébrale, on lui administre un sédatif, du *Démérol*, à raison de 125 mg intra musculaire toutes les trois heures ; un hypnotique, l'*Immenoctal*, à 100 mg per os, à prendre au coucher, et un neuroleptique le *Phénergan*, à raison de 25 mg intra musculaire toutes les trois heures. Le lendemain, le malade se plaint de toujours ressentir la même douleur et on remplace le précédent traitement par de la morphine et du *Phénergan*.

Deux jours plus tard, il est fébrile, agité de tremblements et couvert de sueurs. On découvre alors qu'il buvait cinq à six bières par jour, et on évoque la possibilité d'un syndrome de sevrage. Du *Valium*, à raison de 5 mg per os toutes les six heures, est alors ajouté à son traitement, constitué maintenant d'un narcotique et analgésique, le *Tylox*, à raison de deux capsules toutes les deux ou trois heures, ainsi que 100 mg d'*Immenoctal*, à prendre au coucher.

Le lendemain, le malade est anxieux, agité, aux prises à un prurit intense. Deux jours après, il est encore fébrile alors que l'hémoculture, les analyses d'urine et la radio du thorax sont parfaitement normales. *L'Atarax*, un antihistaminique, à 25 mg en per os, est prescrit quatre fois par jour pour le prurit.

Le jour suivant, une semaine donc après son admission, le patient est désorienté ; il se plaint qu'il lui faut un certain temps au réveil pour savoir où il est ; sa température est encore élevée. Toutes les trois heures, on lui donne 3 à 10 mg de morphine, pour soulager sa douleur, du *Valium*, à raison de 5 mg per os toutes les six heures, et 30 mg per os au coucher de *Dalmane*, un hypnoptique. Le jour suivant, le traitement contre la douleur est à nouveau changé avec cette fois un à deux comprimé toutes les trois heures de *Percodan*, un sédatif, et de *Démérol*, à 75 mg intra musculaire toutes les quatre heures.

Le lendemain, on pratique une réduction de la fracture de son cotyle gauche. L'opération chirurgicale, pratiquée sous anesthésie générale, se passe bien, mais tout de suite après, le patient est désorienté dans le temps et l'espace et on le surprend à tenter de saisir des objets dans le vide. Sa température est toujours élevée sans pour autant qu'on puisse repèrer de source infectieuse. Le patient prend alors du *Démérol*, à 75-100 mg intra-musculaire toutes les quatre heures, de *l'Atarax*, à 75 mg toutes les trois heures et du *Tylénol* toutes les quatre heures.

Les jours suivants, son état mental s'améliore. Il lui arrive pourtant d'être encore désorienté et il avoue : "Vous savez, parfois je n'arrive pas à fixer mon attention sur ce que vous dites" ; sa température est encore un peu élevée. Le traitement est maintenant constitué d'un opioïde de synthèse, le *Dilaudid*, à raison de 2 à 4 mg toutes les trois ou quatre heures. Devant la persistance des moments de désorientation, les médecins commencent à s'inquiéter et une consultation psychiatrique est demandée.

Lors du premier entretien, 17 jours après l'accident, le patient répond correctement aux questions. Il garde confiance et ne semble pas désorienté. Les résultats des tests concernant son état mental sont normaux. Il reconnaît cependant avoir des difficultés à se concentrer et évoque spontanément les "hallucinations" qu'il a eues, pendant les deux dernières semaines et qu'il décrit comme étant des "rêves d'opium" provoqués par les médicaments contre la douleur.

Les jours suivant, son état s'améliore pendant la journée, mais la nuit, on le surprend à démonter l'appareil à extension. Il se met alors à parler de façon incohérente sur ce qu'il appelle le "machin à tirer". Le lendemain, il nie avoir mis en pièce l'équipement. Il prend alors contre la douleur deux capsules de *Tylox* toutes les six heures. Souvent il se plaint de douleurs aiguës et demande aux médecins avec véhémence de lui en donner plus souvent. Le psychiatre conseille alors d'augmenter la dose de *Tylox*, en considération du faible risque de dépendance.

Plusieurs jours passent, et on trouve alors le patient en train de jouer avec ses excréments dans son lit, son appareil à extension une nouvelle fois démonté. Pris sur le fait, forcé de reconnaître ses actes, il est tellement bouleversé qu'il ne parvient pas à dormir la nuit et demande à voir le psychiatre. Pendant l'entrevue, le malade, anxieux, est manifestement préoccupé par son comportement qu'il réprouve et qu'il ne parvient pas à s'expliquer. Il ajoute que depuis au moins deux semaines, il n'arrive pas à dormir plus de deux ou trois heures par nuit. L'idée qu'il puisse faire des choses dont il n'est pas conscient et qu'il ne peut contrôler l'effraye, et c'est pourquoi il demande au psychiatre de se débrouiller pour mettre fin à tout cela, même si son traitement contre la douleur doit être arrêté. Peu après, on réduit les médicaments et le patient n'a plus de trouble du comportement la nuit.

Discussion

Dès le deuxième jour de son hospitalisation et pendant plusieurs semaines, on enregistre, par intermittences, une difficulté à maintenir l'attention envers les stimulations externes ("je n'arrive pas à fixer mon attention sur ce que vous dites") et une désorganisation de la pensée (il est incohérent dans ce qu'il dit) ; l'état de conscience est altéré (au réveil, il ne sait pas immédiatement où il est) ; il a des hallucinations visuelles (il essaie d'attraper des objets flottant dans l'atmosphère et parle de "rêves d'opium"), des troubles du sommeil. Le diagnostic de Delirium ne fait aucun doute, et les facteurs physiques générateurs du trouble sont nombreux et faciles à identifier. La seule difficulté concerne l'établissement de l'importance relative de l'infection, de la fièvre et des multiples analgésiques et sédatifs qui ont été administrés au patient. (On peut même se demander pourquoi ces médicaments ont été changés aussi souvent). Sur l'Axe I, nous devons enregistrer un Delirium, sans rien spécifier d'autre, puisque l'intoxication semble avoir été provoquée par l'effet cumulatif de nombreux médicaments ; sur l'Axe III, la fièvre, facteur somatique probablement à l'origine du trouble est indiquée.

Diagnostic selon le DSM-III-R

Axe I : 293.00 Delirium (p. 114)
Axe III : Fièvre d'origine inconnue.

L'ancien pilote

Harold Riley, un ancien pilote professionnel âgé de quarante-six ans, demande à se faire soigner pour un problème qui a mis fin à sa carrière : sa peur de voler. Il y a huit ans, après vingt années de pilotage, il s'est mis à ressentir une angoisse intense au cours d'un vol en solo tout à fait sans histoires. Pendant plus d'une heure, son coeur se mit à battre rapidement ; il se sentit faible, sua abondamment, trembla, fut pris de nausées et eut l'impression qu'il allait s'évanouir. Dès qu'il atterrit, ses symptômes disparurent. Une demi-heure après, quand il reprit son avion, ses mêmes symptômes réapparurent immédiatement ; il se mit alors à voler à basse altitude avec les vitres ouvertes pour retrouver la terre ferme le plus vite possible.

Les jours suivants, il essaya à nouveau de prendre son avion ; à chaque fois, les symptômes ne cessaient de se manifester. Il se mit à craindre de s'évanouir aux commandes de l'appareil, bien que cela ne lui fût jamais arrivé. Quand il volait avec quelqu'un d'autre aux commandes, sa peur disparaissait complètement. Finalement, bien que tous les examaient été négatifs, il cessa de piloter pendant un an. Puis il tenta de voler aux côtés d'un instructeur ; les symptômes réapparaissant, il décida de ne plus jamais repiloter.

Au début de l'entretien, Harold dit ne pas avoir présenté auparavant de symptômes psychiques ou d'anxiété irrationnelle, puis, en réponse à certaines questions plus précises, il finit par rapporter deux brefs épisodes d'anxiété, inattendus et soudains, au volant d'une voiture. Le premier se produisit peu après ses premiers problèmes de pilotage, et le second plusieurs années après.

Discussion

La peur de piloter un avion concerne une situation bien déterminée. Elle pourrait donc correspondre à une Phobie simple, diagnostic qui ne peut être porté que si la peut ne se rapporte pas au fait d'avoir pas une attaque de panique. Cet ancien pilote a peur de voler car il redouter qu'une nouvelle crise d'angoisse identique à la première se reproduise, à savoir une anxiété soudaine, s'accompagnant de symptômes carctéristiques de l'attaque de panique : tachycardie, sueurs, nausées, impression s'évanouir et crainte de ne rien pouvoir contrôler. Cependant, on ne doit porter le diagnostic de Trouble panique que lorsque le sujet a fait au moins quatre attaques de panique imprévisibles en l'espace de quatre semaines. Or sur les trois attaques de panique présentées par notre patient, une seule est indiscutable. On peut également l'affirmer lorsque, à une attaque de panique isolée, fait suite une crainte persistante d'avoir une autre attaque, pendant un mois minimum. Or Monsieur Reley n'a réellement peur que lorsqu'il est aux commandes d'un avion.

S'agit-il alors d'une Agoraphobie sans antécédent de Trouble panique ? Monsieur Reley a peur de développer des symptômes, à savoir une attaque de panique, qui, pour lui, seraient particulièrement gênants et il n'a jamais eu de Trouble panique. Mais d'un autre coté, sa conduite d'évitement se limite à la situation spécifique de piloter un avion et elle ne l'empêche pas de voyager d'une autre façon.

Ainsi, faute de pouvoir retrouver les critères d'un Trouble anxieux spécifique du DSM-III-R, nous en sommes réduits à porter un diagnostic qui n'a rien de très satisfaisant, celui de Trouble anxieux non spécifié.

Diagnostic selon le DSM-III-R

Axe I : 300.00 Trouble anxieux non spécifié (p. 286)

De la nourriture pour la pensée

Monsieur Grimm est concepteur-rédacteur dans une petite agence de publicité. Sa femme a remarqué que, depuis quinze ans, il présente au cours de son sommeil des phases de ronflements intenses qui durent de 10 à 15 secondes, au cours desquelles il s'arrête pratiquement de respirer. "Il prend, dit-elle, une grande inspiration, expire, inspire une à quatre ou cinq fois, puis plus rien, il s'arrête complètement de respirer, et lorsque ça se prolonge, il commence à s'agiter au point de me flanquer un coup de pied ou un coup de poing si je ne me suis pas suffisamment éloignée". Après de telles nuits, il s'extrait difficilement de son lit, avec une migraine.

En général, Monsieur Grimm a tendance à dormir toute la journée, même lorsque son travail exige qu'il prenne la route. Pour se tenir éveillé, il mange alors des sandwiches achetés dans les distributeurs automatiques et boit des litres de *Coca-Cola*. Les boissons alcoolisées le font dormir.

Il a donc grossi : il pèse 126 kilos pour 1 mètre 73. Il est d'ailleurs parfaitement capable de faire un régime et de perdre du poids, mais cela ne dure jamais très longtemps. Récemment, on lui a découvert une hernie hiatale s'accompagnant de douleurs gastriques et de troubles digestifs, un léger diabète et une tension artérielle élevée, autant de complications liées à l'obésité.

Quand il était enfant, sa mère n'arrêtait pas de lui répéter de faire attention à ne pas grossir. Et, de peur de ne pas assez manger, il avait ainsi pris l'habitude d'aller s'acheter de la nourriture chaque fois qu'il quittait la maison.

A la saison du pollen, il présente une obstruction nasale qui aggrave ses ronflements et ses crises nocturnes, ainsi que ses maux de tête du réveil. Juste avant la première consultation pour ses troubles du sommeil, le malade, après avoir nettoyé une vieille grange et un vieux grenier pleins de poussière et de fientes de pigeon, avait justement présenté une sérieuse crise d'allergie. Et c'est à la suite de cela qu'il s'était décidé à consulter un spécialiste.

L'examen clinique révèle une cloison nasale déviée, un élargissement et un épaississement des structures du pharynx, ainsi qu'un collapsus des parois du pharynx vers les voies respiratoires lors de l'inspiration forcée.

On lui a fait passer une épreuve en continu permettant d'évaluer les performances de la journée, dont le protocole consiste à appuyer sur un bouton chaque fois que le patient voit certaines lettres qui lui sont présentées au rythme d'une par seconde. Son résultat est de 44% alors que la moyenne habituelle est située entre 66 et 78%, ce qui indique une légère baisse de sa concentration plus importante le matin. Les enregistrements de son sommeil en laboratoire mettent en évidence un certain nombre de périodes récurrentes de 15 à 66 secondes, pendant lesquelles le malade cesse de respirer (apnée du sommeil), accompagnées d'une diminution de la saturation en oxygène (souvent au dessous de 50%) et d'un ralentissement de son pouls (50 à 55 pulsations par minute), suivi d'accélération (jusqu'à 90 pulsations à la minute). Sur l'enregistrement polysomnographique on ne retrouve aucune phase de sommeil profond. Ainsi se trouve confirmée la présence d'une apnée du sommeil qui interfère sur la qualité du sommeil nocturne et génère la somnolence et l'adynamisme du lendemain. L'examen révèle que l'obésité de Monsieur Grimm ainsi que les anomalies situées au niveau de la partie supérieure de son appareil respiratoire supérieur, se trouvent être à l'origine de l'apnée.

Discussion

Monsieur Grim présente tout d'abord une somnolence excessive diurne chronique, hypersomnie, qui se semble pas être symptomatique d'un autre trouble mental, tel qu'une Dépression majeure. On enregistre au contraire des facteurs organiques générateurs d'épisodes répétés d'apnée du sommeil qui donnent lieu à un sommeil non réparateur bien que normal quant à sa durée.

Le trouble du sommeil colligé sur l'Axe I, est une Hypersomnie liée à un facteur organique connu. Sur l'Axe III sont énumérés les facteurs organiques générateurs de l'apnée du sommeil, à savoir l'obésité, la déviation du septum de la cloison nasale, ainsi que les autres causes d'obstruction des voies aériennes supérieures, sans oublier les trois autres troubles organiques présentés par le malade : hypertension, hernie hiatale, diabète.

Les patients qui viennent consulter dans les centres spécialisés pour les troubles du sommeil ont très souvent une symptomatologie semblable à celle de Monsieur Grimm : ronflements, pauses respiratoires, problèmes au niveau des voies respiratoires supérieures, obésité, déviation de la cloison nasale. Il semble démontré que 85 % des cas d'hypersomnie ont un facteur organique connu. Dans 50 % des cas, il s'agit d'une apnée du sommeil.

Diagnostic selon le DSM-III-R

Axe I :   780.50 Hypersomnie liée à un facteur organique connu
           (p. 343)
Axe III : Apnée du sommeil associée à une obésité, une déviation
           de la cloison nasale, et à d'autres causes d'obstructions
           des voies aériennes supérieures
           Hypertension
           Hernie hiatale
           Diabète léger

Suivi

Le traitement de l'apnée du sommeil a consisté en une insufflation d'air en continu, grâce à une technique permettant d'accroître la pression de l'air inspiré par un appareil connecté au patient par l'intermédiaire d'un tube et d'un masque, installé pour la nuit, permettant ainsi de vaincre l'obstruction des voies aériennes. Le ronflement et la somnolence ont rapidement été améliorés, ce qui a permis au patient de se sentir motivé pour un régime comme il ne l'avait jamais été. Après six mois de diète, le patient, qui avait perdu environ 40 kilos, disait se sentir aussi en forme que lorsqu'il était jeune.

"La coquille vide"

Il s'agit d'une assistante vétérinaire, de vingt-trois ans, dont c'est la première hospitalisation en psychiatrie. Elle est adressée par un psychiatre de son quartier, tard le soir. Dès son arrivée, elle s'empresse de dire : "Je ne vois absolument pas ce que je fais ici".

Trois mois auparavant, après avoir appris que sa mère était enceinte, la malade se mit à boire - elle dira que c'était pour trouver le sommeil - rencontra des hommes pour une liaison d'un soir, puis, son angoisse montant, finit par vivre des états de transes au cours desquels elle avait l'impression de quitter son enveloppe corporelle. C'est alors qu'elle est ramassée par la police, qui la trouve en train de déambuler sur un pont en plein milieu de la nuit. Le lendemain, alors qu'elle est à nouveau libre, elle ne cesse d'entendre une voix qui lui ordonne de se jeter du haut d'un pont. N'en pouvant plus, elle finit par se confier à son patron qui, remarquant les cicatrices au niveau des poignets qu'elle paraissait à l'évidence s'être faites volontairement, décide de l'accompagner chez un psychiatre qui la fait immédiatement hospitaliser. Lors de son admission, la patiente, dont les vêtements sont froissés et la chevelure en désordre, ne semble pas être dans un état normal. Elle est manifestement anxieuse, mais son discours est cohérent. Elle ne pense pas que l'hospitalisation soit nécessaire, mais elle reconnaît se sentir seule et inutile, et avoue que depuis son adolescence, elle a toujours eu des périodes de dépression et d'anxiété. Récemment, elle a fait des rêves au cours desquels elle se poignardait elle-même ou bien donnait des coups de couteau à un bébé. Pour finir, elle se plaint de n'être "qu'une coquille vide et transparente aux yeux de tous".

Les parents de la patiente ont divorcé quand elle avait trois ans; elle passa les cinq années qui suivirent chez sa grand-mère maternelle et chez sa mère, qui est alcoolique. Elle avait alors des terreurs nocturnes qui la poussaient à aller se réfugier jusqu'au matin dans le lit de sa mère. A six ans, elle est placée dans une institution spécialisée pendant un an et demi, puis sa mère la reprend avec elle, contre l'avis des responsables de l'établissement. Quant elle perdit sa grand-mère à l'age de huit ans, elle se rappelle très bien d'avoir essayé de dissimuler son chagrin à sa mère. Elle passe la plus grande partie des deux années suivantes chez divers parents, parmi lesquels son père qu'elle n'avait pas vu depuis le divorce. Lorsqu'elle a neuf ans, sa mère est hospitalisée pour une Schizophrénie. De l'âge de dix ans jusqu'à la fin de sa scolarité à l'université, elle vit chez son oncle et sa tante tout en gardant des contacts réguliers et fréquents avec sa mère. Ses résultats scolaires sont bons.

Elle a eu, depuis son adolescence, de très nombreuses liaisons, mais elle n'a été que très rarement satisfaite de sa vie sexuelle. Ses relations amoureuses se terminent en général brutalement à la suite d'une dispute dont le motif est souvent futile et elle se dit alors que tout compte fait "ça ne valait pas la peine de rester avec lui". Plusieurs hommes ont déjà vécu avec elle, mais elle n'a jamais réussi à se stabiliser car elle est jalouse et ne supporte pas que son ami du moment puisse voir d'autres personnes qu'elle.

Dès sa sortie de l'université, elle a toujours travaillé régulièrement et efficacement comme assistante vétérinaire. Actuellement, elle travaille de nuit dans une clinique vétérinaire et vit seule.

Discussion

C'est au cours de ces trois derniers mois, à la suite de l'annonce de la grossesse de sa mère que cette jeune femme s'est mise à boire, qu'elle a fait plusieurs épisodes pathologiques évoquant une dépersonnalisation, qu'elle est devenue anxieuse, déprimée et suicidaire. Elle a même eu des hallucinations auditives transitoires qui lui commandaient de se tuer. Si la malade avait été indemne de tout antécédent psychopathologique, on aurait pu évoquer plusieurs diagnostics de l'Axe I, comme une Dépression avec caractéristiques psychotiques, un Abus d'alcool, ou même un Trouble de l'adaptation. Mais la notion de difficultés interpersonnelles au long cours, ainsi que les nombreux autres éléments cliniques tels que la solitude, la dépression, le sentiment d'inadéquation, etc., paraissent davantage en faveur d'un Trouble de la Personnalité dont l'épisode actuel ne serait qu'une exacerbation.

De fait, cette patiente présente un nombre suffisant de traits caractéristiques du Trouble de la personnalité limite pour en justifier le diagnostic. Elle développe en effet un mode général d'instabilité de l'humeur, des relations interpersonnelles et de l'image de soi-même ; ses relations intenses et instables avec les hommes se terminent dans la colère et le mépris. Son instabilité affective semble se manifester par des épisodes de courte durée d'humeur dépressive et d'anxiété évoqués par la malade, et qui se seraient manifestés dès son adolescence. Les sentiments permanents de vide ou d'ennui apparaissent à l'évidence dans la métaphore de "la coquille vide" par laquelle la patiente se définit elle-même. Existent également, au moins durant l'épisode actuel, une impulsivité (boisson et sexe), un comportement auto-mutilatoire (se taillader les poignets). Il n'est d'ailleurs pas exclu que ces derniers éléments cliniques aient déjà été présents lors de périodes de stress.

En ce qui concerne le diagnostic de l'épisode actuel, celui d'un Trouble psychotique, tel que le Trouble psychotique non spécifié ne se justifie pas. Les hallucinations de courte durée et la réaction egodystonique de la malade sont un exemple d'expérience psychotique transitoire qui n'est pas rare au cours de l'évolution d'un Trouble de la Personnalité limite.

Diagnostic selon le DSM-III-R

Axe I : V71.09 Absence de diagnostic ou d'affection (p. 409)
**Axe II : 301.83 Trouble de la Personnalité limite (borderline),
sévère (p. 391)**

Suivi

Après sa sortie de l'hôpital, la patiente a repris son travail et entrepris une psychothérapie à raison de deux séances par semaine. Sa thérapeute a bien senti la fragilité de la relation, la patiente demandant parfois d'être réassurée et de bénéficier de faveurs spéciales et à d'autres moments se montrant agressive, la thérapie étant alors considérée comme absolument inutile. Au bout de trois mois, la malade a eu une nouvelle liaison ; peu après, elle interrompait son traitement, en reprochant à sa thérapeute de ne pas s'occuper d'elle et de ne pas la comprendre.

L'homme au foyer

Tom Kaplan est un architecte de trente-cinq ans, marié, qui a pris récemment un poste de salarié dans un important cabinet de groupe. Il vit avec sa femme, âgée de trente ans et leur fils de trois ans, dans une vieille maison en banlieue qu'ils ont rénovée. C'est le psychiatre de sa femme qui l'a envoyé pour un bilan psychiatrique : au cours d'une séance à laquelle il participait avec elle, il avait dit que leurs disputes le fatiguait et qu'il se sentait "nerveux et irritable" depuis que, l'année précédente, sa femme avait commencé ses cours de première année de droit.

Le patient est un bel homme, de grande taille, mais dont les épaules sont arrondies et qui se tient voûté. Sur son visage, on lit une évidente expression soucieuse et attristée. D'humeur sombre, il commence le premier entretien en faisant remarquer que l'horaire ne lui convient pas du tout, alors qu'il l'avait accepté volontiers quand il avait pris rendez-vous.

Puis il se lance dans une longue diatribe. Il dit avoir tellement de travail qu'il est toujours à la traîne. Il lui faut préparer les repas et s'occuper des corvées domestiques, en plus de ses soixante-dix heures de travail par semaine. Et puis, il y a le cabinet où il est associé ; il n'est absolument pas question qu'il ralentisse le rythme et qu'il déçoive ainsi ses partenaires, alors qu'il a déjà retardé sa participation de plusieurs années par sa "tendance à garder ses idées créatrices" pour lui tout seul. En fait, il ne cesse de se demander tout le temps s'il est "vraiment créatif" et s'il ne va pas décevoir les autres quand il va leur montrer ses dessins. Ce sont ses doutes quant à sa propre valeur qui l'ont empêché de postuler pour d'autres cabinets prestigieux qui pourtant, dit-il, lui auraient parfaitement convenu, compte tenu de ses diplômes.

Tom ne se sent pas déprimé et il estime que son épuisement chronique provient du fait qu'il ne dort que cinq heures par nuit. Il dit, en guise de plaisanterie, qu'il ne pourrait survivre s'il n'y avait pas de supermarché ouvert 24 heures sur 24, ni de centre commercial ouvert les dimanches. Il en veut à sa femme, qui a du mal à faire ses études de droit et qui, en même temps, suit un traitement. En réalité, il apparaît à l'évidence, dans la suite de l'entretien, que c'est lui qui l'a encouragée à suivre ces études, alors qu'elle se satisfaisait de son emploi d'assistante juridique. Or ils doivent maintenant faire face aux dépenses occasionnées par la baby-sitter, qui viennent s'ajouter au prix des séances et aux frais d'inscription à la faculté.

Au bureau, Tom prend souvent sur son temps pour aller aider des collaborateurs moins expérimentés. Il doit donc terminer son travail chez lui, tard le soir ou pendant les week-ends, alors que sa femme étudie. (C'est aussi ce qui se passait à l'université : il aidait ses compagnons de chambre à faire leurs devoirs et remettait le sien à plus tard). Il pense que c'est parce qu'il est toujours prêt à rendre service qu'il est aimé de ses collègues, et il se sent rempli de fierté lorsqu'il ajoute : "Le croirez-vous, je n'ai pas pris de vacances depuis trois ans ! " Tom n'a pas d'amis proches, bien que plusieurs personnes aient tenté d'approfondir leurs relations avec lui. Ainsi, lorsque quelqu'un lui propose d'aller boire un verre ou de jouer aux échecs (ce qu'il aime bien faire), il refuse poliment en disant qu'il est désolé mais il est surchargé de travail. Après un ou deux refus, il finit par ne plus jamais être sollicité.

Tom est persuadé que les gens sont en majorité des paresseux et qu'ils s'écoutent trop. Parfois, il lui arrive malgré lui de provoquer l'hostilité de ses collègues lorsqu'il leur dit, par exemple : "Vous n'avez pas honte de partir en vacances alors qu'il reste tant de travail à faire ? " Mais le plus souvent, c'est à sa femme que ces remarques s'adressent. Selon elle, s'ils se disputent, c'est parce qu'il veut toujours avoir raison et qu'il adopte constamment une attitude critique.

Avant de se marier, Tom eut plusieurs maîtresses qui n'avaient pas fait d'études. Invariablement, cela finissait par une rupture pénible. Sa femme a été la première qu'il considère comme son égale sur le plan intellectuel.

Les jours fériés sont l'occasion d'autres sources de conflit dans le couple. La mère de Tom prend très mal le fait que son fils et sa famille ne puisse pas toujours aller la voir, même si, dans cette éventualité, il ne lui serait plus possible de rendre visite à ses beaux-parents. Tom se sent alors comme une victime innocente, pris entre deux femmes possessives. Cela ne fait que confirmer son sentiment : "Quoi que je fasse, ça sera mal. De toute façon, je ne peux pas faire plaisir à tout le monde ! "

Discussion

Lorsqu'il a été question d'introduire dans le DSM-III-R la catégorie diagnostique de la Personnalité à conduite d'échec, ceux qui n'y étaient pas favorables avaient fait remarquer qu'elle risquait de n'être attribuée qu'aux femmes. Or justement, ce cas concerne un sujet de sexe masculin.

Tom se trouve perpétuellement confronté à des personnes (maîtresses) et des situations (emplois) qui finissent par le décevoir. Il semble fuir les occasions de se distraire (en refusant les invitations qui lui sont faites) et échoue dans la réalisation des objectifs qui pourraient lui permettre d'avancer (en aidant ses collègues au détriment de son propre travail). Il se sacrifie de façon excessive et refuse, semble-t-il, toute aide venant des autres. Tels sont les traits caractéristiques d'un Trouble de la Personnalité à conduite d'échec, un Trouble de la Personnalité non spécifié correspondant à l'annexe A des propositions de catégories diagnostiques demandant des études supplémentaires.

Diagnostic selon le DSM-III-R

Axe I : V71.09 Absence de diagnostic ou d'affection (p. 407)
Axe II : 301.90 Trouble de la Personnalité non spécifié (Trouble de la Personnalité à conduite d'échec) (p. 403)

La peur du septième ciel

Lola, une laborantine de vingt-cinq ans est, depuis cinq ans, mariée à un chauffeur de taxi de trente-deux ans. Le couple a un fils de deux ans et semble vivre harmonieusement.

Mais Lola vient voir le psychiatre pour son problème de toujours : elle n'arrive pas à avoir d'orgasme. Jamais, en effet, elle ne l'a éprouvé, alors que pendant les rapports sexuels elle semble être bien suffisamment stimulée. Elle a essayé de se masturber et, à de nombreuses occasions, son mari a bien essayé de l'exciter, pendant de longs moments, par des caresses manuelles sans aucun résultat. Elle est pourtant très attachée à son mari, éprouve du plaisir quand ils font l'amour et ses sécrétions vaginales sont abondantes. Aux dires des deux partenaires du couple, le mari n'aurait pas, quant à lui, de problèmes sexuels.

L'étude de ses capacités cognitives à l'approche de l'orgasme révèle une vague appréhension d'une catastrophe à venir. Sur un plan plus général, la patiente avoue avoir peur de ne plus se contrôler. Habituellement, elle parvient à maîtriser ses affects, mais elle se montre particulièrement mal à l'aise si on lui demande d'exprimer de la colère ou de l'agressivité.

L'examen clinique ne révèle aucune anomalie.

Discussion

Les difficultés sexuelles dont souffre Lola ne touchent que la phase de l'orgasme du cycle de la réponse sexuelle (le désir d'activité sexuelle ainsi que l'excitation sexuelle sont normaux). Au cours de la relation sexuelle, la patiente est suffisamment stimulée, mais elle dit éprouver "une vague appréhension d'une catastrophe à venir" peu avant le moment de l'orgasme. Or ce type d'incapacité à avoir un orgasme correspond à une inhibition pathologique. Il n'existe pas d'autre trouble correspondant à l'Axe I, ni d'affection somatique capable de rendre compte de ces difficultés sexuelles. Le seul diagnostic possible est donc celui d'une Dysfonction sexuelle avec Trouble de l'orgasme à type d'inhibition de l'orgasme chez la femme.

Si, au cours du traitement, il apparaîssait que la peur de ne plus se contrôler correspondait à un Trouble de la Personnalité tel qu'un Trouble de la Personnalité obsessionnelle-compulsive, on conserverait le diagnostic de Dysfonction sexuelle. Par contre, si les difficultés sexuelles s'avéraient être rythmées par l'évolution d'un autre Trouble de l'Axe I, une Dépression majeure par exemple, elles devraient être considérées comme le symptôme de l'affection de l'Axe I, le diagnostic de la Dysfonction sexuelle ne devant même pas être mentionné.

Diagnostic selon le DSM-III-R

Axe I : 302.73 Inhibition de l'orgasme chez la femme, uniquement psychogène, chronique, généralisée (p. 331)

Fausses rumeurs

Bob, vingt-et-un an, se rend avec ses parents chez un psychiatre, à la demande de son conseiller universitaire. Dès le début de la consultation, il s'empresse de dire qu'il n'a aucun problème, que ses parents sont toujours à se faire du souci à son sujet et que c'est uniquement pour qu'ils cessent de l'ennuyer qu'il a accepté de venir. "Je dépends d'eux financièrement mais pas du tout sur le plan affectif", dit-il.

D'après ce que le psychiatre a réussi à savoir, il semble que Bob ait répandu des rumeurs fausses et médisantes à propos de professeurs qui l'auraient mal noté et dont il aurait dit qu'ils entretenaient des relations homosexuelles avec certains de leurs étudiants. L'autre raison qui a poussé le conseiller universitaire à proposer rapidement une consultation, c'est l'irrégularité de la présence de Bob au cours qui semble coïncider avec la rupture avec son amie en début de trimestre. De son côté, Bob affirme qu'on exagére ses problèmes de scolarité au point d'en oublier ses succès dans sa troupe de théâtre. Pour lui, tout va très bien. Quant aux rumeurs, il ne cherche pas à nier que c'est lui qui les a répandues. Il n'en éprouve aucun remords et ne se soucie absolument pas de ses conséquences.

Les antécédents de Bob sont difficiles à établir du fait qu'il refuse manifestement de trop s'y apesantir et que ses informations sont souvent contradictoires avec le récit de ses parents. Sa mère, toute vêtue de blanc, est une femme qui parle avec franchise. Manifestement, elle est anxieuse. Elle décrit Bob quand il était bébé comme un enfant superbe et plein de gaité, très doué et très éveillé. Elle se rappelle qu'après une fausse couche, quand Bob avait un an, elle et son mari avaient redoublé d'amour et d'attention pour leur fils. Le père est quelqu'un de solide. Cet homme, qui par ailleurs a réussi sa vie professionnelle, s'exprime avec douceur. Il se souvient d'une période de son existence au cours de laquelle lui et son fils avaient été très proches ; il se sentait très proche de son fils au point de se confier beaucoup à lui. Il a remarqué que Bob avait accueilli avec jalousie la naissance de ses deux autres frères : "Il aurait aimé rester fils unique", dit-il en riant. Il se rappelle aussi des conflits qui avaient opposé Bob à des représentants de l'autorité, de l'attitude parfois méprisante de son fils vis-à-vis de ses camarades de classe et ses frères.

Au cours de ses premières années d'école, il semble que Bob n'ait pas beaucoup joué avec les autres enfants de son âge. Quelques années plus tard, comme son professeur ne lui plaisait pas, il devint arrogant et refusa de participer en classe. Il continuait pourtant à avoir d'excellents résultats. Au collège, il a été mêlé à une histoire semblable à celle qui le conduit aujourd'hui à subir un bilan psychiatrique. A cette époque, il avait répandu des rumeurs sur un camarade avec lequel était en compétition pour un rôle dans la représentation théâtrale de l'école.

Il est clair que Bob n'a jamais voulu s'intégrer dans les classes qu'il a fréquentées. Il aime le cinéma et le théâtre sans jamais s'être intéressé au sport. Quand on lui demande pourquoi, il dit se sentir fier d'être différent de ses camarades. Solitaire qui ne se plaint pas de sa solitude, il conserve également vis-à-vis de ses parents une certaine distance et répond souvent par le silence à leurs tentatives d'entrer en communication avec lui. Selon eux, il y a derrière cette attitude de mise à l'écart un jeune homme seul et pas très heureux. Et même s'il est connu des autres étudiants, c'est surtout pour ses talents intellectuels et artistiques.

Bob reconnaît que les autres le trouvent froid et insensible, et qu'il n'a pas d'ami intime. Mais il trouve que cela n'a pas d'importance. Il se sent "fort" et si, selon lui, les autres le critiquent pour ces "qualités", c'est à cause de leurs propres faiblesses. Il est persuadé qu'en réalité ils meurent d'envie de s'intéresser à lui.

Bob a des "petites amies" occasionnelles, mais pas de liaison stable. Parmi le peu de choses que l'on arrive à savoir, il semble que la jeune fille avec laquelle il a rompu - rupture qui aurait causé en partie la baisse de ses résultats universitaires - était une personne à laquelle il était très attaché. C'est avec elle qu'il a eu son premier rapport sexuel. Leur relation se serait dégradée après qu'elle ait exprimé le désir de continuer à sortir et à voir ses amies.

Discussion

Ce cas clinique nous a été communiqué pour illustrer le Trouble de la Personnalité narcissique. On ne peut, effectivement, qu'être frappé par les idées de grandeur de Bob et son absence de sensibilité vis-à-vis d'autrui (manque d'empathie). Mais il faut bien avouer que lorsqu'il s'agit de mettre en évidence les trois critères nécessaires au diagnostic, nous sommes bien obligés d'aller au-delà du matériel clinique qui nous est fourni. Ainsi, nous pouvons supposer que c'est parce que Bob ne pense pas que les règles doivent s'appliquer à lui qu'il rentre en conflit avec l'autorité à propos du règlement, et cela justement parce qu'il a le sentiment que les choses lui sont dues.

En répandant des rumeurs sur ses professeurs et ses camarades, il n'a aucun respect de l'autre dans ses relations interpersonnelles. Le fait qu'il soit persuadé que ses camarades ne cessent de l'envier, les calomnies qu'il répand à l'encontre d'un étudiant avec lequel il était en rivalité, sont autant d'éléments permettant de rendre compte du fait qu'il est préoccupé à l'excès par des sentiments de jalousie. Quant à son besoin d'attention et d'admiration constante, il transparait dans la façon quelque peu théâtrale qu'il a de se présenter. Bien que cela n'apparait pas manifestement dans l'observation, il semble également que ce jeune homme soit absorbé par des fantaisies de succès illimité.

Diagnostic selon le DSM-III-R

Axe I : V71.09 Absence de diagnostic ou d'affection (p. 407)

Axe II : 301.81 Trouble de la Personnalité narcissique
(provisoire) (p. 395)

Les orages

Sheila est une femme au foyer de vingt-huit ans qui demande à être traitée pour une peur de l'orage qui n'a cessé d'augmenter. Cette peur, qui date de l'enfance, s'est légèrement estompée à l'adolescence, pour revenir avec plus d'intensité ces dernières années. C'est donc cette exacerbation graduelle de l'angoisse ajoutée à la peur de la transmettre à ses enfants, qui l'a poussée à consulter.

Cette peur panique de la foudre, la malade avoue ne pas pouvoir se l'expliquer. Tout ce qu'elle sait, c'est qu'elle craint d'être frappée par un éclair, alors qu'elle reconnaît qu'il y a peu de chance pour que ça lui arrive. Quand on lui demande d'associer, elle se met à imaginer que la foudre tombe sur un des arbres de son jardin, qui, en s'abattant, bloque son allée et l'empêche de quitter la maison. Cette peur de la foudre, comme celle du tonnerre, la patiente se rend bien compte qu'elle est irrationnelle et pourtant, bien avant que l'orage n'arrive, elle commence à s'inquiéter. Ainsi, une prévision météorologique annonçant une tempête pour la fin de la semaine suffit à la perturber plusieurs jours à l'avance. Mieux, bien qu'elle ne craigne pas la pluie, elle s'angoisse dès que le ciel se charge de nuages car cela implique une possibilité d'orage.

Pendant la tempête, elle utilise divers stratagèmes pour soulager sa peur. Comme le fait de se trouver avec d'autres personnes la calme, elle essaye d'organiser des visites chez des amies dès que l'orage menace ou encore d'aller faire des courses. Parfois, quand son mari est parti en voyage, elle reste toute la nuit avec une proche parente. Pendant la tempête, elle se couvre les yeux ou bien elle va se réfugier dans une pièce où il n'y a pas de fenêtre, pour ne pas voir les éclairs.

Sheila a trois jeunes enfants. Son mariage est harmonieux. Son mari, dit-elle, l'aide beaucoup quand elle a peur et c'est lui qui l'a encouragée à suivre un traitement psychiatrique. Physiquement, elle se porte bien. L'orage est la seule situation anxiogène qu'elle connaisse et elle affirme ne pas voir d'autre problème psychique. Peu après le début de son traitement, ses parents se sont séparés. Bien qu'elle avoue en avoir été affectée, elle considère que ce problème ne nécessite pas qu'on s'y intéresse dans le cadre de sa cure.

Son histoire personnelle, telle qu'elle la rapporte, ne présente rien de particulier sur le plan psychiatrique, mise à part cette peur de l'orage, qui, selon elle, lui viendrait de sa grand-mère. Elle dit ne jamais avoir présenté d'attaque de panique.

Discussion

Le malaise que ressentent certaines personnes les jours d'orage est sans commune mesure avec la peur persistante de cette femme du tonnerre et des éclairs. Véritable phobie dont l'aspect irrationnel n'échappe pas à la malade, cette crainte face à un stimulus bien délimité est mal tolérée, invalidante même pour la vie quotidienne. Bien que la malade ait peur d'être seule pendant l'orage, il ne s'agit pas pour autant d'une crainte de se retrouver dans des endroits ou des situations loin de la maison, comme dans l'Agoraphobie sans antécédent de Trouble panique. Cette peur ne semble s'accompagner ni de la crainte d'être humiliée ou embarrassée dans certaines situations sociales, comme dans la Phobie sociale, pas plus qu'elle ne prolonge le contenu idéique d'un Trouble obsessionnel-compulsif. Le diagnostic par élimination est donc celui d'une Phobie simple.

Diagnostic selon le DSM-III-R

Axe I : 300.29 Phobie simple, légère (p. 276)

L'épouse indigne

Connie est femme au foyer et mère d'un garçon de quatre ans, Robert. Son généraliste l'envoie chez un psychiatre, pour qu'elle se fasse traiter car elle se plaint d'être constamment déprimée et d'avoir des difficultés à se concentrer depuis qu'elle s'est séparée de son mari, il y a trois mois.

La rupture avec Donald, le mari de Connie, met fin à un mariage de cinq ans. Au cours des quatre dernières années, ils n'avaient cessé de se disputer violemment. Dès les premiers mois de la grossesse de Connie, Donald en été venu aux mains ; les coups qu'il lui appliquait étaient tellement forts que le visage ou les bras de Connie en étaient couverts de bleus. Leur dernière dispute éclata à propos d'un tricycle que Connie venait d'acheter à Robert. Donald mit un pistolet chargé contre la tempe de Robert en menaçant de le tuer si sa mère ne le rapportait pas au magasin. Connie obtint du tribunal une mesure de protection qui empêcha Donald de voir leur fils. Elle emmena Robert chez ses parents où ils vivent actuellement.

Connie est fille unique. Elle est allée au collège puis a suivi des cours de secrétariat. Pendant les six ans qui ont précédé son mariage, elle a travaillé comme secrétaire de direction, pour reprendre pendant deux ans juste après la naissance de Robert. Avant d'être mariée, Connie avait son appartement, à proximité du domicile de ses parents, qu'elle voyait toutes les semaines et qu'elle appelait deux fois par semaine. Elle était entourée de nombreux amis qu'elle rencontrait régulièrement, dont certains étaient d'anciens camarades de lycée. Adolescente, elle était bonne élève et très active : elle a même dirigé une équipe de sport. Au bureau où elle était secrétaire, c'était elle qui s'occupait d'organiser des soirées et de collecter de l'argent pour les cadeaux des employés. Elle est indemne de tout antécédent personnel ou familial de depression, de psychose, de toxicomanie. Le mariage des ses parents est solide et harmonieux, depuis 25 ans.

Connie a rencontré Donald au travail, alors qu'il était comptable. Ils se marièrent trois mois après s'être connus. Dès leurs premières sorties, elle s'était rendue compte que son fiancé prenait parfois de la cocaïne, mais il avait tenté de la rassurer en lui disant qu'il ne faisait cela que de façon épisodique pour ne pas se démarquer par rapport aux autres.

Diplômé de l'université, Donald est l'aîné de trois enfants. Son père buvait un demi-litre de vin chaque soir et battait souvent sa femme. Les deux frères de Donald sont eux aussi toxicomanes.

Au cours de leur première année de mariage, Donald se mit à critiquer sa femme et à s'emporter contre elle. Il voulait absolument qu'elle cesse de voir ou de téléphoner à ses amis, auxquels il avait condamné la porte de sa maison. Il en fut de même pour ses parents. Connie réussit à convaincre son mari d'essayer une thérapie de couple qu'il laissa tomber au bout de deux séances.

Bien qu'elle ait été déçue par son mari, Connie a voulu avoir un enfant. Le septième mois, une thrombophlébite l'obligea à rester allongée. C'est alors que Donald commença à reprocher à sa femme de ne pas faire les courses et de laisser l'appartement en désordre, l'idée qu'il puisse donner un coup de main lui étant par ailleurs totalement étrangère. Un matin, alors qu'il n'arrivait pas à mettre la main sur une chemise propre, il s'emporta contre sa femme jusqu'à lui donner des coups de poing. Elle finit par aller se réfugier chez ses parents. Au bout d'une semaine, il alla la chercher : il regrettait de l'avoir battue et acceptait de reprendre la thérapie de couple.

Cédant à la demande de ses parents et à la prière de son mari, Connie retourna donc chez elle. Son mari ne leva plus la main sur elle jusqu'à la naissance de Robert. Donald se mit ensuite à prendre de la cocaïne, lorsqu'il ne travaillait pas et les violences recommencèrent.

Depuis qu'elle est séparée de son mari, Connie est déprimée. En trois mois elle a perdu plus de quatre kilos. Elle pleure souvent, se réveille à 5 heures du matin sans pouvoir se rendormir. Depuis qu'elle l'a quitté, Donald téléphone à ses parents pour qu'ils lui demandent de revenir. Connie est allée consulter un généraliste, accompagnée de ses parents, et c'est à la suite de cette consultation, l'examen physique étant normal, que la patiente a été adressée au psychiatre.

Au moment de l'entretien, Connie est pâle et maigre, vêtue de jeans usés et d'un pull bleu. Sa coupe de cheveux est négligée et elle fait plus âgée que son âge. C'est d'un ton monocorde qu'elle parle de sa tristesse, de son manque de dynamisme. Le seul plaisir qui lui reste est d'être avec son fils. Pour ce qui est des soins, elle arrive très bien à faire face, mais elle ne joue pas souvent avec lui car elle est sans arrêt préoccupée. Elle ne voit actuellement personne d'autre que ses parents et son fils, mais elle pense qu'elle a mérité cette solitude. Tout, dit-elle, est de sa faute car si elle avait été une meilleure épouse, Donald aurait sans doute arrêté de prendre de la cocaïne. Quand on lui demande pourquoi elle est restée si longtemps avec lui, elle répond que sa famille, qui est contre le divorce, ne cessait de lui répéter qu'elle devait faire des efforts pour que son mariage dure. A l'idée qu'elle devra dorénavant travailler encore d'avantage pour élever son fils, Connie se sent complètement découragée : elle pense ne jamais pouvoir y arriver.

Discussion

Lors de sa consultation, Connie a tous les symptômes caractéristiques d'une Dépression majeure : humeur dépressive persistante, sentiment de n'avoir aucune valeur, difficultés de concentration, amaigrissement, troubles du sommeil. Ce tableau clinique est d'ailleurs assez fréquent dans les situations de rupture.

On peut se demander si la patiente ne présente pas un Trouble de la Personnalité permettant de rendre compte du fait qu'elle soit restée avec un homme qui la maltraite tant psychologiquement que physiquement.

Il est difficile de prouver que Connie ait choisi ce mari parce qu'il est violent ou parce qu'elle se complaisait dans le rôle de la victime. Il semble au contraire que le maintien des relations conjugales puisse être expliqué par son auto-dévalorisation et les pressions qu'elle a subies de la part de son entourage.

A noter que dans ces cas extrêmes de mauvais traitement, il arrive que la femme risque réellement sa vie et celle de ses enfants en quittant son mari.

Diagnostic selon le DSM-III-R

Axe I :   296.22 Dépression majeure, épisode isolé, modérée
            (p. 259)
Axe II :   Aucun
Axe III :   Aucun
Axe IV : Facteurs de stress psycho-sociaux : mauvais traitement de
            la part du mari Sévérité : 5 - Extrême (circonstances
            essentiellement durables)
Axe V :   EGF actuel : 45
            EGF le plus élevé dans l'année écoulée : 75

Suivi

La dépression de Connie a été traitée par une chimiothérapie associée à une psychothérapie individuelle et à une thérapie de groupe avec d'autres femmes qui avaient été maltraitées par leurs maris.

Au bout de six mois, elle n'était plus déprimée : elle s'était acheté de nouveaux vêtements et fait couper les cheveux, ce qui la rajeunissait et qui lui allait mieux. Elle a trouvé un emploi de secrétaire de direction et confié pour la journée son fils Robert à un centre de soins dont elle suit les activités réservées aux parents. Quand elle est avec lui, le soir et les week-end, elle a maintenant plaisir à s'en occuper. Elle a recommencé à voir ses amis.

Grâce à l'aide financière de ses parents, Connie a entamé une procédure de divorce et demandé une pension alimentaire pour son fils.

Vertiges

Il s'agit d'une femme au foyer de quarante-six ans, épouse d'un patient déjà suivi par un psychiatre. Lors de leurs entretiens, son mari, en parlant des leurs conflits, avait évoqué les "crises de vertiges" de sa femme qui la rendaient incapable de faire quoi que ce soit. C'est donc à la demande du psychiatre du mari que l'épouse accepte d'être examinée.

Lors de la consultation, elle dit présenter quatre ou cinq fois par semaine une sensation d'étourdissement extrême, s'accompagnant d'un léger état nauséeux. Pendant ces crises, la pièce devient alors étincelante et elle a l'impression de perdre l'équilibre, puis de flotter. Inexplicablement, ces attaques se produisent presque toujours vers 16 heures. Elle doit alors se coucher et c'est seulement vers 19 ou 20 heures qu'elle se sent mieux. Une fois remise, elle passe le reste de la soirée à regarder la télévision. Le plus souvent, elle s'endort dans le salon et finit par regagner sa chambre vers les deux trois heures du matin.

Son généraliste lui a affirme qu'elle se portait bien, et les consultations chez le neurologue et l'ORL n'ont rien révélé d'anormal. L'hypothèse d'une hypoglycémie a été éliminée par le test de tolérance au glucose.

Quand on la questionne sur son mariage, elle dit que son époux est un véritable tyran, exigeant et l'insultant ainsi que leurs quatre enfants. Elle admet qu'elle appréhende son retour le soir, à la maison, car elle sait très bien qu'elle aura à subir les mêmes récriminations du genre : "la maison est en désordre et le repas n'est pas bon". Depuis l'apparition de ses crises, son mari et ses enfants étaient obligés d'aller dîner dans un fast-food ou dans la pizzeria du quartier. Puis, il s'installait devant la télé de leur chambre pour regarder un match, ce qui avait pour résultat de réduire leur conversation au minimum. En dépit de tous ces problèmes, la patiente dit aimer son mari et ne pas pouvoir se passer de lui.

Discussion

Cette femme se plaint de divers symptômes physiques (sensation d'ébriété, nausées, troubles visuels, perte de l'équilibre) évoquant la possibilité d'une affection somatique, mais les investigations approfondies pratiquées par différents spécialistes se sont avérées totalement négatives. Une fois éliminé un trouble physique spécifique, il s'agit de faire le diagnostic entre des symptômes physiques non diagnostiqués et un trouble mental. Le contexte dans lequel se produisent ces manifestations permet de présumer de l'importance des facteurs psychologiques. Leur survenue correspond très exactement avec le retour à la maison d'un mari dont les reproches et les insultes sont en eux-mêmes un stress important.

Il ne s'agit pas d'un Trouble factice ou d'une Simulation, bien que nous ne puissions pas éliminer formellement une production intentionnelle de symptômes (telle, par exemple, qu'une prise de médicaments susceptibles de les provoquer ou l'affirmation fausse de leur survenue). Bien que les manifestations cliniques soient évocatrices d'attaques de panique, rien ne permet de penser qu'elles surviennent à l'improviste, comme dans un Trouble panique. Il s'agit donc d'un Trouble somatoforme, affection qui se caractérise par la survenue de symptômes physiques évocateurs d'une affection somatique.

Comme les plaintes de la patiente ne semblent pas s'intégrer dans un contexte polysymptomatique installé depuis longtemps et concernant différents appareils, nous éliminerons le Trouble : Somatisation pour ne retenir que le Trouble de Conversion dont la symptomatologie se limite à une altération des fonctions physiques.

Diagnostic selon le DSM-III-R

Axe I : 300.11 Trouble de Conversion (p. 292)

Ne tombez surtout pas malade !

Monsieur Michael, un programmeur en informatique de vingt-huit ans, consulte un psychiatre pour des peurs irraisonnées qui l'empêchent de rendre visite à son beau-père qui est en train de mourir à l'hôpital. Il craint, dit-il, d'être confronté à des situations impliquant blessures physiques ou maladies. Par exemple, il ne peut supporter les prises de sang ou encore voir, ou même entendre, parler des gens malades. Aussi évite-t-il d'aller chez le médecin, même quand il en aurait besoin, de rendre visite à des amis ou à des parents malades, ou d'entendre des récits d'interventions chirurgicales, d'accidents ou de maladies. Depuis cinq ans, il est végétarien, ce qui lui évite de penser aux animaux qu'on a tués.

Le patient fait remonter le début de cette peur à sa neuvième année, le jour où un professeur avait fait un récit détaillé d'une opération d'une jambe qu'il avait subie. A mesure qu'il l'écoutait, l'angoisse commença à l'envahir. Il eut alors des vertiges, se mit à suer abondamment, puis finit par s'évanouir. Il se rappelle aussi le cauchemar qu'ont été pour lui, tout au long de ses années d'école, les séances de vaccination et les examens médicaux de routine. Il évoque aussi les nombreux évanouissements et étourdissements de son adolescence et de sa vie d'adulte, dès qu'il était le témoin de l'accident le plus minime, qu'il entendait parler d'une blessure ou d'une maladie, qu'il apercevait une personne malade ou défigurée. Récemment, dans un magasin, alors qu'il venait de croiser quelqu'un qui était dans une chaise roulante, il essaya mentalement de se mettre à sa place et d'imaginer sa souffrance. Il en fut tellement bouleversé qu'il finit par tomber par terre évanoui.

Michael nie avoir eu d'autres problèmes psychiques. Il aime son travail, s'entend bien avec sa femme et ses amis sont nombreux.

Discussion

L'idée même de se trouver directement ou indirectement dans une situation se rapportant à une maladie ou une blessure physique suscite, de la part de Monsieur Michael, une réaction de peur. Il sait bien qu'il s'agit là de quelque chose de totalement irrationnel mais cela ne l'empêche pas d'essayer par tous les moyens d'essayer de se soustraire aux situations qu'il redoute. Bien que l'angoisse et la conduite d'évitement n'aient pas, apparemment, d'incidence sur sa vie quotidienne et ses activités sociales, le patient préfère consulter pour en finir avec cette peur qui le dérange.

Comme cette crainte ne semble pas s'inscrire dans le contexte d'un Trouble obsessionnel-compulsif (comme il en est de l'obsession d'être contaminé par des microbes), ni même d'un Trouble : Etat de stress post-traumatique (qui peut, par exemple, se produire après avoir été le témoin d'une mutilation sur un champ de bataille), on ne peut que retenir le diagnostic d'une Phobie simple.

Monsieur Michael présente un type particulier de Phobie simple, appelé Phobie du sang et des plaies. Comme beaucoup de personnes qui ont ce type de Phobie, notre malade éprouve une sensation d'évanouissement imminent dès qu'il se trouve en contact avec le stimulus phobogène. Ce symptôme est d'ailleurs rarement retrouvé dans les autres formes de Phobie simple, qu'il s'agisse d'une Phobie de l'avion ou des animaux, d'une Phobie sociale ou d'une Agoraphobie.

Diagnostic selon le DSM-III-R

Axe I : 300.29 Phobie simple (p. 276)

Les collants

Un artisan photographe de trente-deux ans, célibataire, vient consulter un psychiatre, car il pense que ses "pulsions sexuelles ne sont pas normales". Il avoue en effet que, bien qu'il soit sexuellement attiré par les femmes, il l'est surtout par leurs "collants".

Aussi loin qu'il soit capable de se souvenir, il a commencé à éprouver sa première excitation sexuelle vers sa septième année. Il était tombé sur un magazine pornographique et s'était senti très excité par des photos de femmes vêtues de leurs seuls collants. C'est en se repassant mentalement ces images qu'il eut par la suite sa première éjaculation à l'âge de treize ans, alors qu'il se masturbait. Puis il recommença à se masturber avec les collants qu'il avait volés à ses soeurs jusqu'à ce que cela devienne une habitude. Enfin, il déroba des collants à des amies et aux autres femmes qu'il avait l'occasion de rencontrer. Il trouvait toujours un prétexte, à l'occasion d'un dîner ou d'une soirée par exemple, pour aller fouiller dans leur chambre, pour ensuite s'en servir pour se masturber et les conserver dans une cachette connue de lui seul. Ce comportement - se masturber dans des dessous féminins pour atteindre l'orgasme - bien que prévalent depuis l'adolescence jusqu'à l'actuelle consultation, ne résume cependant pas la sexualité de ce patient.

Depuis qu'il a eu ses premiers rapports, à l'âge de dix-huit ans, le patient a de fréquentes relations sexuelles. Sa partenaire préférée est une prostituée payée pour porter des collants dont l'entre-jambes est découpé pour l'acte sexuel. Lorsqu'il lui arrive d'avoir des rapports sexuels avec une partenaire qui ne porte pas de collants, son excitation est moins intense.

Le patient avoue qu'il ne se sentait pas à l'aise avec des femmes "comme il faut", dès que leurs relations évoluaient sur un mode amoureux et qu'il les sentait alors incapables de comprendre ses désirs érotiques. C'est pourquoi il évite de sortir avec des amis qui seraient susceptibles de le mettre en relation avec elles. Il reconnaît avec une certaine complaisance que son physique, son style et sa profession font de lui un célibataire très attirant mais il regrette que ses fantasmes sexuels puissent ainsi limiter ses relations sociales.

La consultation chez le psychiatre coincide avec la mort soudaine et inexpliquée de sa mère. Bien qu'il dit souffrir de se sentir isolé, il reconnaît que le plaisir qu'il tire de ses expériences le fait douter de sa détermination à trouver une solution à son problème.

Discussion

Le premier émoi sexuel dont cet homme se souvient semble avoir été provoqué par des images de femmes exhibant des "collants". Depuis cette époque, il n'a cessé d'avoir des impulsions sexuelles intenses et des fantaisies sexuellement excitantes qui, lorsqu'il les agit, impliquent l'utilisation d'objets inanimés (collants, qu'ils soient ou non portés par une femme). Tous ces traits évoque le diagnostic de Fétichisme.

Le fétichisme est bien différent du Transvestisme fétichiste de l'hétérosexuel masculin pour lequel le fait de s'habiller comme une femme est une source d'excitation sexuelle. Dans le Fétichisme, les objets inanimés (dans le cas de ce patient un vêtement féminin) sont en eux-mêmes excitants ; ils ne le sont, dans le Transvestisme fétichiste, que dans la mesure où ils permettent au sujet de se travestir.

Comme cela est généralement le cas dans les Paraphilies, l'activité sexuelle déviante, génératrice de plaisir par elle-même, ne pose problème que par ses conséquences (humiliation, peur d'être démasqué ou poursuivi devant les tribunaux). Ce sont elles qui amènent généralement le malade à la consultation.

Diagnostic selon le DSM-III-R

Axe I : 302.81 Fétichisme, sévère (p. 317)

Assis auprès du feu

Paddy O'Brien est un célibataire de vingt-six ans, qui vit avec sa mère et ses deux frères aînés dans leur ferme familiale de l'ouest de l'Irlande. L'examen psychiatrique auquel il a été soumis s'inscrit dans le cadre d'une étude épidémiologique concernant la famille des malades mentaux.

Sa mère décrit Paddy comme un jeune garçon resté "normal" jusqu'à l'adolescence. Il n'était alors que légèrement au dessous de la moyenne à l'école, il avait des amis avec lesquels il jouait après la classe et aidait ses frères et son père aux travaux de la ferme. Ce n'est qu'à l'âge de quatorze ans qu'il commença à se désintéresser de son travail scolaire. En classe, il restait à regarder dans le vide et n'écoutait plus le professeur. Après les cours, sa mère avait remarqué qu'il ne jouait plus avec ses amis ; il rentrait directement à la ferme pour venir s'installer à côté de la cheminée. Plus ça allait, plus il devenait difficile de le faire travailler à l'exploitation. Parfois il revenait à la maison en disant qu'il avait terminé ce qu'il avait à faire, alors qu'en réalité, on finissait par se rendre compte quelques heures plus tard qu'il n'avait trait que quelques vaches et ramassé qu'une partie des oeufs.

A seize ans, son état n'ayant cessé d'empirer, on fut obligé de retirer Paddy de l'école pour le faire admettre à l'hôpital psychiatrique du comté. Le dossier rapporte qu'il restait dans son coin et qu'il était totalement indifférent à ce qui se passait dans le service, sans pour autant que l'on puisse mettre en évidence de symptomatologie psychotique. Après cette hospitalisation, Paddy n'a été hospitalisé que de façon intermittente ; depuis un an et demi, il se rend deux fois par semaine à l'hôpital de jour.

Au moment de l'entretien avec l'équipe de chercheurs, Paddy est un jeune homme obèse, plutôt échevelé. Il ne répond aux questions le plus souvent que par des "oui", "non", ou "peut-être". Il semble qu'il n'ait pas de symptômes psychotiques, pas de dépression ou d'euphorie ; il a bon appétit et prétend ne pas manquer de dynamisme. Il avoue cependant être "nerveux", mal dormir et ne pas se sentir à l'aise avec des personnes étrangères à sa famille. On ne parvient pas à capter son regard : il a les yeux fixés à terre. L'affect semble inexistant. Malgré toutes ses efforts, le psychiatre ne parvient pas à établir un contact avec lui.

Selon sa famille, quand Paddy n'est pas à l'hôpital de jour, il reste assis toute la journée auprès du feu. Les rares fois où l'on parvient à le faire participer au travaux de la ferme, il ne s'écoule généralement pas un quart d'heure, avant qu'il ne retourne à son fauteuil. A moins qu'on ne l'y force, il ne change pas de vêtements et ne se lave pas. Il refuse d'assister aux réunions de famille ou de participer aux obligations sociales et cela fait longtemps que ses amis d'enfance ont cessé de venir le voir.

A l'hôpital de jour, Paddy accepte parfois d'effectuer les tâches simples qui lui sont proposées dans le cadre de la thérapie occupationnelle, mais il laisse tomber rapidement pour aller s'asseoir dans la salle. Sa famille, comme le personnel, a bien remarqué qu'il est tout à fait au courant de ce qui se passe autour de lui, comme le prouvent les commentaires qu'il lui arrive de faire, à l'occasion. Ni sa famille, ni le personnel psychiatrique n'a pu mettre en évidence le moindre symptôme psychotique.

Discussion

Paddy a très certainement un déficit général de l'adaptation dans les relations interpersonnelles ainsi que des singularités de l'idéation, de l'aspect et du comportement qui ne sont pas sans évoquer un Trouble de la Personnalité schizotypique. Le malade est anxieux dans les situations sociales, sa tenue est négligée, son comportement étrange. Il n'a aucun ami proche et ni de confident. On note également une bizarrerie du discours et une restriction de l'affect. Pourtant, le tableau clinique semble davantage correspondre à une symptomatologie résiduelle de Schizophrénie qu'à un simple trouble de la personnalité, du fait de la gravité des symptômes négatifs et du handicap social, de la brutalité et de l'importance de la détérioration par rapport au niveau antérieur.

Pourtant, si on applique strictement les critères du DSM-III et du DSM-III-R, il n'est absolument pas possible de porter le diagnostic de Schizophrénie si l'on ne peut pas mettre en évidence de symptomatologie psychotique manifeste. Or le cas clinique de Paddy correspond bien à la définition de la Schizophrénie simple de Bleuler qui se caractérise par des symptômes autistiques primaires, un relâchement des associations ainsi que d'autres "troubles de la pensée", un émoussement affectif, une détérioration marquée du niveau de fonctionnement, en l'absence de symptômes psychotiques secondaires (idées délirantes ou des hallucinations).

Aussi serait-il souhaitable que la catégorie diagnostique de la Schizophrénie simple puisse figurer dans le DSM-IV en tant qu'entité à part entière que l'on pourrait baptiser, par exemple, Trouble : Simple Détérioration. Selon la classification actuelle du DSM-III-R, le seul diagnostic possible est celui d'un Trouble de la Personnalité schizotypique, sévère, tout en sachant bien qu'en réalité la modification marquée du fonctionnement de Paddy, à l'âge de quatorze ans, ne s'accorde pas du tout avec un diagnostic de Trouble de la Personnalité.

Diagnostic selon le DSM-III-R

Axe I :   V71.09 Absence de diagnostic ou d'affection
Axe II : 301.22 Trouble de la Personnalité schizotypique (p. 385)

Le devoir conjugal

Monsieur et Madame B. sont mariés depuis quatorze ans et ont trois enfants âgés de huit à douze ans. Tous deux ont fait des brillantes études. Ils viennent d'Ecosse, région qu'ils ont quittée il y a dix ans par suite du travail de Monsieur B., consultant industriel. Ils viennent voir un psychiatre parce que Madame B. en a assez de vivre sa sexualité comme un "devoir" et de ne jamais avoir eu de plaisir depuis qu'ils sont mariés.

Avant leur mariage, Madame B. était très excitée par les baisers et les caresses de son fiancé. Mais les deux fois où ils ont eu des rapports sexuels avant le mariage, son plaisir a été gâté par un fort sentiment de culpabilité, de même qu'elle se reproche actuellement d'avoir tout fait pour que son mari l'épouse. Ce n'est véritablement qu'au moment de sa lune de miel, que le sexe devient pour elle une corvée dont elle n'a jamais pu retirer aucun plaisir. Même si elle ne s'est jamais refusée à son mari, il est rare qu'elle ait un désir sexuel spontané. Elle ne se masturbe jamais, n'a jamais eu d'orgasme et considère que toute variation, du type sexualité orale, est absolument répugnante, toute préoccupée qu'elle est par l'idée de ce qu'en penserait sa famille.

Madame B. n'est pas loin d'être persuadée que toutes les femmes de la génération précédente, pour lesquelles elle a du respect, n'ont jamais aimé le sexe et que, malgré la nouvelle vogue, seules les femmes grossières et écoeurantes se laissent aller à ces actes "bestiaux". Aussi, la sexualité du couple B. est-elle régulière mais peu fréquente, au point que le mari n'est que très médiocrement satisfait. Chaque fois qu'elle sent venir le plaisir, des pensées négatives lui viennent à l'esprit : "Qu'est-ce que je suis sinon une minable ? " ou "Si je commence à aimer ça, il voudra qu'on le refasse" ou encore "Comment est-ce qu'après ça je pourrais me regarder dans une glace ?" Elle devient alors froide et imperméable au plaisir, et finit par ne plus rien éprouver. Souvent, elle se trouve de bonnes excuses, telles que la fatigue ou les soucis, pour se donner des raisons d'éviter un rapport.

C'est donc en toute lucidité que Madame B. s'adresse à un psychiatre, afin de savoir si elle est normale ou pas. Son mari, très tolérant face à cette situation, espère bien qu'ils parviendront à trouver une solution car il est en réalité très malheureux.

Discussion

Ce couple vient consulter pour des difficultés sexuelles déjà anciennes que seule la femme semble présenter. Il apparait nettement qu'elles sont directement liées à son attitude négative vis-à-vis de la sexualité, et qu'elles ne correspondent à aucun trouble non sexuel de l'Axe I, tel qu'une Dépression majeure. Bien que la patiente présente à l'évidence une aversion persistante pour le contact génital ainsi qu'un désir de se soustraire à toute relation sexuelle, il ne s'agit pas d'un Trouble : Aversion sexuelle car les relations sexuelles sont en réalité régulières, bien que peu fréquentes. Par contre, l'absence persistante de fantaisies imaginatives d'ordre sexuel et de désir d'activité sexuelle justifient le diagnostic du Trouble : Baisse du désir sexuel. Le diagnostic additionnel de Trouble de l'excitation sexuelle chez la femme doit également être porté : les rares fois où la patiente a une relation sexuelle, le sentiment subjectif d'une excitation sexuelle lui fait probablement défaut. Quant au diagnostic d'Inhibition de l'orgasme chez la femme, il apparaît totalement inadéquat, puisqu'il concerne les absences d'orgasme survenant après une phase d'excitation normale lors de nombreux rapports sexuels, ce qui n'est évidemment pas le cas ici.

Le fait que le mari n'évoque, quant à lui, aucun problème particulier doit être noté sur l'Axe I de son évaluation : Absence de diagnostic ou d'affection.

Diagnostic selon le DSM-III-R

Femme :
Axe I : 302.71 Trouble : Baisse du désir sexuel exclusivement psychogène, chronique, généralisé (p. 330)
Trouble de l'excitation sexuelle chez la femme, à éliminer

Mari :
Axe I : V71.09 Absence de diagnostic ou d'affection

La chanteuse d'opéra hongroise

Eva, une chanteuse d'opéra hongroise, âgée de trente-neuf ans, se trouve réadmise à l'hôpital psychiatrique parce que, depuis plusieurs nuits, elle ne cesse de chanter et de prier au point d'empêcher sa famille de dormir. Elle est vêtue de couleurs flamboyantes, avec une longue jupe rouge et un chemisier aux motifs rustiques, parée de lourdes boucles d'oreilles, de nombreux colliers et bracelets, avec des médailles sur la poitrine. Eva parle très vite et dès qu'elle se met à aborder sa relation intime avec Dieu, il est absolument impossible de l'interrompre. Souvent elle se met tout d'un coup à chanter, puis elle explique que sa superbe voix est un don tout particulier que Dieu lui a accordé afin de la dédommager de sa folie. Elle lui sert pour partager avec d'autres, moins heureux qu'elle, la joie qu'elle ressent.

Eva a déjà été admise une dizaine de fois dans ce même hôpital au cours des vingt dernières années certaines à la suite de tentatives de suicide graves qu'elle avait faites quand elle était déprimée, d'autres fois pour un état maniaque, d'autres fois enfin parce que, selon ses propres paroles, elle était "juste un peu dérangée".

Bien qu'elle ait une belle voix, elle n'a pas réussi en faire un métier, vu que, ces quinze dernières années, elle a passé une bonne partie de son temps à l'hôpital psychiatrique. Cela fait plusieurs années qu'elle est suivie par le même thérapeute. Elle est persuadée qu'il communique avec elle grâce à une station de radio locale, pour lui donner des instructions quant à la façon de vivre sa vie entre les séances. Eva reçoit également des illuminations de Kahlil Gibran et d'Adèle Davis, dont elle peut entendre les conversations.

Discussion

On admettra facilement, à la lecture de cette observation, que cette malade présente un Episode maniaque qui s'accompagne d'une humeur expansive (chansons, tenue aux couleurs flamboyantes), d'une logorrhée (il n'est pas facile de l'interrompre), d'une réduction du besoin de sommeil, d'idées de grandeur (communication avec Dieu). On retrouve dans ses antécédents des épisodes similaires, ainsi que des états dépressifs avec tentatives de suicide. Alors qu'elle n'était ni déprimée ni maniaque, la malade semble avoir eu des épisodes psychotiques (idées délirantes, hallucinations). Elle prétend n'avoir été que "juste un peu dérangée", alors qu'en réalité il devait s'agir, comme cette fois-ci, d'idées délirantes de référence (le médecin, qui la soigne, lui envoie des messages radio).

Ainsi, l'association d'antécédents d'épisodes maniaques (avec ou sans épisodes dépressifs) et d'une symptomatologie psychotique qui persiste en dehors du Trouble de l'humeur, permet d'affirmer le diagnostic d'un Trouble schizo-affectif, de type bipolaire.

Diagnostic selon le DSM-III-R

Axe I : 295.70 Trouble schizo-affectif, de type bipolaire (p. 236)

Suivi

Eva a été hospitalisée beaucoup d'autres fois après cette admission. Elle est traitée avec un neuroleptique, l'halopéridol et un stabilisateur de l'humeur, le lithium, sans grands résultats sur les symptômes psychotiques et l'instabilité extrême de l'humeur dont les oscillations n'ont jamais véritablement pu être réduites. La plupart du temps, elle n'est ni maniaque ni déprimée, mais psychotique. Souvent elle gesticule, crie, pousse sans arrêt des hurlements en réponse à ses idées délirantes bizarres et à ses hallucinations, "des voix, dit-elle, qui profèrent des obscénités à propos des organes génitaux des gens qu'elle rencontre".

Eva vivait avec sa mère et son fils. Devenu adolescent, son fils se mit à lui faire des reproches et à la provoquer, du fait qu'il n'arrivait plus à supporter son comportement. En vieillissant, la mère d'Eva eut de plus en plus de mal à les tempérer et finit par refuser de reprendre sa fille lors de sa dernière hospitalisation. Eva a donc été transférée à l'hôpital public qui refusa de la garder plus de quelques semaines ; la dernière fois que nous avons eu de ses nouvelles, la malade avait dévasté à nouveau la maison de sa mère.

Analgésiques

Lee, un homme noir de vingt-sept ans, se présente au service des urgences de l'hôpital. A la responsable de l'accueil, il découvre son bras droit pour lui montrer un abcès qui, dit-il, "est très douloureux". Pendant qu'elle remplit son dossier, Lee, dont le regard est caché par des lunettes noires, ne cesse de se balancer d'avant en arrière. Subitement, il perd patience et se met à élever la voix pour lui reprocher de lui poser des "questions stupides", comme par exemple, le prénom de jeune fille de sa mère. Lors de son entretien avec le médecin, il avoue très facilement que c'est depuis qu'il a pris, il y a huit heures, "six ou huit sachets d'héroïne à dix dollars chacun", qu'il ne se sent pas bien : son bras est tellement douloureux qu'il exige qu'on lui donne des antibiotiques et des analgésiques.

Lee prend quotidiennement de la cocaïne depuis presque deux ans, c'est-à-dire depuis qu'il a fini de purger sa peine de six mois pour avoir eu de la drogue en sa possession. Plus épisodiquement, il s'injecte dans les veines du *Valium*, de l'*Ativan* et de l'alcool. Il boit beaucoup et fume deux paquets de cigarettes par jour. Au cours des deux dernières semaines, Lee dit avoir pris de l'héroïne, du tabac, et rien d'autre.

Pendant l'examen, on remarque que le malade a du mal à rester assis, qu'il sue abondamment et qu'il n'arrête pas de bailler. Ses pupilles sont dilatées, il présente une pilo-érection ; ses yeux sont baignés de larmes ; il a le nez qui coule. Son pouls est accéléré, ses mains tremblent et sur ses bras, on remarque les points d'injection, des croûtes au niveau des veines de l'avant-bras et un important abcès au niveau de l'avant-bras droit. Tout au long de l'examen, le malade ne cesse de réclamer des analgésiques opiacés.

Après lui avoir vidé l'abcès, administré un anesthésique local puis des antibiotiques per os, on adresse le malade au centre de cure des toxicomanes situé à proximité. Pour la douleur, on lui donne de l'aspirine. Au moment de quitter la salle des urgences, on l'entend dire à voix etouffée que ce qu'on lui a donné, c'est "du zéro".

Discussion

Cela fait donc près de deux ans que ce patient prend des quantités importantes d'héroïne (un opiacé) par voie intra-veineuse. Au moment de son admission aux urgences, alors que sa dernière prise remontait à huit heures, il présentait une symptomatologie typique de sevrage aux opiacés : intense besoin de drogue (à défaut d'héroïne, il demandait un analgésique opiacé), avec baillements, larmoiement, rhinorrhée, dilatation pupilaire, pilo-érection et sueurs. Les autres symptômes fréquemment rencontrés dans les syndromes de sevrage aux opiacés sont constitués par des nausées et des vomissements, des douleurs musculaires, de la diarrhée, de la fièvre et une insomnie.

Lee a été en prison pour avoir de l'héroïne en sa possession et semble présenter depuis longtemps un état de dépendance à ce produit. Ce diagnostic qui ne devra cependant être établi qu'à titre provisoire, en raison du peu d'informations que nous possédons.

Diagnostic selon le DSM-III-R

Axe I 292.00 Syndrome de sevrage aux opiacés (p.172)
       304.00 Dépendance aux opiacés, sévère (provisoire)
       (p. 188)

L'acheteur récalcitrant

Un comptable de trente ans est adressé par son médecin à un psychiatre pour consultation. Il présente des peurs soudaines et récurrentes, s'accompagnant de sueurs, d'une impression d'avoir le "souffle coupé", de palpitations, de douleurs au niveau du thorax, de sensations d'étourdissement, d'insensibilité dans les doigts de la main et les pieds, d'une impression de mort imminente. Son médecin lui a donc fait un bilan de santé complet, avec électrocardiogramme, bilan sanguin et test de tolérance au glucose, qui s'est révélé parfaitement normal.

Le patient est marié depuis cinq ans, sans enfant. Après avoir suivi les cours du soir de maîtrise en gestion, passé son examen avec succès, il a été embauché immédiatement dans une entreprise. Son travail lui plait. Il s'entend bien avec sa femme, qui est enseignante. Ils comptent parmi leurs amis plusieurs autres couples avec lesquels ils aiment sortir.

Ces crises, qui se produisent sans qu'on s'y attende et dans n'importe quelle circonstance, plusieurs fois par semaine, ont fini par empêcher le patient de sortir en voiture ou d'aller dans les grands magasins. Désormais, sa femme doit l'accompagner dans ses déplacements et, le mois dernier, il n'a pu se sentir à l'aise que chez lui, avec elle. Il en est arrivé au point où il ne peut même plus accepter l'idée de quitter sa maison pour se rendre au travail. Aussi est-il en arrêt maladie. Chez lui, il ne ressent que les élancements de ses douleurs à la poitrine et une légère insensibilité de ses doigts, mais jamais de "crises" brutales.

Quand on lui demande de préciser les circonstances de survenue des premières crises, il répond que c'est depuis que lui et sa femme ont envisagé d'acheter une maison et de quitter leur appartement. Il reconnaît que la perspective d'être propriétaire lui fait peur et que sa mère, qui n'a d'ailleurs jamais acheté son logement, avait la même appréhension que lui.

Discussion

Des accès répétés et imprévisibles de crainte ou de malaise intense, survenant brutalement, s'accompagnant d'une impression d'avoir le "souffle coupé", de palpitations, de douleurs thoraciques, de vertiges, d'une impression d'engourdissement, et d'une sensation de mort imminente, alors qu'il n'existe aucune cause organique permettant d'en rendre compte, apparaissent très évocateurs d'un Trouble panique.

Comme cela est fréquent, l'installation d'une agoraphobie a eu pour conséquence une réduction de l'activité du patient (qui ne pouvait se décider à quitter la maison pour aller travailler), en raison de sa crainte de se trouver dans des situations d'où il serait éventuellement difficile ou gênant de s'échapper et où il pourrait ne pas trouver de secours en cas de survenue d'une attaque de panique (il évite de conduire sa voiture ou d'aller dans les grands magasins).

Dans le Trouble panique avec agoraphobie, il est bon de spécifier la gravité actuelle à la fois de l'évitement agoraphobe et des attaques de panique. Dans ce cas clinique, l'agoraphobie apparaît sévère car le patient est confiné dans sa maison ; quant aux attaques de panique, elles sont peu intenses, du fait que leur symptomatologie a diminué (moins de quatre symptômes caractéristiques depuis la survenue de l'agoraphobie).

Diagnostic selon le DSM-III-R

Axe I : 300.21 Trouble panique avec agoraphobie, attaques de panique légères, évitement agoraphobe sévère (p. 269)

Bestialité

Un homme, âgé d'une trentaine d'années, incarcéré pour avoir brutalisé des pré-adolescentes, est volontaire pour un entretien avec un chercheur en sexologie.

Issu de la classe moyenne, il a été élevé à la campagne par ses parents. Sa mère, une femme très prude, avait l'habitude de faire peur à son fils avec des histoires de maladies vénériennes et de l'intimider en lui parlant des terribles conséquences de la masturbation. Selon elle, toute activité sexuelle était condamnable et les hommes n'étaient rien d'autre que des animaux libidineux.

C'est ainsi qu'avant l'adolescence il se mit à avoir honte de son inclination pour les filles, a avoir du remors au sujet des jeux sexuels auxquels il s'était livré avec elles et finit par ne plus rien faire qui ait une connotation sexuelle. Pour finir, sensible aux avertissements de sa mère qu'il avait toujours écoutée, il s'interdit toute masturbation. Adolescent, il était devenu timide et craintif devant les personnes du sexe féminin, alors même qu'il les désirait, et les filles de son âge de dire de lui qu'il était toujours "dans les jupons de sa mère".

Le spectacle de l'étalon couvrant la jument l'avait toujours fasciné au point de le faire fantasmer de telles scènes dès qu'il recommença à se masturber. Puis, presque tous les jours, de l'age de treize à dix-huit ans, il substitua à la masturbation le coït avec des vaches. Il avait d'ailleurs, pour ces bêtes, une certaine affection, comparable à celle que l'on peut éprouver pour un animal familier. Jamais cependant il ne trouva l'idée d'un coït avec un animal aussi excitante que celle d'un rapport sexuel avec une fille.

Quand il eut dix-huit ans, une épidémie de brucellose se déclara dans la région. L'associant aussitôt à une maladie vénérienne, le jeune homme en fut profondément effrayé, après tout ce que lui avait dit sa mère, au point d'arrrêter du jour au lendemain son activité coïtale avec les animaux. Privé ainsi de toute activité sexuelle, du fait de sa peur de se masturber, le patient fit une régression jusqu'à la pré-adolescence (époque où son comportement sexuel lui avait permis de retirer quelques satisfactions) et se mit alors à rechercher des filles prépubères. D'où son arrestation.

Discussion

L'Institut de Recherches sexologiques de l'Université d'Indiana, dont le Fondateur est Alfred C. Kinsey, a communiqué un cas de zoophilie demandé pour la rédaction de cet ouvrage (il s'agit en effet d'une Paraphilie spécifique reconnue par le DSM-III-R). Une recherche à partir de leur banque de données informatisées concernant des milliers de personnes interrogées entre 1938 et 1963 a permis de retrouver 96 cas d'activité sexuelle avec des animaux. Dans aucun de ces cas, le contact ou le fantasme s'y rapportant n'était la source d'excitation sexuelle préférée. Contrairement aux autres Paraphilies, l'activité sexuelle avec les animaux est toujours un choix de deuxième intention, comme dans cette observation. Apparemment, il n'existe pas de cas où l'idée d'une activité sexuelle avec un animal soit plus excitante qu'avec un être humain.

Le comportement délictueux qui a conduit ce jeune homme à la prison impliquait une activité sexuelle avec des filles prépubères. La Pédophilie de sexe opposé, est donc le diagnostic le plus probable au moment de l'arrestation. La zoophilie, qui appartient à la catégorie des Paraphilies non spécifiées, est à ranger dans les antécédents.

Diagnostic selon le DSM-III-R

Axe I : 302.20 Pédophilie de sexe opposé, sévère (provisoire) (p. 320)

"Burt Tate"

Un homme de quarante ans, amené aux urgences par la police, s'est battu après une bagarre sur son lieu de travail. Au moment de décliner son identité, il dit s'appeler "Burt Tate", alors qu'aucun papier ne permet de le confirmer. Cela ne fait que quelques semaines que "Burt" est arrivé dans la ville où il a été embauché comme cuisinier dans le restaurant où eut lieu la bagarre. Il ne se rappelle pas où il a travaillé et vécu avant son arrivée dans cette ville. Aucune charge n'a été retenue contre lui, mais la police a réussi à le convaincre de se rendre aux urgences pour y être examiné.

Quand on l'interroge, "Burt" connaît le nom de la ville où il se trouve et donne la date exacte. Sans pour autant en paraître bouleversé, il se rend bien compte qu'il n'est pas normal qu'il ne puisse pas se rappeler les événements de sa vie passée. Aucun élément permet de penser qu'il y ait eu consommation de drogue ou d'alcool, et l'examen clinique ne révèle aucun traumatisme crânien ou problème somatique. On décide de le garder une nuit en observation.

En remplissant la fiche signalétique du patient, la police découvre qu'elle correspond à la description d'un certain Gene Saunders qui, un mois auparavant, avait disparu alors qu'il habitait dans une ville située à environ 250 kilomètres de là. Madame Saunders, une fois contactée, expliquera que son mari, cadre moyen dans une grande entreprise, avait eu, dix huit mois avant sa disparition, de gros problèmes de travail. Une promotion lui avait échappé, car son supérieur n'était pas du tout satisfait de son travail. Certains membres du personnel avaient déjà quitté l'entreprise pour d'autres emplois et lui, tout en voulant rester dans l'entreprise, se sentait incapable de réaliser son objectif de production. A la maison, il était tellement tendu qu'il était devenu difficile à vivre. Alors qu'auparavant il aimait sortir, il restait dans son coin et ne cessait de critiquer sa femme et ses enfants. Deux jours avant sa disparition, il avait eu une violente dispute avec son fils de dix-huit ans, qui l'avait traité de "raté", avant de quitter la maison pour aller prendre un appartement avec des copains.

Lors de la confrontation avec sa femme, le patient, très anxieux, affirme ne pas la reconnaitre.

Discussion

La police a donc adressé cet homme au service des urgences pour son amnésie de l'endroit où il a vécu et travaillé antérieurement. On élimine d'emblée un Trouble mental organique puis que les troubles de la mémoire présentés par le patient portent sur des évènemement déjà anciens et qu'il n'existe pas de déficit de l'attention et de l'orientation.

Par ailleurs, on ne peut qu'être frappé par l'importance des facteurs psychologiques susceptibles de rendre compte de cette amnésie : c'est une dispute avec son fils qui semble avoir tout déclenché, à une période où ses difficultés au travail lui paraissaient insurmontables. Les autres éléments cliniques, tels que le départ soudain et inattendu loin du domicile et la prise d'une nouvelle identité, permettent d'asseoir le diagnostic de Fugue psychogène.

Diagnostic selon le DSM-III-R

Axe I :　300.13 Fugue psychogène (p. 308)

Un problème de gonades

Kevin est un jeune homme âgé de dix-neuf ans qui, avant qu'il ne soit hospitalisé, travaillait à la poste en attendant d'entrer à l'université. Il n'est pas facile de savoir exactement quand ses difficultés ont commencé. Selon Kevin, c'est à partir du moment où sa mère est morte brutalement d'une hémorragie cérébrale neuf mois auparavant, qu'il n'a plus été le même. Son père n'est pas de cet avis. Pour lui, le travail de deuil se serait fait normalement et Kevin aurait subitement changé il y a seulement trois mois.

C'est essentiellement à cette époque, peu après que sa petite amie l'ait quitté pour un autre, qu'il se mit à imaginer que ses camarades de travail masculins lui faisaient des avances et à redouter que ses amis le croient homosexuel. Il finit par être persuadé qu'il avait une anomalie de ses organes reproducteurs, à savoir un testicule normal qui produisait bien du sperme et un autre qui était en fait un ovaire produisant des ovules, d'où l'idée, selon sa propre expression qu'il avait "un corps de femme dans un corps d'homme". A cette époque, comme il s'était mis à jouer, il était persuadé d'avoir gagné plus de 2 millions que son parieur refusait de lui donner. Il était également certain que des animateurs d'émissions télévisées voulaient l'inviter pour qu'il raconte sa formidable histoire (tout cela était faux). Il disait également avoir une conscience des choses particulièrement fine, une sorte de septième sens et se plaignait d'entendre les sons très forts. La nuit, il avait du mal à dormir ; quant à son appétit, il n'a jamais pas changé.

Lors de l'admission, Kevin parle plutôt rapidement et saute facilement d'un sujet à l'autre. Ni irritable, ni euphorique, ni expansif, il réclame un traitement "parce que, dit-il, mes testicules se font la guerre et que je préfère être du sexe masculin".

Quand il avait dix ans, son pédiatre découvrit que la taille de son pénis était au dessous de la normale. Le bilan endocrinien complet et l'examen des organes génitaux tous les quatre mois pendant quatre ans n'avait alors pas permis de se prononcer pour une pathologie spécifique.

Pendant toutes ses années de collège, Kevin a été un mauvais élève, souvent absent. Il dit cependant avoir toujours eu beaucoup d'amis. Jamais auparavant il ne lui avait été prescrit de traitement psychiatrique. Il avoue qu'il lui est arrivé de prendre occasionnellement de la marijuana et de la phéncyclidine, mais il affirme ne jamais avoir touché aux hallucinogènes.

Kevin est l'aîné d'une famille de six enfants. Ses parents se sont rencontrés pendant qu'ils étaient soignés à l'hôpital psychiatrique.

Discussion

La symptomatologie de Kevin est faite d'idées délirantes somatiques bizarres, d'idées de grandeur et d'une désorganisation du discours (il saute du coq à l'âne). Le diagnostic d'Episode maniaque, que les idées délirantes de grandeur et la fuite des idées permettent d'évoquer, doit cependant être éliminé car l'humeur n'est ni exaltée, ni expansive ou irritable.

Quand sa maladie a-t-elle commencé ? Bien qu'il dise qu'il n'est plus le même depuis la mort de sa mère, neuf mois auparavant, il ne décrit aucun changement en lui-même qui paraisse anormal. Quant à son père, il estime que ses troubles ont commencé il y a seulement trois mois. Nous aurions plutôt tendance à donner raison au père. La présence de symptômes caractéristiques de la Schizophrénie depuis moins de six mois permet de penser qu'il s'agit d'un Trouble schizophréniforme. Il ne sera pas possible de spécifier, comme on doit le faire, si le trouble comporte ou non des caractéristiques de bon pronostic, car la seule information qui puisse permettre de porter cette appréciation concerne l'affect, qui ne semble ni émoussé, ni abrasé.

Diagnostic selon le DSM-III-R

Axe 1 : 295.40 Trouble schizophréniforme (p. 234)

Suivi

Kevin a été traité à l'hôpital par du lithium et de la chlorpromazine. Très vite, il était suffisamment amélioré pour rentrer chez lui. De retour au lycée, la semaine qui a suivi sa sortie de l'hôpital, il a fini son semestre avec des notes satisfaisantes, A et B. L'année d'après, alors qu'il avait arrêté de prendre ses médicaments, il recommença à être perturbé. Facilement irritable, agressif verbalement, il n'arrêtait pas de parler et avait totalement perdu le sommeil. Une fois même, il s'était mis à courir sur la voie publique, complètement dévêtu. Il disait que "la marche du temps s'était inversée " et croyait, comme lors du premier épisode avoir un ovaire. Pendant trois ans, jusqu'à ce qu'il comprit qu'il lui fallait prendre ses médicaments, il eut plusieurs rechutes similaires suivies d'hospitalisations. Cela fait un an qu'il s'est décidé à prendre régulièrement son lithium et il se porte bien. Il a son appartement, une vie sociale active, et vient de passer son C.A.P. de plombier.

Le tableau clinique d'Episodes maniaques postérieurs à la première hospitalisation nous impose de réviser notre diagnostic et de poser celui d'un Trouble bipolaire. On peut dire, rétrospectivement, qu'à la première évaluation, l'humeur était expansive, mais n'était pas suffisamment accentuée pour que l'on puisse affirmer à cette époque le diagnostic d'un Episode maniaque.

La gravure de mode

Monsieur A., soixante-cinq ans, ancien capitaine d'un bateau de pêche et actuellement gardien d'immeuble, n'arrive pas à se faire à l'idée que sa femme lui interdit de porter une robe de nuit le soir, maintenant que leur plus jeune fils a quitté la maison. Cet homme, dont l'apparence et les manières sont habituellement tout à fait masculines, est exclusivement hétérosexuel. Pourtant, au cours de ces cinq dernières années, il lui est arrivé de porter, sans que cela se remarque, des articles de vêtements féminins, parfois des collants, parfois une bague au petit doigt, et il ne peut se séparer d'une photo de lui habillé en femme.

Le premier souvenir de son attirance pour les vêtements féminins remonte à l'âge de douze ans, lorsqu'il s'était senti excité en enfilant une culotte de sa soeur. A partir de cette première expérience, il continua à se mettre des dessous féminins, ce qui avait invariablement pour résultat une érection, avec quelquefois une éjaculation spontanée ou lors d'une séance de masturbation. Jamais pourtant il ne fantasmait qu'il était une femme, bien qu'il lui soit arrivé parfois de le souhaiter. Avec les autres garçons, il agissait de façon masculine et pendant ses années de célibat, il a toujours été attiré par les filles, même si le sexe l'intimidait. Ce n'est que lorsqu'il a été marié, à vingt-deux ans, qu'il a eu son premier rapport sexuel.

Son goût pour les vêtements féminins n'a pas diminué une fois marié, mais ce n'est qu'à partir de quarante-cinq ans, après être tombé par hasard sur un magazine appelé *Transvestia*, qu'il se met à se travestir. Alors qu'il vient de découvrir qu'il n'est pas le seul à être comme il est, les vêtements féminins prennent une importance de plus en plus considérable dans ses fantasmes, au point qu'il finit par s'habiller entièrement en femme. Récemment, il s'est joint au réseau de travestis de son magazine avec échanges de lettres et d'invitations. Ces sorties sont d'ailleurs pour lui les seules occasions où il se travestit hors de chez lui.

Même si le mariage reste encore solide, le couple a eu cependant une activité sexuelle moins fréquente au cours des vingt dernières années, à mesure que les pensées et les activités sexuelles du mari devenaient plus centrées sur le travestissement. Avec le temps, cette activité est devenue plus une fin en elle-même qu'un moyen d'excitation érotique, bien qu'elle soit toujours source d'une excitation sexuelle. C'est lorsqu'il doit faire face à une situation stressante que le patient éprouve une intensification de son désir de se vêtir en femme. Le fait de se travestir a alors sur lui un effet calmant. Si au contraire les circonstances l'en empêchent, il se sent extrêmement frustré.

Les parents du patient sont de religions différentes, ce qui pour lui est important. Aîné de trois enfants, il a un véritable culte pour une mère dont il a toujours été très proche, alors qu'il éprouve encore de la colère pour son père, "un maquereau alcoolique", dit-il. Ses parents se battaient tout le temps. A soixante-cinq ans, il a toujours les larmes aux yeux quand il évoque les circonstances de la mort de sa mère, alors qu'il avait dix ans. C'est lui qui l'a trouvée morte (de pleurésie) et depuis ce jour-là, quelque chose s'est brisé en lui, au point d'avoir toujours gardé en lui le sentiment que "quelque chose ne va pas". Les trois enfants ont été élevés dans trois branches différentes de la famille jusqu'à ce que le père se remarie. Son père est mort alors qu'il avait vingt ans. Il semble qu'il se soit suicidé, mais Monsieur A. croit plutôt qu'il a été assassiné, car il refuse absolument de l'accepter. Son frère, lui aussi, est mort dans des circonstances tout à fait dramatiques : il s'est noyé.

Ces difficultés du début de son existence lui auront au moins permis, une fois adulte, d'apprécier la stabilité de sa femme et l'ordre qu'elle fait régner à la maison. Au début de son mariage, il avoua ses pratiques à sa femme. Elle n'y fit pas d'objection tant qu'il sut les garder pour lui. Mais son sentiment de culpabilité se développa après qu'il se soit mis à se travestir complètement. Périodiquement il a essayé sans succès d'y renoncer, en se débarrassant des vêtements et du maquillage. Ses enfants ont été pour lui comme une sauvegarde qui l'empêchait d'aller trop loin.

Depuis qu'il a pris sa retraite de capitaine, les enfants étant parti de la maison, il est de plus en plus attiré par le travestissement et se trouve de plus en conflit avec sa femme, ce qui ne fait qu'augmenter son désarroi.

Discussion

Voilà une bonne illustration du mode d'apparition et du développement du Transvestisme Fétichiste. Cela fait longtemps que Monsieur A., hétérosexuel de sexe masculin, présente de fortes impulsions sexuelles et des fantaisies imaginatives qui le poussent à se travestir. Mais à aucun moment, il n'a remis en question son identité sexuelle (contrairement au Transsexualisme ou au Trouble de l'identité sexuelle de l'adolescence ou de l'âge adulte de type non transsexuel).

Il n'est peut-être pas sans intérêt de noter que l'impulsion à s'habiller en femme augmente avec le stress. Le travestissement a alors un effet apaisant. Au contraire, lorsque le patient n'a pas la possibilité de répondre à son fantasme, il éprouve un sentiment de frustration intense. Souvent, comme c'est le cas ici à mesure que le sujet prend l'habitude de se travestir, la charge érotique s'estompe et le travestissement devient en lui-même un but. Lorsque le transvestissement n'est plus une source d'excitation sexuelle et que le sujet reste persuadé d'avoir un sexe qui ne lui convient pas, le diagnostic doit être reconsidéré pour être remplacé par celui d'un Trouble de l'identité sexuelle de l'adolescence ou d'âge adulte, de type non-transsexuel.

Diagnostic selon le DSM-III-R

Axe I : 302.30 Transvestisme fétichiste, sévère (p. 325)

Les trois voix

Il s'agit d'un homme de vingt-trois ans qui, lors de son admission à l'hôpital, est quasi mutique. Ses parents, qui l'ont accompagné, disent que leur fils semblait bien se porter jusqu'à sa rupture avec son amie, quatre ans auparavant. Depuis, il vit chez eux et passe la majeure partie de son temps seul. Il a fait plusieurs emplois dont il n'a jamais parlé qu'en termes vagues, de même qu'il serait incapable d'avoir des objectifs à long terme. Quatre mois avant son admission à l'hôpital, leur fils avait décidé d'aller en Californie pour chercher du travail et se changer les idées. Mais peu de temps après son arrivée là-bas, il les appela au téléphone pour leur dire qu'il n'allait pas très bien. Le père est donc parti en Californie et a trouvé son fils inquiet, méfiant, angoissé et n'ayant pas mangé depuis plusieurs jours. Il le ramena chez lui et le montra à un neurologue qui ne découvrit aucun trouble neurologique, puis à un psychologue qui lui conseilla de faire admettre son fils à l'hôpital psychiatrique.

Au début de son hospitalisation, le patient dort de 10 à 12 heures par nuit et ne mange presque pas (il a déjà perdu 9 kilos en deux mois). Il avoue n'avoir aucun dynamisme ; la plupart du temps, il n'ouvre la bouche que pour répondre par monosyllabes à son interlocuteur. Le patient n'a tout d'abord manifesté qu'un intérêt ou un plaisir très limité face aux différentes activités qui lui étaient proposées : il était constamment allongé sur son lit à regarder dans le vide. Au cours des entretiens il n'a jamais exprimé d'idée d'absurdité de l'existence ou de culpabilité, et jamais il n'a évoqué la mort ou le suicide. Il est cependant difficile d'affirmer que ces idées n'étaient pas présentes, du fait de l'indigence des réponses.

Tous les jours, le patient a été vu en entretien par un jeune étudiant en médecine qui s'intéressait beaucoup à lui et qui peu à peu a réussi à gagner sa confiance. Il finit par lui avouer qu'il entendait trois voix : celle d'un enfant, celle d'une femme et celle d'un homme contrefaisant la voix d'une femme. Les voix conversaient entre elles et parfois s'adressaient à lui. A d'autres moments, elles parlaient de lui à la troisième personne ou reproduisaient en écho ses propres pensées. Elles semblaient disserter à propos de différents thèmes qui d'ailleurs n'étaient pas particulièrement dépressogènes, comme peuvent l'être la culpabilité, le péché ou la mort.

Le lendemain de son admission à l'hôpital, on entreprit une chimiothérapie avec un antipsychotique, la molindone, à 50 mg/jour et un antidépresseur, l'imipramine, à doses croissantes jusqu'à 150 mg/jour. Pendant les deux premières semaines, il n'y a aucune amélioration et le malade paraissait même plus anxieux la deuxième semaine. La molindone a donc été baissé à 25 mg par jour, puis arrêté dès la troisième semaine. Au vingt-troisième jour d'hospitalisation, le patient était deja bien moins apragmatique et à la fin de la quatrième semaine, il était souriant, se confiait volontiers, dormait et mangeait correctement, se souvenait de ses hallucinations pour dire qu'elles avaient totalement disparu. Une semaine après, il sortait de l'hopital, avec un traitement d'entretien constitué uniquement de 150 mg d'imipramine.

Huit mois après environ, le patient, à court d'imipramine, arrêta de prendre son traitement et, au bout de quelques jours, les symptômes firent à nouveau leur apparition. Le médecin traitant, averti par téléphone par la famille, fit une nouvelle prescription qui entraina un retour à la normale après une semaine de traitement.

Dans les antécédents familiaux, existe chez la mère une dépression du post-partum, qui a évolué favorablement au bout d'un an sans aucun traitement. La tante du patient coté maternel a fait une dépression à l'âge de quarante ans qui a nécessité une hospitalisation au cours de laquelle 12 séances d'électrochoc lui auraient été administrées. Elle se porte bien actuellement.

Discussion

Pendant quatre ans, ce jeune homme semble avoir présenté un certain nombre de troubles mal définis (attitude de repli sur soi et incapacité à mener à bien les buts à long terme). Par la suite, il a présenté un épisode pathologique caractérisé par des idées de persécution, des hallucinations auditives au contenu bizarre, une perte d'intérêt, une anorexie s'accompagnant d'une perte de poids de neuf kilos en deux mois, une hypersomnie, une perte d'energie, un ralentissement psycho-moteur (pauvreté du discours et clinophilie).

Jadis, le diagnostic aurait été celui d'une Schizophrénie. Les quatre premières années auraient été considérées comme la phase de prodromes avant les manifestations psychotiques aiguës. La perte de l'intérêt, l'anhédonie ainsi que les autres symptômes non psychotiques n'auraient été que des symptômes annexes. Selon le DSM-III-R, la perte d'intérêt et l'anhédonie ainsi que les autres symptômes non psychotiques sont les signes d'un syndrome dépressif majeur au complet. Comme les symptômes psychotiques ne semblent s'être manifestés que lors d'un syndrome dépressif majeur, on peut légitimement les considérer comme des caractéristiques psychotiques de l'Episode dépressif majeur, et ceci bien que le thème des idées délirantes et des hallucinations ne corresponde pas à celles qui sont habituellement présentes dans la Dépression, telles que le sentiment d'incapacité, de culpabilité, ou l'attente du châtiment. Le diagnostic à l'admission pourrait donc être celui d'une Dépression majeure, épisode isolé, avec caractéristiques psychotiques non congruentes à l'humeur, diagnostic que la bonne réponse aux antidépresseurs et les antécédents familiaux de Trouble de l'humeur ne font que confirmer.

Que devons-nous penser des quatres années antérieures à cet épisode dont parlent les parents ? S'agit-il de symptômes dépressifs a minima ou de troubles d'identité ? L'une et l'autre hypothèses pourraient très bien s'accorder avec notre diagnostic. La présence de symptômes dépressifs mineurs pendant plus de trois ans permet de poser le diagnostic additionnel de Dysthymie. Mais au cas où l'examen approfondi du malade mettrait en évidence des symptômes plus graves, comme des idées de référence ou un comportement bizarre chronologiquement antérieurs aux symptômes dépressifs, les manifestations psychotiques ne doivent plus être considérées comme des caractéristiques associées à la Dépression majeure, mais comme un trouble psychotique primaire à part entière, comme un Trouble schizo-affectif ou une Schizophrénie.

On peut également se demander si lors de l'arrêt du traitement il s'agissait d'une Dépression majeure récurrente ou de la poursuite d'un Episode isolé de

Dépression majeure, dont les symptômes auraient été suspendus pour un temps sous l'effet du traitement. Le DSM-III-R considère qu'une période de six mois sans symptôme représente la durée minimale nécessaire pour parler d'un Episode récurrent. Comme le délai d'apparition des symptômes présentés par le patient est supérieur à huit mois, nous devons donc considérer qu'il s'agit d'un Episode récurrent, bien que l'on puisse très bien admettre que l'apparition de cette symptomatologie juste après l'arrêt du traitement puisse légitimement faire hésiter avec le diagnostic d'un Episode isolé.

Diagnostic selon le DSM-III-R

Axe I : 296.24 Episode dépressif majeur, récurrent,sévère, avec caractéristiques psychotiques (non congruentes à l'humeur) (p. 250)

Guerre froide

La patiente est une décoratrice d'intérieur de trente-quatre ans, une belle femme qui a réussi professionnellement. C'est son mari, un avocat célèbre, qui l'amène à la clinique. Il se plaint de ce que sa femme, depuis trois ans, l'accuse avec de plus en plus de force de lui être infidèle. Il affirme qu'il a essayé par tous les moyens de lui prouver son innocence, sans jamais pouvoir la détourner de cette idée. Un examen précis des faits révèle qu'il n'y a en réalité aucune preuve de la fraude conjugale et quand on demande à sa femme d'en fournir une, elle tient des propos extrèmement vagues, fait des mystères et finit par dire qu'elle lit au fond de ses yeux l'infidélité se son mari.

Absolument certaine d'avoir raison, elle prend pour une insulte le fait qu'on puisse lui suggérer qu'elle imagine peut-être des choses qui ne sont pas. Quant à son mari, il rapporte que depuis l'année dernière sa femme est devenue de plus en plus amère, au point de créer entre eux "une véritable atmosphère de guerre froide". Braquée contre son mari, elle ne lui donne aucune marque d'affection, sauf lors de soirées ou de réunions, histoire de donner le change.

Une fois, elle s'est même montrée physiquement violente envers lui ; dans sa version à elle, c'est son mari qui aurait commencé les hostilités. Il l'aurait jeté à terre, maintenue en la serrant très fort aux poignets, ce qu'elle n'est pas prête à lui pardonner.

La patiente n'a pas d'hallucinations. Son discours est bien organisé, et son interprétation des proverbes correcte. Elle est au courant de l'actualité et, de façon générale, ne semble pas être gênée dans ses réflexions par la certitude inébranlable d'avoir un mari adultère. La malade a un certain nombre d'amis proches et son unique problème est celui de son mariage malheureux. Et l'époux de préciser que sa femme est respectée pour ses talents, mais qu'elle a quelques difficultés relationnelles avec ses amis. Elle en a même perdu un certain nombre parce qu'elle ne tolère que très mal que l'on ne soit pas de son avis. Elle affirme ne pas avoir l'intention de divorcer, pas plus qu'elle ne désire que son mari la quitte. Furieuse pour "le tort" qu'il lui a fait, elle exige de sa part qu'il avoue et demande pardon.

Discussion

Il est toujours possible de discuter de la légitimité des plaintes concernant l'infidélité d'un conjoint. Ici, par contre, il ne fait aucun doute qu'il s'agit véritablement d'une idée délirante. L'absence de symptômes psychotiques tels qu'une bizarrerie des idées délirantes, des hallucinations ou un discours désorganisé, permet d'éliminer une Schizophrénie pour poser le diagnostic d'un Trouble délirant. Et comme cela est habituel dans cette affection, on voit bien qu'en dehors de la stricte relation conjugale, la vie quotidienne de cette femme n'est nullement perturbée par le délire.

Diagnostic selon le DSM-III-R

Axe I : 297.10 Trouble délirant à type de jalousie (p. 229)

Tristesse

Un charpentier divorcé de quarante-trois ans est examiné au service des urgences. C'est de la soeur du patient que proviennent la plupart des informations. Selon elle, tout a commencé il y a cinq ans, lorsque sa femme l'a quitté pour un autre homme. Alors que sa vie familiale et professionnelle avait été jusqu'alors stable, il se mit à boire très régulièrement tous les jours près d'un litre de vin rouge. Toujours selon elle, la boisson provoque souvent chez son frère des étourdissements, qui l'empêchent d'aller au travail. Il a donc été licencié à plusieurs reprises. Heureusement pour lui, les charpentiers étant très demandés, il n'a pas manqué d'argent tout au long de ces années, et ce n'est que très récemment, trois jours avant l'admission qu'il aurait été obligé d'aller mendier pour manger : il n'avait pas un sou en poche et sa réserve de vin était vide. En réalité, le patient est sous-alimenté : il ne prend vraisemblablement qu'un seul repas par jour et se "nourrit" d'alcool le reste du temps.

Le lendemain matin du jour où pour la dernière fois il a pris de l'alcool sans pouvoir dormir, il se réveilla tout tremblant au point de ne pouvoir allumer une cigarette, complètement paniqué et ne pouvant rester en place. Voyant qu'il commençait à ne plus avoir toute sa tête et visiblement ne plus être capable de se débrouiller par lui-même, un voisin se décida à appeler la soeur du patient qui l'amena à l'hôpital.

Lors de l'examen le patient passe de la réserve à la cordialité bavarde et superficielle. Il est vraiment surexcité et lorsqu'il se met à parler, il dit tout ce qui lui passe par la tête, sans avoir de sujet précis. Parfois il reconnaît le médecin, à d'autres moments, il le prend pour son frère aîné. A deux reprises au cours de l'examen il semble perdre le fil de l'entretien appelle le médecin du nom de son frère pour lui demander quand il est arrivé. Au repos, ses mains tremblent beaucoup ; par moment, il tente d'attraper des mouches" qu'il croit voir sur la couverture du lit. Il a manifestement perdu ses repères temporels et se figure être dans le parc à voitures d'un supermarché. Il est persuadé que le monde est sur le point d'être détruit par un holocauste. A chaque minute, il se met à tressaillir aux bruits de ce qu'il croit être des collisions de voitures (en réalité, le roulement des chariots dans le couloir). Les tentatives faites pour tester sa mémoire et ses capacités de calcul échouent parce que son attention ne peut se fixer. L'électroencéphalogramme montre un tracé de souffrance cérébrale diffuse.

Discussion

Ce charpentier qui boit depuis fort longtemps présente, depuis qu'il a arrêté son intoxication, d'importants symptômes de sevrage. Les signes cliniques sont tout à fait en faveur d'un Delirium : difficulté à soutenir l'attention, désorganisation de la pensée (discours décousu), anomalies de la perception (le bruit des chariots dans le hall est identifié à un bruit d'accident de la circulation), désorientation spatiale et non reconnaissance des personnes (il prend le médecin pour son frère et l'hôpital pour un parc de stationnement), perturbation du cycle veille-sommeil (insomnie). L'apparition du Delirium associé à des Troubles neuro-végétatifs marqués (tremblements des extrémités) peu après l'arrêt ou la diminution d'une hyperconsommation d'alcool correspond au Delirium de sevrage alcoolique.

Le diagnostic principal est donc le Delirium de sevrage alcoolique, motif de consultation et du traitement. La Dépendance à l'alcool est affirmée devant l'importance et la régularité de l'intoxication depuis plus de cinq ans, l'abandon de l'activité professionnelle directement lié à l'utilisation de l'alcool, la carence alimentaire. Elle est sévère, car les symptômes de Dépendance sont probablement nombreux, avec une interférence marquée sur le fonctionnement professionnel et social.

Diagnostic selon le DSM-III-R

Axe I : 291.00 Delirium de sevrage alcoolique (p. 146)
303.90 Dépendance à l'Alcool, sévère (p. 194)

Elle ne tient pas en place

Une mère de quatre enfants, âgée de trente-deux ans, vient consulter pour une anxiété, une irritabilité, des accès de colère et des difficultés de concentration. Tout au long du premier entretien, elle pleure et se plaint de ne jamais avoir été heureuse. C'est un pédo-psychiatre qui lui a conseillé de faire la démarche. Alors qu'il effectuait un bilan à un de ses enfants pour des difficultés scolaires, il s'est aperçu qu'elle avait des problèmes psychologiques.

Bien que la mère de la patiente ait toujours dit qu'elle avait été une enfant "difficile", elle ne semble pas en réalité avoir eu de réels problèmes avant d'entrer à l'école primaire. Pendant les deux premières années, elle avait de bons résultats en calcul, mais pour ce qui était de la lecture et de l'orthographe, elle avait quelques difficultés. Elle se souvient aussi qu'elle était tellement "remuante" quelle ne supportait pas de rester assise ; son maître devait même lui tourner les pages de son livre tellement elle était distraite. Souvent elle se mettait à rêvasser et n'arrivait à terminer les devoirs que si elle était étroitement surveillée. De même l'organisation de son travail scolaire et des tâches domestiques lui donnait du mal (il lui était - maintenant encore - difficile de réfléchir à ce qu'elle devait dire). Elle se souvient que sa mère lui disait d'arrêter de jacasser. En grandissant, elle vit ses résultats scolaires empirer en même temps que des troubles de comportement firent leur apparition (bagarres avec les autres enfants, désordre en classe) ; pour sa troisième année d'école primaire, elle fut placée dans une institution pour enfants en difficulté (son QI d'adulte est de 115). Ce changement n'entraîna aucune amélioration tant sur le plan scolaire qu'en ce qui concerne ses relations avec ses camarades, du fait de la vivacité de son caractère et de son incapacité à attendre son tour.

Au collège où elle commença à avoir des amis, il y eut un léger mieux. La lecture restait difficile et elle l'évitait le plus possible. Elle attribuait ses difficultés de lecture à ses problèmes d'attention et avait même du mal à suivre des films ou des émissions télévisées à moins qu'ils soient très prenants. Elle ajoute que même si elle participait à de nombreuses activités, l'impression de ne pas en profiter autant que les autres la contrariait énormément. Ses relations amicales se faisaient et se défaisaient au rythme de ses impulsions.

Elle a épousé son mari à vingt deux ans, après qu'ils soient sortis ensemble quelques semaines. Depuis le début, ils se disputent souvent. Les naissances rapprochées de leurs quatres enfants ont eu pour effet de reléguer leurs problèmes de couple au second plan. Les enfants ont les mêmes troubles comportementaux que leur mère à leur âge. Ils se trouvent aggravés du fait de l'incapacité de leur mère à mettre des limites, à se montrer cohérente et à garder une humeur à peu près stable. Devant la persistance des problèmes de couple, la patiente et son mari avaient entrepris une psychothérapie. Dix années de psychothérapie intermittente, individuelle ou de couple n'ont pas permis d'améliorer leurs relations. La gravité du problème est cependant moindre depuis que le mari a compris qu'il valait mieux la laisser seule quand elle se mettait en colère, puisque les explications ne faisaient qu'empirer les choses.

Discussion

Le cas de cette femme vient de nous rappeler qu'il ne faut pas exlure chez l'adulte la possibilité de forme résiduelle d'une pathologie de l'enfance ou de l'adolescence. Enfant, déjà, la patiente ne tenait pas en place et elle ne pouvait pas rester assise. En classe, il lui était impossible d'attendre son tour et elle se mettait à parler à voix haute, sans pouvoir s'en empêcher. Incapable d'organiser son travail, elle n'arrivait jamais à terminer quoi que ce soit. Ce tableau n'est pas sans évoquer l'hyperactivité, l'impulsivité et l'inattention du Trouble : Hyperactivité avec déficit de l'attention. Selon le DSM-III-R, on ne peut faire le diagnostic que si au moins huit symptômes sur les quatorze répertoriés sont présents. Nous en avons comptabilisé six, mais nous sommes persuadés que si la malade avait été évaluée lorsqu'elle était enfant, d'autres symptômes seraient apparus.

La plupart des troubles de l'enfance de notre patiente ont persisté à l'adolescence ; devenue adulte, elle est toujours impulsive (accès de colère) et continue d'avoir des troubles de l'attention (difficultés de concentration). Lorsque, comme c'est le cas dans cette observation, existent dans l'enfance des antécédents du Trouble : Hyperactivité avec déficit de l'attention, et que bon nombre de symptômes de l'enfance persistent à l'âge adulte et sont à l'origine de difficultés sociales et professionnelles, il s'agit de la persistance du Trouble : Hyperactivité avec déficit de l'attention, état résiduel.

Diagnostic selon le DSM-III-R

Axe I : 314.01 Trouble Hyperactivité avec déficit de l'attention, état résiduel (provisoire) (p. 57)

Mieux vaut vivre avec la drogue

Ray, vingt-deux ans, amène son frère de dix-sept ans, Danny, aux urgences, un dimanche à 3 heures du matin. En revenant de chez son amie, Ray a trouvé son frère écroulé dans la chambre du sous-sol. Avant de monter dans la voiture, il n'arrêtait pas de pleurer et de marmoner : "Tout est flou, j'y vois double", pour ensuite, sur le chemin de l'hôpital, se mettre à insulter son frère, sans raison. Ray affirme que Danny a pris l'habitude de boire et qu'il fume du tabac et de la marijuana. Il ignore si son frère prend ou non d'autres drogues.

Danny porte une boucle d'oreille et un T-shirt sur lequel est inscrit "mieux vaut vivre avec la drogue". Autour de son cou pend une chaîne avec une cuillière à coke. Son haleine a une odeur de solvant organique. Sur sa bouche et sur son nez on distingue des plaques d'érythème symétriques. Les pupilles sont dilatées et réagissent à la lumière alors que la conjonctive est nettement inflammatoire. Un examen plus précis permet de découvrir, dans chaque narine, une matière translucide et visqueuse.

Lors de l'entretien, le patient présente un raccourcissement important de ses capacités d'attention. Il s'exprime difficilement. Tantôt apathique et indifférent, il se montre à d'autres moments manifestement provoquant et agressif. L'examen neurologique, qui ne permet de retrouver aucun signe de localisation, met en évidence tous les signes d'une intoxication : un discours bredouillant, une démarche instable et trébuchante. Les réflexes et la force musculaire sont diminués des deux côtés ; il existe un tremblement intentionnel de la main en extension, un nystagmus horizontal et vertical (mouvements rapides et involontaires des globes oculaires). L'examen des muqueuses de la gorge et du pharynx révèle une irritation diffuse. A plusieurs reprises durant l'examen, Danny a essayé de s'y soustraire. Une fois même, il s'est emparé du marteau à réflexes pour se mettre à tester ceux du médecin. L'examen somatique est par ailleurs normal.

Au bout de quarante-cinq minutes, les réflexes ont progressivement retrouvé leur vigueur et le patient ne se plaint plus d'un flou de la vision et d'une diplopie. En dépit de ces réelles améliorations, il continue à osciller entre l'apathie et l'hostilité.

On fait pratique un prélèvement d'urine pour l'analyse toxicologique et on appelle le psychiatre. Ne pouvant pas attendre plus de quelques minutes, le malade quitte l'hôpital, contre avis médical, sans que les parents aient pu être prévenus. L'analyse d'urine mettra en évidence la présence de solvants aromatiques.

Discussion

Ray n'est visiblement pas au courant des habitudes toxicomaniaques de son frère, car l'examen médical, qui retrouve au niveau de son haleine l'odeur de solvant organique ainsi qu'un érythème autour du nez et de la bouche, est très en faveur d'une intoxication par inhalation d'une substance volatile comme l'essence, la colle, la peinture ou le white spirit. Cette suspicion clinique d'intoxication par inhalation est d'ailleurs confirmée par l'analyse d'urine.

L'inhalation de ce type de substances aromatiques peut se faire soit par l'intermédiaire d'un torchon imbibé de produit et appliqué sur la bouche et le nez, soit directement à partir d'un récipient ou d'un aérosol. Le produit volatile atteint rapidement les poumons et la circulation sanguine au point de provoquer une intoxication aiguë. Les symptômes visuels présentés par Danny, son discours bredouillant, sa démarche ébrieuse, la diminution de ses réflexes, sa faiblesse musculaire généralisée sont caractéristiques d'une intoxication par inhalation de substances psycho-actives. Il suffit pour le diagnostic que ces symptômes s'accompagnent de modifications comportementales inadaptées associant, comme dans le cas présent, une alternance d'agressivité et d'apathie.

Dans l'hypothèse plus que probable que ce n'est pas la première fois que Danny inhale des solvants, nous établirons le diagnostic provisoire d'Abus de substances psycho-actives par inhalation.

L'apparition de lésions cérébrales pouvant, si elles sont importantes, se traduire par une Démence constitue la plus grave des complications de l'intoxication répétée aux solvants. Dans le cas de Danny, il n'est cependant pas possible d'affirmer que certains des symptômes qu'il présente, comme la diminution de ses difficultés de d'attention sont en réalité les premiers signes d'une démence.

Diagnostic selon le DSM-III-R

Axe I : 305.90 Intoxication par inhalation de substances psycho-actives (p. 168)
305.90 Abus par inhalation de substances psycho-actives (provisoire) (p. 190)
Démence liée à une substance psycho-active à éliminer

Monsieur et Madame Albert

Monsieur et Madame Albert forment un couple séduisant, sociable, et cela fait quinze ans qu'ils sont mariés. C'est pour des problèmes sexuels qu'ils sont venus consulter un psychiatre. Lui est un restaurateur réputé de trente-huit ans.

Son épouse, qui a actuellement trente-cinq ans, s'est entièrement consacrée depuis son mariage à tenir la maison et éduquer les enfants. "Du point de vue sexuel, dit-elle, ça n'a jamais marché". Aussi pense-t-elle sérieusement divorcer.

Son mari, en effet, présente une éjaculation précoce. Chaque fois qu'il tente de faire l'amour à sa femme, il s'angoisse, saute les préliminaires et atteint l'orgasme dès qu'il a pénétré le vagin. C'est alors que, conscient de l'insatisfaction de sa partenaire, il se sent humilié. Après l'échec, c'est le silence : lui se sent vraiment incapable et coupable et elle, de son côté, ressent une frustration et du ressentiment face au peu d'égard qu'il a pour elle. Au risque de se sentir frustrés, ils ont donc décidé d'un commun accord d'éviter d'avoir des relations sexuelles pour ne pas se fâcher.

Monsieur Albert est un perfectionniste qui se félicite de toujours atteindre les objectifs qu'il se fixe. Il a toujours été un "enfant sage", dont le père n'était jamais satisfait de ses efforts. Actuellement, il a tellement honte de ne pas pouvoir contrôler ses éjaculations qu'il ne se sent pas capable de parler à sa femme de ce qu'il appelle son "echec". Madame Albert est une femme sensuelle qui, bien que très excitée par les préliminaires amoureux, ne peut se départir de l'idée que le rapport sexuel est la seule façon d'atteindre véritablement l'orgasme. Or, avec son mari, elle n'a jamais été satisfaite et elle le tient pour responsable de sa frustration sexuelle. Puisqu'elle ne peut en discuter sans se mettre en colère, elle évite d'en parler. Aussi ont-ils trouvé d'autres sujets de gratification, le sexe ayant été un désastre.

Ainsi, pour l'éducation de leurs deux enfants, la direction de leur restaurant et leurs relations avec les amis, ils s'entendent très bien. Malgré cela, ils envisagent très sérieusement le divorce.

Discussion

Le couple de cette observation est confronté à des difficultés d'ordre sexuel qui en menace la stabilité du ménage. La classification du DSM-III-R ne mentionne pas les problèmes de couple ; aussi est-il nécessaire, lorsque l'on a affaire à ce type de problème, d'envisager séparément le cas de chacun des deux partenaires (ce qui ne doit pas pourtant faire perdre de vue l'importance de leurs relations, quant aux conditions de survenue de ces difficultés et aux perspectives thérapeutiques). Le problème sexuel du mari semble se résumer en une absence de contrôle volontaire et normal de l'éjaculation presque immédiatement après la pénétration, qui a pour conséquence une totale insatisfaction pour sa femme et pour lui un réel sentiment d'incapacité. Comme l'absence de contrôle ne se limite pas aux nouvelles expériences et qu'elle ne se manifeste pas après une abstinence, ce trouble correspond au diagnostic de l'Axe I d'Ejaculation précoce. Le "perfectionnisme" du mari, qu'il soit à l'origine ou qu'il ne fasse que perpétuer le trouble sexuel, mérite d'être porté sur l'Axe II comme un trait spécifique de Personnalité obsessionnelle compulsive.

Nous n'avons finalement que très peu d'informations concernant Madame Albert. Cette absence de données oblige à n'enregistrer, en code V, que le Problème conjugal qui motive sa consultation. Cette catégorie diagnostique pourrait très bien être remplacée par un Trouble de la Personnalité, par exemple, au cas où des informations ultérieures permettraient d'en envisager l'existence. Il n'est pas possible d'attribuer au mari en code V le diagnostic de Problème conjugal, car ses difficultés conjugales correspondent, dans son cas, à un trouble mental noté sur l'Axe I.

On pourrait tout aussi bien évoquer le diagnostic de Trouble de l'adaptation chez le mari, la femme ou les deux. Dans le cas du mari, ce diagnostic ne semble pas devoir être posé, car les difficultés qu'il éprouve sont liées à son Ejaculation précoce et non pas à une affection à part entière. En ce qui concerne sa femme, poser un diagnostic de Trouble de l'adaptation reviendrait à dire que sa réaction face au problème sexuel de son mari (ressentiment et menace de divorce) est démesurée au point de devoir être rangée parmi les troubles psychopathologiques. Cette hypothèse n'est pas à écarter, mais nous manquons d'éléments pour pouvoir en juger.

Diagnostic selon le DSM-III-R

Mari :
Axe I : 302.75 Ejaculation précoce, exclusivement psychogène chronique, généralisée (p. 332)
Axe II : Traits de Personnalité obsessionnelle compulsive

Femme :
Axe I : V61.10 Problème conjugal (p. 407)

Gêné

Nous sommes en 1966. Le patient est un homme marié de quarante-six ans, qui est soumis à une évaluation pour des tics permanents. A treize ans, était apparu un clignement persistant de l'oeil, bientôt suivi par un claquement des lèvres, un mouvement de la tête et des bruits ressemblant à des aboiements. En dépit de tous ces symptômes, il ne fut pas handicapé dans ses études, obtint de bons résultats et sortit du collège avec des félicitations. Pendant son incorporation au cours de la Seconde Guerre Mondiale, ses tics avaient diminué. Mais ils étaient demeurés tellement gênant qu'ils finirent par le faire réformer. Il se maria, eut deux enfants et travailla comme ouvrier semi-qualifié, puis comme contre-maître. Quand il eut trente ans, il avait des tics au visage, dans la nuque et les épaules, se frappait le front avec sa main ou divers objets, se râclait la gorge, crachait, criait : "Hey, hey, hey ; la, la, la". Six années plus tard, une coprolalie était apparue du type : "Va te faire foutre, bâtard ! " au milieu d'une phrase, pendant une conversation.

De 1951 à 1957, on essaya différents traitements, tous en vain : des chocs à l'insuline, une sismothérapie et l'administration de diverses phénothiazines et d'antidépresseurs. La vie sociale du patient s'était beaucoup restreinte du fait de ses symptômes. Il ne pouvait se rendre à l'église ou au cinéma, en raison des bruits qu'il faisait et des jurons qu'il poussait. Il travaillait de nuit pour éviter d'embarrasser ses collègues. Sa famille et ses amis avaient de plus en plus de mal à supporter ses symptômes et ses filles refusaient d'amener des amis à la maison. Son isolement forcé ainsi que l'apparente impossibilité de trouver un traitement efficace ont fini par le désespérer. A quarante-six ans, il vient de demander une lobotomie préfrontale qui lui a été refusée après une première évaluation psychiatrique. C'est la raison de cette deuxième évaluation de 1966.

Discussion

Ce patient présente les caractéristiques cliniques de la maladie de Gilles de la Tourette : début avant l'âge de 21 ans, multiples tics moteurs et un ou plusieurs tics vocaux (jurons et cris involontaires), survenant plusieurs fois par jour (habituellement par crises), pratiquement tous les jours ou de façon intermittente pendant plus d'une année avec modifications au fil du temps de la localisation anatomique, du nombre, de la fréquence, de la complexité et de la gravité des tics.

Ce sont en grande partie des raisons historiques qui sont à l'origine du classement de cette affection parmi les troubles mentaux et non pas parmi les maladies neurologiques. On pensait, au départ, que la coprolalie et les autres symptômes comme les tics pouvaient correspondre à une conversion pré-génitale. Actuellement, la plupart des chercheurs considèrent que ce trouble a une étiologie organique, les problèmes psychologiques n'étant que secondaires à cette symptomatologie chronique et invalidante. Ainsi, dans le cas qui nous intéresse, dès que les symptômes de la maladie de Gilles de la Tourette ont pu être réduits, le patient n'a plus été déprimé.

Lors de son évaluation, le malade ne peut plus supporter son isolement forcé et désespère de recevoir un jour un traitement efficace. Dans ce contexte, il est possible d'évoquer soit un Trouble de l'adaptation avec humeur dépressive, soit une Dépression majeure. Mais on ne peut parler de Trouble de l'adaptation lorsque ce sont les conséquences des symptômes du trouble mental ou la réaction qu'il suscite chez les autres qui sont à l'origine de la souffrance psychique. Ainsi un tel désarroi, habituel dans les maladies chroniques, est habituellement considéré comme un trait associé de la maladie et non comme un Trouble de l'adaptation. Quant à la dépression, elle aurait pu faire l'objet d'un diagnostic additionnel de Dépression majeure si les critères de l'Episode dépressif majeur avaient été présents, ce qui n'est pas le cas dans cette observation.

Diagnostic selon le DSM-III-R

Axe I : 307.23 Maladie de Gilles de la Tourette, sévère (p. 89)

Suivi

Le traitement à l'halopéridol (expérimental, à l'époque) à raison de 1 mg/jour a eu pour effet de supprimer 99 % des symptômes. Le malade a ainsi pu reprendre une vie sociale normale et sa dépression a disparu.

Lorsqu'il a été revu pour la dernière fois, 18 ans plus tard, il continuait à bien se porter avec la même dose d'halopéridol.

Au bout du rouleau

Une jeune femme de vingt-six ans, sans emploi, est adressée par son psychothérapeute à l'hôpital car elle a menacé de se suicider en s'ouvrant les veines.

Tout a commencé alors qu'elle était en classe de seconde. Sans que rien, apparemment, ait pu le laisser prévoir, elle se mit à s'intéresser à la philosophie et à la religion, à s'isoler, à douter de sa propre identité. Jusqu'alors bonne élève, ses résultats commencèrent à décliner. Elle prit de la drogue, abandonna la religion de sa famille et chercha une figure religieuse charismatique à laquelle s'identifier. Parfois, alors qu'elle était envahie par une angoisse massive, elle s'ouvrait les veines avec une lame de rasoir, ce qui avait pour effet de la calmer instantanément.

Au bout de trois ans, elle entreprit une psychothérapie. Dans les premiers temps, elle se mit à idéaliser son thérapeute : l'imaginant extraordinairement intuitif, elle n'était pas loin de penser qu'il était le seul à pouvoir la comprendre. Puis, elle devint hostile et exigeante envers lui, réclamant de plus en plus de séances, parfois deux dans une journée. Sa vie était centrée sur son thérapeute, à l'exclusion de toute autre personne. Bien que ses sentiments négatifs envers son psychothérapeute étaient évidents, elle se montrait incapable de les reconnaitre et encore moins de les maitriser. Enfin, il se trouve que les nombreuses menaces de suicide et les phlébotomies multiples ont coïncidé avec certains des moments les plus difficiles de la relation de la malade avec son thérapeute. La présente hospitalisation s'inscrit dans ce contexte.

Discussion

Il s'agit du compte-rendu d'un cas de Trouble de la personnalité limite (borderline). Le fonctionnement au long cours de cette patiente se caractérise par un mode général d'instabilité au niveau de l'humeur, des relations interpersonnelles et de l'image de soi. Existent également une impulsivité (toxicomanie et auto-mutilation), une instabilité et un excès des relations interpersonnelles (alternance d'idéalisation et de dévalorisation du thérapeute), des accès de colère non justifiés (hostilité envers le thérapeute), une perturbation de l'identité (image de soi-même), une instabilité affective (épisodes d'anxiété massive) et un comportement d'auto-mutilation à répétition (phlébotomies). Les sentiments permanents de vide et d'ennui (qui sont sans doute présents) et les efforts effrénés pour éviter les abandons réels ou imaginaires (qui peut-être permettent d'expliquer le fait que la malade ne cesse de demander que le nombre de ses séances soit augmenté) sont les seuls symptômes caractéristiques de ce trouble que ce cas clinique ne fait pas clairement apparaître.

Bien que cette malade soit effectivement suicidaire, il n'existe aucun autre symptôme dépressif susceptible de justifier le diagnostic de Dysthymie ou de Dépression majeure.

Diagnostic selon le DSM-III-R

Axe I : V71.09 Absence de diagnostic ou d'affection
Axe II : 301.83 Trouble de la personnalité limite (borderline), sévère (p. 391)

Un étudiant dans la brume

Un étudiant de vingt ans vient consulter un psychiatre car il a l'impression de "devenir fou". Depuis deux ans, il passe de plus en plus fréquemment par des états au cours desquels il se sent comme si il était "à l'extérieur" de lui-même voir même prisonnier d'un corps réduit à une simple machine. Il perd alors l'équilibre et se cogne contre les obstacles qui se trouvent autour de lui. Ainsi, et plus particulièrement lorsqu'il est avec d'autres gens ou seulement préoccupé, son aisance naturelle à mobiliser son corps l'abandonne et ses pensées lui paraissent aussi "brumeuses" que lorsque, il s'en souvient, il avait été anesthésié par voie intra-veineuse, pour une appendicectomie quelques cinq ans auparavant.

Cette sensation subjective de perte de contrôle lors de ces crises est pour lui particulièrement angoissante. Aussi essaie-t-il d'en empêcher la survenue en remuant la tête et en se répétant "arrête !". Il retrouve alors sa lucidité en même temps que le contrôle de lui-même, mais seulement de façon temporaire. C'est alors que réapparait cette impression d'être extérieur à ce corps dévitalisé. Puis, peu à peu, après quelques heures, la crise cesse pour laisser la place à la crainte angoissante qu'une nouvelle crise se produise, et ce d'autant plus que la fréquence et la durée de chacune d'elle n'a fait qu'augmenter ces derniers temps.

C'est ainsi qu'au moment de sa consultation, le patient est sujet à des crises qui durent trois à quatres heures. A plusieurs reprises, alors qu'il était seul au volant de sa voiture, il a évité de justesse un accident, en s'arrêtant in extrêmis sur le bord de la route. Plus ça va, plus il éprouve le besoin de se confier à son amie qui, en retour, a commencé à se détacher de lui, prétextant son manque d'entrain et son indifférence. Elle l'a même menacé de le quitter s'il ne changeait pas et, déjà, elle sort avec d'autres garçons.

Ses résultats universitaires n'en sont pas pour autant affectés et se sont même améliorés ces derniers mois, car il s'est mis à travailler davantage qu'auparavant. Bien que préoccupé par ses symptômes, il conserve le sommeil et l'appétit, garde intacte sa capacité à bien se concentrer. Il n'est ni fatigué, ni physiquement affaibli par ses soucis.

L'un de ses cousins étant interné depuis de nombreuses années pour une grave maladie mentale, le patient a fini par se demander s'il n'allait pas lui-même connaître le même sort, et c'est pour être rassuré à ce sujet qu'il est venu consulter.

Discussion

La dépersonnalisation, c'est à dire l'altération de la perception du vécu de son "soi", aboutissant à une perte du sentiment familier de sa réalité propre, est un symptôme que l'on peut retrouver dans un certain nombre de troubles mentaux tels que la Schizophrénie, l'Anxiété, les Troubles de l'humeur, les Troubles de la Personnalité les Troubles mentaux organiques. La dépersonnalisation n'est pas en elle-même synonyme de trouble mental. Chez un grand nombre d'adultes jeunes, elle peut même se manifester a minima, sans pour autant être responsable d'un quelconque handicap de fonctionnement. Si, comme cela semble être le cas dans cette observation, le symptôme de dépersonnalisation se manifeste en l'absence de toute autre pathologie envahissante et qu'il est suffisamment intense et persistant pour occasionner une détresse importante, il convient de poser le diagnostic de Trouble : dépersonnalisation.

Diagnostic selon le DSM-III-R

Axe I : 300.60 Trouble : Dépersonnalisation (ou névrose de
dépersonnalisation) (p. 311)

Mémoires de guerre

Le patient, âgé de trente-deux ans, a été admis dans un hôpital psychiatrique en 1982 après avoir tenté de se suicider en absorbant des somnifères. Selon lui, il n'avait aucune raison précise pour se tuer si ce n'est une tristesse profonde qui ne l'a pas quitté depuis qu'il est rentré du Vietnam il y a dix ans.

Son enfance et son adolescence se sont déroulées sans histoires. "Avant d'aller chez les Viets, jamais je n'avais eu de problèmes", dit-il. Au lycée, il avait des amis et faisait des études correctes. Jamais il n'a eu de démêlés avec la justice. Après sa scolarité secondaire, il a suivi un enseignement technique, reçu une formation d'électricien, puis travaillé dans cette branche jusqu'à sa mobilisation. Au Vietnam, il a été horrifié par la violence des combats. Lors d'une opération, complètement influencé par l'esprit du groupe, il avait abattu un civil "sans raison, dit-il, juste pour me distraire". Aujourd'hui, ce geste lui apparait en tout point inexplicable et contraire à l'idée qu'il se fait de lui-même. Le souvenir de cet incident ne cesse de le hanter et la culpabilité qui s'y rattache le paralyse. Depuis sa démobilisation avec les honneurs, il n'a jamais repris le travail, excepté trois semaines pendant lesquelles il a été employé par un de ses oncles et ne doit sa subsistance qu'à des pensions et des aides gouvernementales.

C'est à l'armée qu'il dit s'être initié à la boisson ainsi qu'à toutes les autres, drogues qu'il avait la possibilité de se procurer. Ces dernières années, il n'a pourtant pratiquement pris que de l'alcool. Depuis qu'il est revenu de la guerre, sa vie est celle d'un ivrogne, avec la séquence habituelle de cuites, d'interpellations pour état d'ébriété, de rixes dans les bars. Il a un cercle de connaissances, mais pas d'amis. Qu'il boive ou qu'il soit sobre, comme cela lui arrive parfois, il se sent constamment déprimé. Il a d'ailleurs fait quatre tentatives de suicide ces sept dernières années, dont l'avant dernière juste avant son hospitalisation d'un mois dans un centre de désintoxication ; c'est la plus longue période de sobriété dont il se souvient, toutes ses précédentes tentatives pour se sevrer ayant échoué.

Lors de l'admission, le patient paraît soucieux, méditatif, l'air digne ; dans la conversation courante, il semble faire preuve d'une intelligence normale. Il dit ne s'intéresser à rien et ne pas supporter de voir les autres, "profiter de la vie" au point d'être obligé de se dominer pour ne pas les agresser et rester courtois. Il ne semble jamais avoir déliré sauf à l'occasion des épisodes de Delirium tremens qu'il a faits dans le passé. Son appétit est normal. Quant à sa vie sexuelle, il avoue n'en retirer guère de plaisir. Il lui faut des somnifères pour dormir et faire sa nuit complète, il n'a pas de ralentissement psychomoteur, mais il se plaint d'être souvent "distrait".

Après deux semaines d'hospitalisation, le patient a encore quelques difficultés à retrouver son chemin dans le service. Il s'est montré très coopérant lors des tests neuropsychologiques et a très mal supporté sa prestation médiocre : troubles de la mémoire immédiate et à long terme, difficultés à construire des figures. Quand à l'examen neurologique, il met en évidence une légère apraxie, une agnosie, ainsi qu'une neuropathie périphérique.

Les antidépresseurs se sont avérés inéfficaces et, actuellement, le patient avoue regretter de ne pas avoir réussi sa tentative de suicide : "Si ça ne va pas mieux dit-il, je recommencerai".

Discussion

C'est une tentative de suicide symptomatique d'une dépression au long cours qui a été à l'origine de l'hospitalisation. Le fait que le malade présente, depuis dix ans, une humeur dépressive et une anhédonie, s'accompagnant de troubles du sommeil et d'actes suicidaires réitérés, n'est pas sans évoquer un Episode dépressif majeur. Ce diagnostic ne doit être établi qu'à titre provisoire, car, compte tenu du peu d'informations que nous possédons, les difficultés de concentration pourraient tout aussi bien correspondre à une Dépression qu'à d'une Démence.

Dans les antécédents, on note une alcoolisation installée depuis longtemps, avec des périodes fréquentes d'intoxication quand le sujet est censé accomplir les obligations majeures correspondant à son rôle social ; des tentatives avortées pour arrêter de boire et une poursuite de l'intoxication en dépit de problèmes à répétition, dont le patient a conscience qu'ils sont provoqués par la boisson, tels que des pertes de conscience, des interpellations fréquentes, des blessures au cours de rixes. Autant de symptômes qui, ajoutés aux antécédents d'épisodes pathologiques liés au sevrage (Delirium de sevrage alcoolique), atteste de la réalité d'une Dépendance à l'alcool. Le patient ne buvant plus depuis un mois, le degré de sévérité doit-être indiqué : "en rémission partielle". A noter cependant que pour une période de sevrage aussi courte, la probabilité de rechute est extrèmement élevée.

On remarque que le patient a de gros troubles mnésiques, des perturbations de ses fonctions supérieures (apraxie, agnosie, difficultés constructives), et une diminution de ses facultés intellectuelles (QI à 66), tout cela n'étant pas sans conséquence sur son fonctionnement. Vu le contexte d'alcoolisation au long cours et compte tenu du fait que les troubles présentés par le sujet ne se limitent pas à une perte de mémoire (comme dans le Trouble amnésique alcoolique), il s'agit donc d'une Démence associée à un alcoolisme. En raison de sa plus grande actualité, ce diagnostic doit être enregistré en second, devant la Dépendance à l'alcool, en rémission partielle.

Diagnostic selon le DSM-III-R

Axe I : **296.22** Dépression majeure, épisode isolé (chronique), modéré (p. 250)

291.20 Démence associée à l' alcoolisme (p. 150)

303.90 Dépendance à l'alcool, en rémission partielle (p. 188)

Miriam et Esther

Miriam a été hospitalisé après que sa mère ait appelé la police parce qu'elle craignait que sa fille ne fasse "des bêtises". Miriam dit être âgée de cinquante-six ans et vivre avec Alice, sa fille de douze ans et Esther, soixante-seize ans, qu'elle appelle "sa mère présumée" ou celle "qui prétend l'être". Esther est, selon elle, une amie de la famille qui l'héberge, elle et sa fille, depuis quelques années ; aussi supporte-t-elle de moins en moins la "prétention" d'Esther à vouloir se conduire comme une mère et une grand-mère, sa façon de se mêler de sa vie privée et d'essayer, par "dépit", de monter sa fille Alice contre elle.

La nuit de son admission, une querelle domestique avait menacé de dégénérer dans la violence, au point qu'Esther avait dû se résigner à la faire hospitaliser, "par mesure d'hygiène", ajoute la patiente. Miriam espère quitter l'hôpital dès que d'assistante sociale lui aura trouvé pour elle et sa fille, un appartement où elle puisse avoir "un cadre de vie, dit-elle, plus propice à la bonne éducation de ma fille Alice, qui va bientôt devenir une jeune fille". Elle reconnait "avoir eu quelques soucis ces derniers temps", mais elle dort bien, dit avoir bon appétit et ne présenter ni troubles l'humeur ni hallucinations. Elle reconnaît cependant entendre par intermittence et, depuis quelques années, comme un "bourdonnement" dans le crâne qu'elle attribue à des problèmes liquidiens au niveau de l'oreille. A d'autres moments, elle dit se sentir dans un état "d'extrême lucidité", sans pour autant entendre des voix.

La version que Miriam donne de son propre passé s'avère complexe et imprécise. Elle dit être née il y a cinquante-six ans en Italie, le 15 novembre 1924. Ses "parents biologiques" (selon son expression), Louise et William, devaient leur fortune au pétrole. Ils l'ont élevée dans leur maison de campagne du Mont Vernon, dans l'état de New-York, où elle passa toute son enfance. Esther, une amie de la famille, leur rendait fréquemment visite. Miriam se souvient de réceptions où les invités arrivaient au volant de Rolls-Royces et de Packards. Elle dit avoir ensuite vécu en Europe et en Afrique du Nord, et avoir été présente à Hiroshima lors de l'explosion de la bombe atomique. Cet événement la laissa avec un débrit d'acier dans le crâne et un "cerveau radioactif". Elle vécut à nouveau sous le même toit que Louise et Williams de 1957 à 1968, période au cours de laquelle elle prétend néanmoins avoir eu trois maris et sept enfants. La cadette, Alice, fille de son dernier mari, était née en 1968, quatre ans après la mort de son géniteur. Lorsqu'on lui demanda de justifier ce fait, elle explique qu'une "infection des trompes" avait prolongé le "délai technique" de la conception du bébé.

Toujours selon Miriam, juste après la naissance d'Alice, elle emménagea avec Esther et s'inscrivit à l'université, où elle suivit des cours pour adultes : elle excellait en particulier en "linguistique romane". Elle commença alors à boire jusqu'à un litre de whisky par jour. Lorsqu'elle ne buvait pas, elle se mettait à trembler et à transpirer de tout son corps. Après la mort de sa "mère biologique", Miriam plongea dans le désespoir et perdit du poids. Et c'est ainsi qu'elle finit par être hospitalisée dans un service de psychiatrie pour trois mois. Là, une fois sevrée, son état s'améliora. Dans les années qui suivirent, elle fut traitée sur un dispensaire par un antipsychotique, la prolixine, un traitement que la malade qualifie de "stabilisateur", mais qui aurait eu pour effet d'entrainer la chute de ses cheveux. Ensuite, elle aurait travaillé de façon régulière pour le Ministère de l'Education, puis comme aide-soignante à domicile. Depuis l'an dernier, elle reste à la maison pour s'occuper de sa fille.

Le témoignage d'Esther, la mère de Miriam, retrace une histoire quelque peu différente, qui sera confirmée par certains des membres de sa famille ainsi que le personnel médical. Miriam n'a en réalité que trente ans et elle est née le 8 octobre 1950. Esther est âgée de cinquante six ans et est bien sa véritable mère. Lorsque Miriam avait sept ans, son père est parti du jour au lendemain sans laisser d'adresse. L'année suivante, elle et sa soeur furent confiées, probablement pour des raisons financières, à sa tante Louise et à son oncle William, qui appartenaient à la petite bourgeoisie. Esther venait leur rendre visite durant les week-ends.

Miriam avait de bons résultats à l'école, mais elle restait isolée, sans amies. En 1968, à l'âge de dix-sept ans, elle tomba enceinte d'un cousin jamaïcain, qu'elle ne revit plus jamais. Elle finit son année de lycée, puis s'en revint à la maison maternelle pour mettre au monde l'enfant. Esther prit soin de la mère et l'enfant et assuma la charge de l'éducation de sa petite-fille Alice.

Miriam s'inscrivit à l'université pour des cours du soir de gestion, mais elle n'eut que de mauvais résultats. Puis, elle travailla comme aide-soignante à domicile, pour quitter le travail au bout d'un an parce qu'elle avait le sentiment qu'on lui voulait du mal. Elle commença à entendre des voix qui commentaient ses gestes quotidiens et fut admise dans une un hôpital public en 1973, où elle fut soumis à une chimiothérapie qui donna de bons résultats, mis à part le fait que les voix ne cessèrent que plusieurs mois après sa sortie. Puis elle resta à la maison, travailla épisodiquement comme secrétaire, essaya sans succès de passer un examen de sténographie.

En 1977, sa mère lui donna de l'argent pour qu'elle puisse avoir son propre appartement. Incapable de gérer correctement son budget, Miriam finit par se retrouver à la rue au bout d'un an, à la suite de quoi elle fit une rechute psychotique, dont on ignore les détails. Elle revint chez sa mère et son état s'améliora grâce aux neuroleptiques. Elle travailla de nouveau comme aide-soignante à domicile pendant un an, mais interrompit son traitement et quitta son travail. Elle commença à appeler sa mère par son prénom, Esther, pour bien lui signifier qu'elle n'était pas sa vraie mère. L'atmosphère s'envenima du fait des reproches qu'Esther adressait à Miriam et de la jalousie de Miriam envers le rôle maternel que tenait Esther à l'égard de sa fille, la préférence de l'enfant allant sans conteste vers Esther.

Miriam passait la plupart de son temps seule dans sa chambre, à ne voir personne, ne s'aventurant dehors que pour faire des achats et dépenser toute sa pension d'invalidité en vêtements coûteux. Selon ses proches, le seul fait de parler de sa mère la mettait dans tous ses états. Finalement, elle cessa de prendre soin d'elle et d'aider aux tâches ménagères, commença à élever la voix contre des personnages imaginaires pour leur dire de la "laisser en paix" et de ne pas la toucher. A plusieurs reprises, elle se calmait dès que l'on appelait la police. Mais la nuit de son admission, Miriam était absolument hors d'elle, menaçant de se jeter avec sa mère par la fenêtre. Elle dut être immobilisée de force pour être amenée à l'hôpital.

Lors de ses entretiens, Miriam a toujours été calme et courtoise. Elle est obèse et sans charme, mais elle s'habille avec soin. Son débit verbal et ses gestes sont parfaitement normaux. Peu expansive, elle prend parfois un ton pédant et quelque peu méprisant. Par contre, lorsque sa mère est présente à l'entretien, elle a du mal à retenir sa colère et ses sarcasmes. Sa pensée semble parfois décousue et incolérente. Surtout, elle parsème sa conversation de termes idiosyncrasiques ("ma prétendue mère", "ma soi-disant mère") et de néologismes ("les médicaments me zigoulinent les méninges......Je ne suis guère corrélée......Ma mère ne m'accréditionne pas......L'hôpital doit avoir mon dossier s'ils sont compétentieux ; ils doivent avoir un bureau des litigations").

Confrontée aux incohérences qui parsèment le récit de sa vie, Myriam esquive les réponses en souriant. Depuis son hospitalisation, elle affirme qu'elle ne sent plus de "bourdonnements" dans son crâne et que ses hallucinations ont disparu. Des infirmières ont noté que lorsqu'elle ne se sentait pas observée, elle semblait parler à des êtres imaginaires.

Discussion

Il ne fait pas de doute que cette malade présente d'importantes manifestations psychotiques, dont la plus marquante est l'idée délirante que la femme qui prétendrait être sa mère ne serait en réalité qu'une amie de la famille (cette idée délirante nous semble être une variante du syndrome du Capgras, dans lequel le malade est persuadé qu'une ou plusieurs personnes de son entourage sont en réalité des imposteurs, qui ressemblent ou sont absolument identiques à celles dont elles ont assumé le rôle). Parmi les autres idées bizarres de la malade, on enregistre sa croyance que la conception de son plus jeune enfant se serait produite plusieurs années après la mort du père biologique et l'idée qu'elle se serait trouvée à Hiroshima au moment de l'explosion de la bombe atomique et qu'elle en aurait conservé "un débrit d'acier dans le crane".

Bien que la patiente le nie, il est probable que le bruit qu'elle perçoit dans sa tête n'est autre qu'une hallucination auditive ; sa mère affirme qu'il lui est déjà arrivé d'entendre des voix.

L'absence d'un facteur organique connu qui pourrait rendre compte de la symptomatologie, l'altération du fonctionnement depuis plusieurs années, la présence d'un certain nombre d'idées délirantes bizarres et d'hallucinations permettent de porter le diagnostic de Schizophrénie. Comme la patiente semble plutôt préoccupée par des idées délirantes systématisées, en l'absence de manifestations telles qu'une incohérence, ou un relâchement marqué des associations, son Type doit être qualifié de paranoïde. L'évolution de sa maladie se fait sur un mode chronique (sa durée dépasse deux ans), avec une poussée actuelle aiguë (réémergence des symptômes psychotiques au premier plan).

Ce cas a pour particularité de comporter ce que l'on appelle parfois une *pseudologia fantastica*, constituée de représentations très élaborées de scènes fantastiques auxquelles le patient adhére totalement, alors qu'elles sont totalement fausses. Il en est de même de Miriam et du récit qu'elle fait de son histoire : sa naissance en Italie, la fortune des parents qui l'ont élevée, le fait qu'elle aurait vécu en Europe et en Afrique du Nord, les graves problèmes avec l'alcool qu'elle prétend avoir (et que sa famille a déniés).

Diagnostic selon le DSM-III-R

Axe I : 295.34 **Schizophrénie, du Type paranoïde, chronique en poussée aiguë (p. 223)**

Toilettes pour hommes

Nick, un caissier de 26 ans, se rend à la consultation du dispensaire de psychiatrie sur le conseil d'un assistant social, avec lequel il est en contact depuis six mois en raison de problèmes relationnels.

Au cours de ces trois à quatre dernières années, alors qu'il n'avait pratiquement aucune activité sexuelle, Nick s'est mis à fréquenter les toilettes pour hommes. Là, il coupe l'arrivée d'eau, puis attend qu'un homme sexuellement à son goût entre et se serve des W.C. Il récupère alors les excréments pour les ramèner chez lui dans un sac en plastique. Il les réchauffe en plongeant dans l'eau bouillante le sac d'excréments qu'il se met ensuite à manipuler, ce qui a pour effet de provoquer en lui une intense excitation. Et c'est alors qu'il se masturbe jusqu'à l'orgasme. Ce rituel, le malade avoue s'y adonner une fois par mois environ, bien qu'il en éprouve un fort sentiment de culpabilité parce que, dit-il, selon sa propre expression, ce n'est pas "socialement acceptable".

Nick est un homosexuel qui a une grande répugnance à fréquenter les bars "gays". Lorsqu'il se décide à y aller, il n'y reste que très peu de temps et si personne ne l'aborde pendant le premier quart d'heure, il quitte le lieu. Il partage un appartement avec un camarade avec lequel il n'a jamais eu de rapports sexuels. Il n'a que très peu d'amis.

Il est attiré par les toilettes pour hommes depuis le début de son adolescence, et c'est là qu'il a eu un certain nombre de relations sexuelles. Un temps, l'urine l'excitait aussi. Actuellement, ce n'est plus le cas.

Nick se souvient d'avoir été "un solitaire" depuis son enfance. Il s'est rendu compte dès son jeune âge que son attirance pour les garçons le rendait différent des autres, ce qui eu pour effet de l'isoler. Sa première expérience sexuelle eut lieu à dix ans lors d'une séance de masturbation de groupe. Dès l'âge de onze ans, il eut sa première relation homosexuelle. Bien d'autres ont suivi, sans que jamais il n'eut d'expérience sexuelle avec une femme, pas plus qu'il ne s'est senti attiré par le sexe opposé.

Il s'agit d'un garçon d'assez petite taille, râblé, plutôt viril, habillé et coiffé avec soin. Lors de l'entretien, il parait anxieux, et tendu, en particulier lorsqu'il se met à décrire son comportement sexuel. Il semble se retenir d'exprimer quoi que ce soit et se plaint d'être déprimé, sans pour autant manifester des symptômes de dépression. Le style de son discours est ampoulé. Il ne semble présenter aucun symptôme psychotique.

Discussion

Dans quelle catégorie diagnostique serait-il possible de ranger l'utilisation des fèces comme excitant sexuel ? Dans la Coprophilie, Paraphilie non spécifiée selon le DSM-III-R, le sujet est excité par l'observation de l'acte de défécation ou par le fait que l'on défèque sur lui. Or dans le cas clinique qui nous intéresse, ce sont les fèces elles-mêmes qui servent de stimulus, ce qui n'est pas sans évoquer l'utilisation d'autres objets en eux-mêmes inanimés à des fins d'excitation sexuelle, tels que des sous-vêtements féminins, comme dans le Fétichisme. (Nous ne prétendons pas que le fait de considérer ce trouble comme un Fétichisme et non comme une Paraphilie non spécifiée puisse avoir une réelle incidence sur la thérapeutique).

La notion d'isolement social ainsi que l'incapacité à rentrer en contact avec les autres, nous incite raisonnablement à porter sur l'Axe II le diagnostic de Trouble de la personnalité non spécifié (provisoire), le Trouble de la personnalité schizoïde restant à éliminer.

Note : pour ce cas, qui nous a été soumis avant l'epidémie de SIDA, nous ne possédons pas d'information concernant le suivi ultérieur.

Diagnostic selon le DSM-III-R

Axe I : 302.81 Fétichisme, sévère (p. 317)
Axe II : 301.90 Trouble de la Personnalité non spécifié
(provisoire) (p. 403)
Trouble de la Personnalité schizoïde à éliminer

Problème sexuel

Madame B. est une femme au foyer de quarante-trois ans qui est hospitalisée en 1968 pour ce qu'elle appelle son "problème sexuel" : elle pense avoir besoin d'être hypnotisée pour qu'on puisse trouver ce qui ne va pas. C'est son mari qui donnera les informations : depuis le début de leur mariage, sa femme, dit-il, a eu des liaisons extra-maritales avec de nombreux hommes. Une fois, en deux semaines, elle aurait même eu une centaine d'expériences sexuelles, chaque fois avec un homme différent. Quant à la patiente, elle reconnaît bien avoir eu ce comportement, mais se dit incapable d'en parler car elle affirme ne se souvenir de rien, de même qu'elle fait remarquer que n'étant pas particulièrement portée sur le sexe, c'est un besoin irrépressible qui la pousse à sortir de chez elle pour chercher un partenaire.

La patiente est mariée depuis vingt ans et c'est son mari qui domine le couple. Elle craint ses fréquentes crises de jalousie ; si elle est venue à l'hôpital, c'est bien parce qu'il l'y a poussée. Elle maintient qu'elle ne peut expliquer pourquoi elle recherche d'autres hommes, alors qu'au fond d'elle-même, elle ne le désire pas. Son mari ajoute qu'un jour où il l'avait suivie, il avait fini par se retrouver face à son épouse. Elle s'était alors comportée comme si elle ne le connaissait pas. Cette version des faits, la malade ne la conteste pas, mais est persuadée que sa débauche sexuelle est recouverte par ce qu'elle appelle son "amnésie".

Lorsque le médecin fait remarquer au mari qu'il a peut-être imaginé ces aventures, il s'emporte et accuse le médecin et un infirmier du service d'avoir couché avec sa femme.

Ni l'interrogatoire sous amytal, ni les entretiens approfondis ne permettront de vérifier la réalité de l'amnésie. En fait, Madame B. ne parviendra à se souvenir que de deux liaisons extra-conjugales, une remontant à vingt ans, l'autre un an avant l'hospitalisation. Elle précise que la dernière avait été organisée par son mari qui était alors présent dans la même maison. Malgré cela, elle reste persuadée qu'elle a eu d'innombrables expériences extra-maritales.

Discussion

A la lecture de cette observation, on commence par se demander quelle est la nature du syndrome amnésique, s'il est psychogène ou organique. Puis le mystère s'épaissit dès lors que l'on découvre, progressivement que le principal informateur, le mari, présente une jalousie délirante qui consiste à croire que sa femme n'arrête pas de le tromper, idée que l'intéressée elle-même a totalement acceptée. Elle est même persuadée qu'elle est amnésique, seule façon qu'elle a d'expliquer son incapacité à évoquer les faits qui lui sont reprochés. Or, vu le contexte délirant, il est évident qu'il n'y a aucune amnésie. Par ailleurs, avant qu'elle ne se mette à délirer, la patiente ne semble pas avoir eu de trouble psychotique préexistant, ni même une quelconque symptomatologie évocatrice d'une Schizophrénie débutante. Il s'agit donc d'un Trouble psychotique induit, anciennement appelé *folie à deux*, que cette femme semble avoir élaboré au contact de son mari et dont l'aboutissement en est la production d'idées délirantes dont le contenu est identique à celle du mari.

Il est intéressant de noter que la patiente de cette observation, du fait des liaisons extra-conjugales qui lui sont attribuées, se trouve être l'artisan du malheur de son mari. Or, dans ce type de pathologie, la personne qui finit par admettre le système délirant, partage généralement avec son compagnon l'idée qu'elle est une victime innocente.

Diagnostic selon le DSM-III-R

Axe I : 297.30 Trouble psychotique induit (p. 237)

La vision céleste *

Une femme obèse de trente-quatre ans, est amenée à l'hôpital par la police : dans une station service, elle s'est mise à se déshabiller, puis, nue derrière sa voiture, a ostensiblement commencé à prendre le sexe de son fils de cinq mois dans sa bouche. Plus tard, elle avouera ne pas avoir pu se contrôler : "Je ne faisais qu'obéir à des ordres qui me disaient de descendre de ma voiture, retirer mes vêtements, tout cela pour choquer les gens et attirer leur attention par un acte évoquant l'imminence de la mise à nue de notre nation, le scandale de la pornographie, de la prostitution et de la maltraitance des enfants". Consciente de la parfaite étrangeté de son comportement, la malade admet volontiers qu'il puisse être perçu comme le signe "d'un dérangement du cerveau", tout en ajoutant : "J'avais quand même des raisons de faire ce que j'ai fait".

La patiente dit avoir eu à plusieurs reprises, depuis vingt ans, "des états visionnaires", au cours desquels Dieu lui a parlé et s'est montré à elle. Récemment elle a reçu de lui des messages religieux et politiques qui l'ont persuadée que "le parti communiste et le parti nazi sont de mèche pour envahir le pays... l'invasion se fera par le Canada et descendra par le Midwest pour atteindre Saint Louis".

La description de ses expériences visionnaires et de son histoire apparemment cohérente et bien organisée est exprimée sur un ton neutre, parsemée de détails vivants et saisissants.

Le dossier d'une première hospitalisation donne une liste complète des symptômes physiques que la malade présentait à cette époque. C'était surtout des migraines, mais la liste s'allongeait à chaque nouveau médecin. Les renseignements tirés d'une évaluation datant de neuf ans font état d'une sensation d'extrême faiblesse, qui durait depuis des années, d'un "noeud" douloureux derrière la tête, de pertes de conscience suivies d'un état de sommeil profond. Les électroencéphalogrammes pratiqués ont été négatifs et le neurologue qui l'a examinée, après avoir éliminé une épilepsie, lui conseilla d'aller consulter un psychiatre.

Au cours de l'actuelle hospitalisation, la patiente présente des plaintes somatiques, en particulier une douleur dans le dos, qu'elle attribue d'elle-même à une chute faite à dix-huit ans et à une arthrite au bas de la colonne vertébrale. Comme elle a du mal à marcher, elle a déjà consulté de nombreux médecins qui lui ont accordé une invalidité à 100% "pour les nerfs et l'arthrite", dit-elle.

Lors de l'examen clinique, on enregistre un excès de poids, plusieurs lipomes sur le dos et sur les bras. La palpation de l'abdomen met en évidence

* D'après Spitzer RL, Gibbon M, Skodol A, Williams JBW, Hyler S : The heavenly vision of a poor woman : A down - to - earth discussion of the DSM-III- différential diagnosis J. Operational Psychiatry (2) : 16 a-172, 1980.

une sensibilité diffuse au niveau du quart supérieur droit. Elle se plaint de polyménorrhées. Le frottis vaginal et la biopsie de l'endomètre sont normaux. L'électrocardiogramme montre un bloc de branche droit et une hypertrophie du ventricule gauche. L'examen radiologique de son crâne révèle une microcéphalie (deux déviations standard au dessous des limites inférieures de la normale) et une ostéosclérose (le rhumatologue a fait le diagnostic d'une douleur mécanique à la partie inférieure du dos excacerbée par l'obésité).

En ce qui concerne l'histoire personnelle de la patiente telle qu'elle la résume, son père était un pasteur fondamentaliste qui, dès son jeune âge, l'a mise en contact avec la religion. Baptisée à douze ans, elle pouvait "parler dans plusieurs langues". Déjà, elle se sentait appelée. Elle termina ses années de collège avec des notes au dessus de la moyenne. Après des fiançailles rompues, (qu'elle évoque de façon très théâtrale, comme souvent au cours de l'entretien), elle rejoignit les WACs*, contre l'avis de ses parents (elle est maintenant brouillée avec sa famille). Elle dit avoir été violée pendant son service, être tombée, peu de temps après, la tête contre le ciment, être restée sans connaisance pendant neuf jours, s'être réveillée dans un état d'extrême faiblesse et partiellement amnésique. Après treize mois, elle quitta les WACs et se maria avec un homme qui était déjà marié. Ils vécurent ensemble douze ans, eurent quatre enfants puis se séparèrent quand elle s'aperçut qu'il abusait de ses filles. Depuis, elle n'a jamais eu un emploi stable.

A la suite de cette rupture, la patiente quitta la ville avec ses enfants car selon elle, ses voisins étaient malveillants. Mais dans une autre ville, elle fut confrontée aux mêmes difficultés. Elle décida donc de partir en Israël avec ses enfants, sans argent et sans autre projet que de s'y installer : elle avait décelé du sang juif parmi ses ancêtres. Il semble que pendant les quatres années qui ont suivi elle ait mené une vie de vagabondage, loin de ses enfants, qu'elle confiait le plus souvent à un foyer d'hébergement.

Il y a quatorze mois, elle dit avoir passé la nuit avec un inconnu dans un motel. "çà fut, dit-elle, le seul rapport sexuel de ces quatres dernières années", le fils qui aurait été conçu à la suite de cette unique liaison a maintenant cinq mois.

Pendant son séjour à l'hôpital, la patiente parle beaucoup et, selon le personnel soignant, se montre volontiers "agressive et théâtrale". Elle tient fermement à ses croyances religieuses et parle facilement des prophéties qu'elle aurait faites et qui se seraient vérifiées. Elle aime faire lire les témoignages écrits de différentes personnes qui partagent sa croyance. Ce sont généralement des louanges qui lui sont rendues pour la solidité de sa foi et son dons de prophéties. Parfois il est mentioné qu'elle "parle dans plusieurs

---

* WAC : abréviation de Women Army Corps, c'est-à-dire une armée féminine aux Etats-Unis.

langues". Le personnel a l'impression qu'elle présente des épisodes psychotiques, centrés sur l'impression d'être persécutée par le gouvernement.

Au bout d'un mois, la malade est autorisée à sortir. Elle dit qu'elle ne suivra pas son traitement et annonce sa détermination à aller dans l'Ouest pour travailler dans une école qui forme les évangélistes. Ses enfants sont confiés à un foyer. Plusieurs jours après son départ, elle est recherchée par la police pour avoir fait des chèques sans provision et volé une voiture.

Discussion

La première question qui se pose à propos du diagnostic différentiel de ce cas clinique est de déterminer si les visions, voix, croyances inhabituelles et comportements bizarres sont ou non les symptômes d'un véritable Trouble psychotique, s'accompagnant d'une altération importante de l'expérience de la réalité. Par définition, une idée délirante est une croyance qui n'est pas habituellement partagée par les autres membres du groupe ou du sous-groupe culturel auquel le sujet appartient. Or cette patiente fréquente depuis un certain nombre d'années une secte religieuse fondamentaliste dans laquelle le fait de parler plusieurs langues à la fois ou d'avoir une vision divine n'est pas considéré comme exceptionnel.

Mais s'il est vrai que lorsque la malade dit recevoir des messages et des ordres venant de Dieu, elle évoque une expérience partagée par les autres membres du groupe, elle s'écarte sensiblement des croyances des fondamentalistes les plus extrémistes, dès qu'elle prétend que les communistes et les forces nazies vont envahir le pays, ou qu'elle a pour mission de susciter une prise de conscience sur l'état des moeurs actuelles. Après avoir éliminé le rôle des archétypes culturels dans la production des symptômes, reste à savoir s'ils sont authentiques (véritables idées délirantes ou hallucinations), s'ils sont produits intentionnellement, s'il existe un continuum entre les symptômes véritables et factices. On peut tout de même penser que certains symptômes, comme le comportement bizarre qui a été à l'origine de l'admission à l'hôpital psychiatrique, sont pour le moins dramatisés. La malade semble en effet particulièrement attentive aux réactions que son comportement peut susciter (une telle perception de la situation ne correspond pas du tout à l'expérience du psychotique).

De même, au cours de l'entretien, la façon dont elle parle des évènements de sa vie ne peut que susciter l'incrédulité et l'impression que beaucoup d'entre eux ont été soit consciemment exagérés, soit fabriqués de toute pièce (*pseudologia fantastica*). Est-elle restée sans connaissance pendant neuf jours ? Ses enfants ont-ils réellement été abusés par son mari ? A-t-elle réellement un ancêtre juif ? A-t-il suffi d'un seul rapport sexuel pour qu'elle tombe enceinte ?

L'autre argument en faveur de la facticité des symptômes évoquant la psychose concerne les antécédents de plaintes somatiques au long cours qui ne semblent correspondre à aucune maladie physique véritable. Les EEG pratiqués à la suite des pertes de conscience dont la malade fait état ne correspondent à aucune anomalie. De tous les symptômes physiques qui ont été passés en revue, aucun ne cadre avec une affection somatique. Enfin, le médecin qui a rapporté l'entretien, comme le personnel du service, est frappé par la présentation théâtrale de la malade.

Dans le DSM-III-R, le Trouble factice se trouve entre les domaines de définition de la Simulation à des fins de réalisation d'un but facilement compréhensible (par exemple, feindre une maladie pour éviter le service militaire) et l'expérience authentiquement psychotique sur laquelle le sujet n'a absolument aucun contrôle. Or le diagnostic du Trouble factice repose sur une double argumentation : les symptômes allégués par la malade sont produits intentionnellement, alors que la motivation ne correspond pas à un but facilement compréhensible. Le sens d'une production intentionnelle d'un symptôme, par définition, ne pouvant qu'être perçu de l'extérieur, on peut se demander dans qu'elles circonstances il est possible d'affirmer que le symptôme est produit intentionnellement. En guise de réponse, on peut citer l'exemple de celui qui "hallucine" uniquement lorsqu'il se croit observé ou de tel autre qui prétend présenter un ensemble de symptômes qui ne peuvent coexister (comme, par exemple, une Démence sévère s'accompagnant d'idées délirantes systématisées de persécution). Le fait de considérer que la motivation ne correspond pas à un but facilement compréhensible, suppose que l'on reconnaît que dans le Trouble factice le sujet adopte sciemment le rôle du patient pour réaliser l'objectif qu'il s'est fixé au risque de devenir un "malade" pour toute son existence, cet objectif pouvant être de se faire hospitaliser pour qu'on s'occupe de lui, d'être libéré de certaines obligations de la vie adulte comme d'avoir à travailler pour vivre.

Or quelle preuve avons-nous que le comportement de cette personne correspond au désir de trouver un bénéfice dans le rôle de la malade ? On peut penser qu'elle a imaginé que le comportement qu'elle a eu vis-à-vis de son fils entraînerait son hospitalisation en service de psychiatrie qui la dégage de toute responsabilité. Et de fait, qu'elle l'ait ou non délibérément cherché, on lui a retiré la garde de ses enfants et elle a échappé aux poursuites judiciaires. Cette argumentation ne nous semble pourtant pas tout à fait convaincante.

Si l'on accepte l'authenticité des idées délirantes et des hallucinations, il faut alors discuter plusieurs catégories spécifiques du DSM-III-R : la Schizophrénie (ou le Trouble schizophréniforme), le Trouble bipolaire et le Trouble délirant. La Schizophrénie (de même que le Trouble schizophréniforme) requiert pour son diagnostic une altération marquée du fonctionnement dans des domaines tels que le travail, les relations sociales et les soins personnels (nettement inférieur au niveau le plus élevé atteint avant le début de la perturbation). Rien dans le cas qui nous intéresse ne le laisse supposer, de même qu'on ne retrouve pas les autres signes caractéristiques de Schizophrénie comme, par exemple, un affect abrasé et un relâchement des associations. Il ne s'agit pas d'un Trouble délirant car il n'existe pas d'hallucinations de premier plan. Enfin, bien que la malade ait une surestimation de soi et des idées de grandeur, l'examinateur comme le personnel soignant n'a pas trouvé d'autre symptôme permettant de faire le diagnostic d'un Syndrome maniaque ; improbable également est l'hypothèse d'un trouble bipolaire. Dans le DSM-III-R, il est heureusement possible d'établir un diagnostic de Trouble psychotique non spécifié, chaque fois que le clinicien considère que le patient a effectivement un trouble psychotique, mais que son tableau clinique ne correspond à rien de spécifique.

Au terme de cette discussion, deux éventualités restent à envisager : le Trouble factice avec symptômes psychologiques (si on considère les symptômes psychotiques comme factices) et le Trouble psychotique non spécifié (si on considère que les symptômes psychotiques sont authentiques). Bien que cette femme ait une maladie physique réelle, il est improbable qu'elle puisse rendre compte de son amnésie, de ses symptômes menstruels, des crises probables de conversion qui se sont manifestées lors de sa précédente hospitalisation. Il faut donc discuter de la possibilité d'un Trouble : Somatisation, affection qui se caractérise par des plaintes somatiques réitérées et multiples qui ne semblent relever d'aucun désordre physique mais sur lesquelles l'attention des médecins a déjà été attirée. Dans ce cas clinique, 9 symptômes seulement peuvent être retrouvés sur les 13 requis pour le diagnostic. Il semble cependant judicieux d'en faire le diagnostic à titre provisoire car, nous pensons qu'en réalité la malade a déjà présenté d'autres symptômes.

Enfin, vu les antécédents de perturbations au long cours des relations interpersonnelles, il semble nécessaire de poser le diagnostic de Trouble de la personnalité. On note en effet des traits histrioniques au premier plan et probablement d'authentiques traits anti-sociaux (vols de voitures, chèques sans provision, abandon d'enfant probable). Faute de posséder une information suffisante, on retiendra donc le diagnostic de Trouble de la personnalité non spécifié avec traits histrioniques et anti-sociaux.

Diagnostic selon le DSM-III-R

Axe I : 298.90   **Trouble psychotique non spécifié (p. 238)**
            (provisoire)
            Trouble factice avec symptômes psychologiques à éliminer
            300.81   **Trouble : Somatisation (p. 296) (provisoire)**
Axe II : 301.90   **Trouble de la personnalité non spécifié (p. 403)**
            avec traits histrioniques et anti-sociaux

Mince et soignée

Une jeune étudiante de vingt-deux ans, très mince, séduisante et s'exprimant avec aisance, consulte un spécialiste des troubles de l'alimentation. C'est à l'âge dix-sept ans qu'elle a commencé à avoir des préoccupations excessives concernant son poids. Entre dix-sept et vingt-et-un an, elle a fait un régime et est passée de 57 à 42 kilos. L'année dernière, elle n'a ni grossi, ni maigri.

La patiente n'est pas obsédée par l'idée de devenir obèse, mais si elle prend un ou deux kilos, elle se sent tendue et coupable. Elle se laisse souvent aller à ce qu'elle appelle des "bombances" pendant lesquelles elle prend deux ou trois sandwiches avec une salade, mais tout de suite après, elle est envahie par un sentiment de culpabilité. C'est tôt le matin ou en fin d'après-midi qu'elle est le plus affamée. Elle traîne alors dans les classes à la recherche de nourriture qui serait restée dans les poubelles. Elle craint par dessus tout d'être prise sur le fait et c'est justement parce qu'elle vient d'être découverte par un camarade de classe qu'elle désire suivre un traitement.

La patiente nie avoir des angoisses persistantes ou être déprimée. Elle a toujours eu des bons résultats sur le plan universitaire et de bonnes relations avec les autres. Pour perdre du poids, elle n'a pas eu recours aux laxatifs, ni aux exercices physiques forcés. Quant à ses règles, même si elles ont parfois été irrégulières, elles n'ont jamais été interrompues.

Discussion

Cette jeune femme a un trouble du comportement alimentaire qui permet d'évoquer autant une Anorexie mentale qu'une Boulimie, bien que le syndrome complet ne puisse être retrouvé pour aucune de ces deux affections. Elle n'a ni la peur de devenir obèse, ni une perturbation de l'image du corps qui caractérisent l'Anorexie mentale. La patiente affirme perdre le contrôle de son impulsion à manger au cours de ses épisodes de frénésie alimentaire, mais il ne s'agit pas d'une consommation de quantités énormes de nourriture pendant une courte période de temps, comme c'est le cas habituellement. En réalité, non seulement elle est préoccupée par son poids, mais elle a une inquiétude morbide à l'idée d'être découverte lorsqu'elle se met à manger des aliments jetés à la poubelle. Le diagnostic résiduel de Trouble de l'alimentation non spécifié semble donc le plus approprié.

Diagnostic selon le DSM-III-R

Axe I : 307.50 Trouble de l'alimentation non spécifié (p. 78)

Le meilleur ami de l'homme

Il s'agit d'un policier à la retraite qui vient se faire soigner quelques semaines après que son chien soit mort écrasé. Depuis, il se sent fatigué, triste, ne dort plus, n'arrive plus à se concentrer.

John vit seul et cela fait plusieurs années que ses contacts avec ses semblables se limitent à des "Bonjour" et des "Comment ça va ? " Il préfère rester seul, pense que discuter c'est perdre son temps et quand d'autres personnes essayent de lier conversation, il devient mal à l'aise et gauche. Parfois, il passe un moment dans un bar, mais toujours dans son coin et sans suivre ce qui se dit autour de lui. Il dévore les journaux, il est bien informé dans de nombreux domaines, mais ne s'intéresse pas aux gens qui l'entourent. Maintenant qu'il travaille comme gardien, ses collègues qui le considèrent comme un rabat-joie, un solitaire, ne font même plus attention à lui et ne le taquinent plus puisqu'il semble y prêter aucune attention.

John vivait sa vie sans amitié, excepté celle qu'il portait à son chien qu'il aimait profondément. A Noël, il lui offrait des cadeaux soigneusement choisis pour en retour recevoir une bouteille de scotch - qu'il avait lui-même achetée - comme si c'était un cadeau que son chien lui faisait. Il est persuadé que les chiens sont des êtres plus sensibles et aptes à aimer que les êtres humains. Aussi leur manifeste-t-il la tendresse et l'émotion qu'il est incapable de donner à ses semblables. La perte d'un de ses animaux domestiques était le seul évènement dans sa vie qui pouvait lui causer de la tristesse. La mort de ses parents ne l'a pas affecté et il ne regrette pas de n'avoir aucun contact avec le reste de sa famille. Il se perçoit différent des autres et considère leurs sentiments avec un certain étonnement.

Discussion

La réaction de cet homme à la mort de son chien pourrait ne pas être considérée comme pathologique, s'il s'agissait d'un membre de sa famille ou d'un ami proche on diagnostiquerait ; un Deuil non compliqué en code V. Mais il s'agit en réalité de la mort d'un chien et les symptômes de ce patient, présents depuis plusieurs semaines, ont une telle intensité qu'il cherche à se faire soigner. Tout cela montre bien que cette réaction est excessive par rapport à ce que l'on a coutume de considérer comme normal. Bien que ceux qui parmi nous ont une prédilection toute particulière pour nos amis les chiens, puissent éventuellement préférer la désignation de Deuil non compliqué, nous considérons quant à nous qu'il s'agit d'un authentique trouble mental. Mais comme le syndrome dépressif n'est pas complet, nous préférons le diagnostic de Trouble de l'adaptation avec humeur dépressive à celui d'une Dépression majeure.

Par ailleurs ce patient semble depuis toujours fuir la compagnie des autres, il ne trouve aucun plaisir à être en famille et choisit de préférence des activités en solitaire. Il éprouve rarement des émotions fortes. En l'absence de bizarreries et d'excentricité du comportement, du discours ou de la pensée, on porte le diagnostic de Trouble de la Personnalité schizoïde. Cette particularité psychologique semble par ailleurs pouvoir rendre compte de la vulnérabilité du patient au stress que constitue pour lui la mort de son chien.

On peut remarquer que la présence d'éléments évoquant des perceptions ou des pensées inhabituelles, telles que des illusions récurrentes ou des idées de référence, aurait permis d'évoquer le diagnostic de Trouble de la Personnalité schizotypique.

Diagnostic selon le DSM-III-R

Axe I :   309.00 Trouble de l'adaptation avec humeur dépressive (p. 372)
Axe II : 301.20 Trouble de la Personnalité schizoïde (p. 383)

Suivi

John a fait un an de thérapie de soutien de façon intensive, pour réduire à une séance par semaine le rythme de ses entretiens, après que son psychothérapeute ait déménagé pour une autre ville. Le patient a continué à le voir une fois par semaine pendant quelques années. D'après le thérapeute, le matériel apporté en séance pendant toutes ces années de traitement n'a jamais été très riche, mais John, à l'évidence, avait besoin de conserver ce contact. Il a eu un autre chien et son existence est à peu près la même que celle qu'il menait avant la mort de son premier animal.

Inhibée

Une jeune femme de vingt-quatre ans est envoyée par son thérapeute en consultation de sexologie. Mariée depuis cinq ans, elle n'avait auparavant aucune difficulté à avoir un orgasme et entretenait avec son mari une vie sexuelle régulière et harmonieuse.

Il y a deux ans, elle a fait une Dépression Majeure classique avec des éléments mélancoliques et psychotiques, qui fut traitée avec succès par des antidépresseurs : le *Tofranil* et le *Parnate*. Actuellement, elle n'a plus aucun des symptômes associés au syndrome dépressif, tels qu'une perte de l'appétit ou un trouble du sommeil, mais elle dit se sentir encore "à plat" et estime ne pas avoir retrouvé sa bonne humeur habituelle. C'est la raison pour laquelle son thérapeute lui prescrit encore du *Parnate*, à raison de 15 mg, trois fois par jour.

C'est la patiente qui prend souvent l'initiative du rapport amoureux. Elle trouve du plaisir dans l'acte sexuel et dit que son mari "est un bon amant". Elle doit cependant utiliser un lubrifiant car elle estime que ses sécrétions ne sont pas suffisantes pour qu'il puisse la pénétrer sans lui faire de mal. Plus préoccupant pour elle, son défaut d'orgasme est apparu depuis sa dépression. Quant à ses tentatives de provoquer l'orgasme par la masturbation, elles ont été totalement infructueuses.

Discussion

Dans les antécédents de la malade, on retrouve un Episode dépressif majeur dont elle ne semble pas s'être totalement remise. Il s'agit de savoir si l'anorgasmie et l'absence d'excitation sexuelle (elle n'a pas une lubrification suffisante) sont à mettre sur le compte des effets secondaires des médicaments ou au contraire s'il faut les considérer comme des symptômes résiduels de l'Episode dépressif majeur. Il parait judicieux d'adopter la première hypothèse pour l'enregistrer sur l'Axe III, car les IMAO comme le *Parnate* peuvent avoir pour effet secondaire une baisse de la libido ou, encore plus fréquemment, des difficultés pour atteindre l'orgasme qui peuvent s'améliorer en réduisant la posologie. Du fait de l'absence d'éléments permettant d'établir avec certitude la réalité d'une composante psychogène, nous ne pouvons pas affirmer le Trouble psycho-sexuel.

Sur l'Axe I nous enregistrons une Dépression majeure, épisode isolé, en rémission partielle, car il existe encore quelques symptômes résiduels du trouble (elle se sent encore "à plat" et se plaint de ne pas avoir récupéré son ancien dynamisme).

Diagnostic selon le DSM-III-R

Axe I : 296.26 Episode dépressif majeur, isolé, en rémission partielle (p.250)

Axe III : Défaut de réactivité sexuelle et d'orgasme secondaire au *Parnate*

Accès de fureur

Une femme de trente-huit ans, mère de quatre enfants, vient consulter un psychiatre sur le conseil d'un prêtre. Environ une fois par mois, elle se met dans une très violente colère, frappe ses enfants, envoie des objets à la figure de son mari, au point qu'il est parfois nécessaire de la maintenir immobilisée de force. Les enfants ont appris à courir s'enfermer dans leurs chambres dès que la colère menace, lorsqu'elle commence à leur crier "Avez-vous fait vos devoirs ?" ou "Regardez-moi tout ce désordre ! " Après de telles crises, le mari refuse d'adresser la parole à sa femme pendant plusieurs jours et la patiente, elle-même, se sent très coupable et écrasée de honte. Quant aux enfants, leur mère les a entendu dire à leur père : "Maman est dingue, complètement dérangée".

Un interrogatoire plus poussé révèle qu'avant chacune de ces scènes, la patiente avale "juste quelques gorgées" d'une bouteille de whisky qu'elle conserve dans le coffre de sa voiture, à l'insu de son mari.

Discussion

Ce cas clinique nous a été proposé pour illustrer le diagnostic d'une Intoxication alcoolique idiosyncrasique. Le médecin qui a rédigé l'observation (comme nous-même dans un premier temps) n'a pas mis en doute les allégations de la malade lorsqu'elle prétendait que chaque crise était provoquée par l'absorption d'"une ou deux gorgées" de whisky. Aussi a-t-il raison de penser qu'une quantité d'alcool insuffisante pour entraîner chez la plupart des gens de tels effets puisse correspondree au diagnostic d'Intoxication alcoolique idiosyncrasique.

Après réflexion, il nous a semblé qu'une personne qui présente une réaction d'une telle intensité, devrait très rapidement comprendre qu'il lui faut éviter l'alcool. Pourquoi, dans ces conditions, cache-t-elle la bouteille de whisky ? Il est donc tout à fait probable qu'elle minimise la quantité d'alcool qu'elle consomme, ce qui nous amène à réviser notre diagnostic pour le remplacer par celui, plus prosaïque, d'Abus d'alcool. Les accès de fureur de cette patiente et les difficultés avec le mari et les enfants, qui en résultent, appartiennent sûrement à la catégorie des problèmes sociaux à répétition qui caractérisent la consommation pathologique d'alcool.

Diagnostic selon le DSM-III-R

Axe I : 305.02 Abus d'alcool, provisoire (p. 190)

Masters et Johnson

Un agent de change de trente-trois ans vient s'enquérir d'un traitement pour son "impuissance". Cinq mois auparavant, après qu'un de ses amis proches soit décédé d'une crise cardiaque, il n'arrêtait pas de se demander si, lui aussi, n'était pas cardiaque et dès qu'il sentait son pouls s'accélérer à la suite d'un effort, il se mettait aussitôt à craindre d'avoir une crise cardiaque. Il ne dormait presque plus et faisait des cauchemars dont il se réveillait en sueur, sans pouvoir se rendormir. Enfin, il prit la décision de ne plus jouer au tennis, ni de faire du jogging.

De même, afin d'éviter quelque effort physique que ce soit, il se mit à éviter tout rapport sexuel, ce dont sa femme se plaignit avec amertume, en lui reprochant de faire exprès de la frustrer de son plaisir et de l'empêcher d'avoir l'enfant qu'elle désirait par-dessus tout. Dans le mois qui a précédé la consultation, alors qu'il n'était pas plus inquiet sur l'état de son coeur, le patient n'avait pas eu un seul rapport sexuel avec sa femme. Il se disait toujours attiré par elle, mais lorsqu'ils se retrouvaient au lit, il était victime d'une impuissance totale. Il était tellement préoccupé par ses problèmes sexuels qu'il n'avait plus désormais l'esprit à son travail. Pour lui, sa vie était un échec total.

Avant son mariage, le patient n'avait jamais eu d'expérience sexuelle. Il avait l'habitude de se masturber en se frottant le pénis contre les draps de son lit, mais jamais à l'aide de sa main. Quatre ans avant l'actuelle consultation, alors qu'il avait vingt-neuf ans et que cela faisait trois ans qu'il était marié, il avait consulté un spécialiste pour lui dire qu'il n'avait jamais eu de relations sexuelles avec son épouse. Pendant leurs activités sexuelles, sa femme, pas plus que lui, ne devait toucher son pénis et il éjaculait en le frottant contre le ventre de sa partenaire. Il ne supportait pas de toucher avec la main le sexe de sa femme et évitait autant que cela lui était possible d'en rapprocher son pénis.

Le traitement consista en deux semaines intensives de thérapie de couple selon la méthode de Masters et Johhnson. Les résultats furent tout à fait spectaculaires : l'activité sexuelle devenant fréquente et en tous points normale. Le mari commença même à s'intéresser aux autres femmes de son entourage, ce qui bien sûr ne manqua pas de provoquer quelques situations embarrassantes, mais somme toute rien de bien grave. C'est alors que son épouse, angoissée par sa propre sexualité et reléguée à un rôle plus passif, commença une psychothérapie. Après une annnée de traitement, ses angoisses semblaient surmontées, et les rapports tant sexuels qu'affectifs entre les deux époux étaient en tous points satisfaisants, jusqu'à ce que survienne le problème qui a motivé la présente consultation.

Discussion

Juste après avoir perdu son ami, cinq mois avant la consultation, ce patient a présenté une anxiété importante s'accompagnant d'une diminution de son activité physique de peur d'avoir une crise cardiaque. Si l'évaluation avait été faite à cette époque là, le diagnostic aurait été celui d'un Trouble de l'adaptation avec humeur anxieuse. Aujourd'hui, ce sont les conséquences de cette anxiété au niveau de la sexualité qui motivent l'examen.

En réalité, les difficultés sexuelles présentées par le malade ne sont pas récentes. Quatre années auparavant, il avait déjà eu recours à un spécialiste parce qu'il était incapable d'avoir des rapports sexuels, du fait de la charge anxieuse qu'ils provoquaient en lui. Actuellement, ce patient vient consulter pour ce qu'il croit être une "impuissance". Or il ne s'agit pas de cela, car un diagnostic de trouble de l'érection chez l'homme présuppose l'existence d'une activité sexuelle au cours de laquelle existe une incapacité à atteindre ou à maintenir un état d'érection et s'accompagnant d'une diminution de l'excitation et du plaisir, alors qu'en réalité ce patient évite tout rapport sexuel. Nous avons donc plutôt affaire à une aversion extrême, persistante et récurrente avec évitement de tous ou presque tous les contacts génitaux avec un partenaire, correspondant au diagnostic de Trouble : Aversion sexuelle.

Diagnostic selon le DSM-III-R

Axe I : 302.79 Trouble : Aversion sexuelle, exclusivement
psychogène, acquis, généralisé (p. 330)

Laver avant usage

Un homme de quarante et un ans est adressé au dispensaire pour suivre un stage de développement de sa sociabilité. Il a toujours vécu sans amis véritables et passe des heures à se faire des soucis pour son frère, contre lequel il a eu un jour quelques mauvaises pensées. Il était auparavant employé dans la fonction publique, mais il a perdu son poste en raison de son absentéisme et de sa faible concentration au travail.

Pendant l'entretien, le patient se montre distant et quelque peu sur ses gardes. Il décrit avec une abondance de détails souvent anodins sa vie quotidienne, monotone et routinière. Il raconte à son interlocuteur comment il lui est arrivé de rester une heure et demie dans un magasin, sans pouvoir se décider pour une des marques d'aliments pour poissons rouges, puis il se met à expliquer en détail leurs caractéristiques respectives. Deux jours durant, il a médité sur les instructions de lavage d'une paire de jeans qu'il venait d'acheter, fallait-il comprendre la recommandation de "laver avant usage" par la nécessité de laver le jean avant de le porter la première fois, ou devait-on, pour une raison quelconque, laver le jean chaque fois avant de s'en servir ? De telles questions ne lui semblent pas dérisoires, bien qu'il soit prêt à reconnaître que la longueur du temps passé à y réfléchir peut paraître excessive. Interrogé sur son compte en banque, il est capable de réciter le contenu complet de son dernier relevé bancaire, avec le montant de chaque chèque et l'état de son compte après chacune des opérations, et pourtant il lui arrive d'être angoissé à l'idée de savoir si tel chèque a été ou non encaissé.

Après avoir demandé à son interlocuteur si la participation au stage comprend l'obligation d'assister aux séances de groupe, il finit par avouer que les séances de groupe l'angoisent énormément, qu'il n'est pas sûr de pouvoir les "supporter" et donc d'y participer.

Discussion

Chez cet homme, l'inadaptation chronique du comportement est révélatrice de son Trouble de la personnalité. Parmi les symptômes les plus manifestes, on constate l'absence d'amis proches ou de confidents, la pensée magique (le fait de croire que ses pensées hostiles vis-à-vis de son frère pourraient lui faire du tort), la pauvreté des affects (il s'est montré "distant" lors de l'entretien), la bizarrerie du discours (encombré de détails disgressifs et souvent inappropriés) une anxiété sociale. Or tous ces éléments sont caractéristiques du Trouble de la Personnalité schizotypique.

Il ne s'agit pas d'un Trouble de la Personnalité schizoïde (à laquelle l'absence d'amis proches ou de confidents pourrait faire penser) du fait de l'existence d'une pensée et d'un discours excentriques. De même, on éliminera le type résiduel de Schizophrénie, dont les symptômes sont assez superposables à ceux du Trouble de la Personnalité schizotypique en raison de l'absence des symptôme psychotiques manifestes.

Les préoccupations de ce patient quant au choix de la meilleure marque de conserves de poisson ainsi que sa manière de comprendre les consignes de lavage de son jean évoquent des obsessions, mais la nature égosyntonique de ces préoccupations montre bien que ce ne sont pas de véritables obsessions, mais la manifestation de son indécision et de son perfectionnisme. Il s'agit donc de simples traits du Trouble de la Personnalité obsessionnelle-compulsive, car les critères du Trouble de la Personnalité obsessionnelle-compulsive ne sont pas au complet.

Diagnostic selon le DSM-III-R

Axe I : V71.09 **Absence de diagnostic ou d'affection**
Axe II : V301.22 Trouble de la Personnalité schizotypique (p. 384)
 Traits obsessionnels compulsifs

La nourrice

Cheryl Jones, la quarantaine, mère de trois enfants, est hospitalisée pour un état dépressif. Un an plus tôt, juste après avoir rompu avec son amant, elle a présenté une psychose aiguë. Elle avait peur que des gens viennent la tuer et entendait des voix d'amis ou d'étrangers qui la menaçaient de mort ou complotaient contre elle. Elle entendait en écho ses propres pensées et craignait que les autres ne les entendent. Trois semaines durant, elle resta enfermée dans son appartement, serrures de porte changées, tous stores baissés, refusant toute visite autre que celle de ses proches parents. Elle n'arrivait pas à trouver le sommeil, entendait des voix la nuit entière et se disait incapable de manger car une "boule" lui nouait la gorge.

Rétrospectivement, elle est actuellement incapable de se rappeler si elle était déprimée, hyperactive ou prostrée, car elle ne se souvient que de son angoisse et de sa peur panique. Sous la pression de son entourage, elle a fini par accepter d'aller à l'hôpital où, après six semaines de traitement par la *Thorazine*, les voix se sont tues. Mais alors que, selon la malade, "tout était rentré dans l'ordre depuis une à deux semaines", elle commença à perdre toute force et tout intérêt pour quoique ce soit. Elle devint de plus en plus déprimée et ne mangea plus. Elle se réveillait tous les matins vers 4 ou 5 heures, incapable de se rendormir et ne pouvait ni lire le journal, ni regarder la télévision tellement il lui était difficile de se concentrer.

L'état de Cheryl Jones est resté stationnaire pendant les neuf mois qui ont suivi. Totalement inactive, elle passait sa journée assise à regarder les murs, alors que ses enfants s'occupaient des courses, de la cuisine et de toutes les tâches ménagères. Elle n'avait pourtant pas cessé de venir au dispensaire où on lui prescrivait de la *Thorazine* jusqu'à ce qu'on l'arrête, peu de temps avant son admission. Si les symptômes psychotiques ne sont pas réapparus, les signes de dépression ont toujours persisté.

Lorsqu'on lui demande de parler de son passé, Cheryl se montre plutôt réticente. Il ne semble pas néanmoins que les symptômes actuels aient préexisté avant l'année dernière. Elle apparait comme une personne timide, renfermée, qui n'est, selon son expression, "jamais sortie du droit chemin". Depuis dix ans qu'elle vit séparée de son mari, elle a eu deux liaisons stables. Elle prend soin de l'éducation de ses trois enfants sains et vigoureux, et elle s'est même occupée d'orphelins qu'elle hébergeait chez elle durant les quatre ans qui ont précédé le début de sa maladie. Elle maintient des liens étroits avec sa famille et quelques amies.

Discussion

Au début de sa maladie, cette patiente semble avoir présenté un certain nombre de symptômes caractéristiques d'une Schizophrénie avec idées délirantes bizarres, divulgation de la pensée (les gens entendent ce qu'elle pense) et hallucinations auditives (voix d'amis et de personnes inconnues conversant entre elles), s'accompagnant d'une altération du fonctionnement telle qu'il ne lui était plus possible de s'occuper de sa maison. Sous traitement, au bout de six semaines environ, les symptômes psychotiques ont disparu (la malade estime pour sa part que tout était "rentré dans l'ordre" au bout d'une à deux semaines). Elle manifesta alors les symptômes caractéristiques d'un Episode dépressif majeur, avec humeur dépressive, diminution de l'appétit, perte d'énergie, baisse de l'intérêt et difficultés de concentration. Cet état dépressif a duré environ neuf mois.

Ces deux épisodes pathologiques correspondent-ils à deux affections différentes ? Si tel était le cas, il pourrait s'agir soit d'un Trouble schizophréniforme (en raison de sa durée inférieure à six mois) suivi d'une Dépression majeure, soit d'une Schizophrénie (l'épisode postérieur à la phase psychotique étant considéré comme une phase résiduelle de la Schizophrénie) s'accompagnant d'une dépression surajoutée (pour la deuxième période de la maladie). S'il ne s'agissait que d'une seule et même affection, il serait alors difficile de la qualifier (Schizophrénie avec éléments dépressifs ?)

Ce cas clinique peut très bien illustrer la difficulté à établir un diagnostic de certitude entre un Trouble thymique, une Schizophrénie ou un Trouble schizophréniforme. Beaucoup d'entre nous opteraient volontiers pour le Trouble schizo-affectif, mais, selon les critères du DSM-III-R, il n'est absolument pas possible de poser ce diagnostic, du fait de l'absence de chevauchement dans le temps entre la symptomatologie psychotique et la symptomatologie dépressive. En raison de toutes ces incertitudes, nous nous sommes décidés pour le double diagnostic de Trouble psychotique non spécifié et de Trouble dépressif non spécifié.

Diagnostic selon le DSM-III-R

Axe I : **298.90 Trouble psychotique non spécifié (Psychose atypique) (p. 238)**
311.00 Trouble dépressif non spécifié (p. 263)

Suivi

Madame Jones a été traitée par l'association d'un antidépresseur, la désipramine, et d'un psychostimulant, la dexadrine. Elle guérit après quelques mois, obtint un diplôme d'Education générale, puis commença à travailler comme aide-ménagère dans un service de bienfaisance. Un an après, elle était à nouveau à l'hôpital, pour un état anxio-dépressif accompagné de symptômes psychotiques. Elle fut alors traitée par l'association d'un antidépresseur et d'un neuroleptique, qui finirent par ne donner des résultats qu'au bout de quelques mois. Nous avons appris ultérieurement qu'elle avait présenté un épisode constitué de symptômes psychotiques en même temps que dépressifs, ce qui nous permet de penser que le diagnostic exact doit être celui d'un Trouble schizo-affectif, de type dépressif.

Le joueur de football

Madame Ferguson, la mère d'un garçon de dix-huit ans, sollicite l'avis d'un centre de guidance médicale pour le problème suivant. Son fils, Mike, un jeune technicien sans antécédents médicaux, a été opéré à la suite d'un infarctus du myocarde seize jours auparavant. A sa sortie de l'hôpital, il lui avait été prescrit de garder le lit et d'observer le repos le plus total pendant une semaine, jusqu'à la prochaine visite du cardiologue. Deux jours après, l'aide-soignante de visite le surprenait en train de jouer au football dans la cour de la maison. Il reconnut qu'il avait été victime d'une "petite attaque", mais comme estimait être maintenant rétabli, il ne voyait pas la raison pour laquelle il ne reprendrait pas normalement ses activités. Il avait l'intention de se faire embaucher à l'usine dans deux semaines et ne voulait absolument pas que la question de son état physique vienne contrarier ses projets.

Mike avait été la vedette de son lycée, le champion de l'équipe de football. Il était entouré de beaucoup d'amis et avait beaucoup de succès auprès des filles. Ses résultats scolaires étaient corrects et il n'avait jamais eu affaire à la justice. Il buvait modérément et n'avait fumé de marijuana qu'en de rares occasions. Il ne faisait guère de projets pour son avenir, mais parlait de s'engager un jour à l'armée. Il entretenait avec sa famille des rapports un peu distant mais sans heurt. Madame Ferguson avait bien essayé de lui recommander le traitement prescrit par le médecin, mais il lui avait simplement dit, pour la rassurer, qu'il lui promettait de rejoindre le lit dès qu'il ressentirait la moindre douleur.

Discussion

Ce patient met sa vie en danger en refusant de suivre les conseils de son médecin. Pourquoi continue-t-il à vivre comme s'il n'était pas atteint d'une maladie grave ? A l'évidence, il ne s'agit pas d'un choix réfléchi et argumenté, comme par exemple celui d'un malade qui, ayant un cancer du poumon déciderait de se soustraire à la chimiothérapie post-opératoire que lui conseillerait son chirurgien, compte tenu des incertitudes actuelles sur son efficacité. Il s'agit bien au contraire de la part de notre patient d'un déni massif de la maladie. Cette attitude mentale qui lui a peut-être été utile jusqu'à maintenant semble aujourd'hui particulièrement néfaste compte tenu de la situation actuelle.

Cette non observance du traitement médical est en soi un problème d'adaptation relevant de la psychopathologie (au sens large), mais elle ne peut justifier le diagnostic d'un trouble mental. Aussi devons nous nous contenter de ne l'enregistrer qu'en code V dans la rubrique Non-observance du traitement médical. Rappelons que ce code V concerne "des situations non attribuables à un trouble mental, motivant examen ou traitement" et que cela n'est absolument pas contradictoire avec le fait de proposer un traitement.

Nous ne voyons aucune objection à ce que l'on préfère poser le diagnostic de Trouble mental non spécifié (non psychotique), diagnostic qui aurait pour résultat de mettre l'accent sur la gravité du problème psychologique.

Diagnostic selon le DSM-III-R

Axe I :   V15.81 Non-observance du traitement médical (p. 407)
Axe III : Infarctus du myocarde récent

Trois fois divorcée

Marianne, trente-sept ans, divorcée pour la troisième fois, est hospitalisée dans une clinique privée. Elle a essayé de mettre fin à ses jours en s'asphyxiant avec le gaz de sa cuisinière. Une fois dissipés les effets de l'intoxication sur le système nerveux central, la malade parle de son dégoût de la vie, de son sentiment d'inutilité, de son épuisement physique, de la honte qu'elle ressent d'avoir abandonné sa fille de cinq ans, de son désintérêt total pour tout. Aux tests psychomoteurs, elle fait preuve d'une certaine lenteur et dit dormir de douze à quatorze heures par nuit.

Marianne, qui en est à sa sixième tentative de suicide; se souvient que la première fois, elle avait vingt-trois ans, à la suite de son premier divorce. Aux autres tentatives de suicide, elle ne peut donner aucune explication précise si ce n'est cette "impression d'être au fond du gouffre". Elle a suivi une psychothérapie individuelle, pris de nombreux médicaments psychotropes qui lui ont été prescrits à faibles doses, excepté curieusement, les antidépresseurs tricycliques. Au cours de son actuelle hospitalisation à la clinique, elle a reçu des doses croissantes d'un antidépresseur tricyclique, la désipramine. Après dix jours de traitement selon une posologie journalière de 200 mg, la malade est euphorique et hypervigilante au point de ne plus pouvoir dormir. L'humeur se stabilise au bout de quelques jours de réduction de la posologie de l'antidépresseur.

Un entretien plus poussé révèle que Marianne a fait un épisode euphorique de deux semaines juste après sa deuxième dépression, alors qu'elle ne prenait pas de traitement. Elle se rappelle qu'elle "vivait alors à deux cent à l'heure", qu'elle ne dormait pratiquement pas, qu'elle n'arrêtait par d'astiquer la maison, de déplacer les meubles deux à trois fois par jour et d'embrasser ses enfants à tout propos. Elle précise cependant ne jamais avoir eu la sensation subjective que ses idées se mettaient à défiler et que son estime de soi était restée la même. Actuellement, le jugement de la malade semble conservé et son fonctionnement psychologique n'est pas sévèrement altéré.

Discussion

L'épisode pathologique qui a entraîné l'hospitalisation a toutes les caractéristiques d'un Episode dépressif majeur s'accompagnant d'une perturbation de l'humeur, du sommeil, de l'activité psychomotrice, avec diminution d'énergie, découragement et sentiment de culpabilité. Alors qu'elle était traitée par un antidépresseur tricyclique, la patiente a présenté une symptomatologie évocatrice d'un Episode maniaque. Le trouble n'a cependant pas été ni assez sévère, ni suffisamment prolongé pour que l'on puisse le considérer comme un Episode maniaque du trouble bipolaire.

Les épisodes hypomaniaques induits par les tricycliques ne sont pas rares. Comme la plupart du temps on retrouve dans les antécédents familiaux un Trouble bipolaire, le DSM-III-R considère ces épisodes comme la manifestation d'un Syndrome thymique organique, et non comme un Trouble bipolaire non spécifié. Dans ce cas clinique, l'existence d'un antécédent d'épisode hypomaniaque de même nature qui semble bien être survenu indépendamment de tout traitement pharmacologique ne fait que confirmer le diagnostic. A noter que le trouble Bipolaire II correspond à un ou plusieurs Episodes de dépression majeure alternant avec un ou plusieurs épisodes hypomaniaques (et non pas maniaques).

Diagnostic selon le DSM-III-R

Axe I : 296.70 Trouble bipolaire non spécifié (p. 257)

Le dormeur

Un homme d'affaire de cinquante cinq ans fait part de son besoin excessif de sommeil depuis l'age de vingt-et-un ans à son nouveau médecin de famille qui l'adresse à un spécialiste du sommeil. Le patient a pour habitude de dormir de 22h15 à 6h30, puis d'entrecouper sa journée de siestes d'une demi heure à trois-quart d'heure en milieu de matinée, après le déjeuner et plus régulièrement dans l'après-midi. Au bureau, lorsqu'il fait sa sieste en étant allongé par terre, il demande à ne pas être dérangé par les appels téléphoniques jusqu'à ce qu'il se réveille de lui-même, pour un temps reposé et dispos. Lorsqu'il essaie de retarder ses siestes, il ressent une fatigue importante. Il n'a pas, comme dans la cataplexie, de perte de tonus brutale et pas davantage d'autres symptômes de narcolepsie. Il ne ronfle pas ni ne fait d'apnée du sommeil.

Etant directeur d'une station de télévision à Birmingham, Alabama, le patient n'a pas de fortes contraintes de travail, puisque la gestion courante est prise en charge par ses collaborateurs. C'est pourtant un homme organisé, motivé sur le plan professionnel, dont la condition physique est excellente et qui fait tous les jours un jogging de deux ou trois kilomètres. Il vit avec sa femme et leur plus jeune fils. Il aime recevoir ses autres enfants mariés, avec leurs familles et s'occupe de politique au niveau local. Chaque fois qu'il prévoit de faire quelque chose dans la soirée, il fait une longue sieste l'après-midi et ne se couche jamais trop tard.

Son père avait l'habitude de faire une sieste après le repas et son grand-père paternel avait lui aussi un besoin excessif de sommeil. Durant son enfance, le patient a parfois fait des cauchemars, sans jamais avoir eu de véritables troubles du sommeil.

Il lui arrive de boire une ou deux bières par semaine, mais la plupart du temps, il évite de consommer de l'alcool ou du café. Son dernier examen médical révèle qu'il est en bonne santé, avec un pouls au repos d'environ 50, une pression artérielle de 110-105/70 mm Hg, que sa fonction thyroïdienne est normale, de même que son test de tolérance au glucose.

Au cours de l'entretien, le patient se montre aimable, précis et sûr de lui. Il affirme ne pas être déprimé et garder tous ses intérêts intacts. Quant à son appétit, il est conservé. Il considère que son besoin de sommeil est un problème dont il pourrait très bien s'accommoder, mais il aimerait bien en être soulagé.

Les tests ont montré une altération de la vigilance pendant la journée. Le temps d'endormissement, lors des cinq enregistrements polygraphiques effectués, est d'environ 11 minutes, ce qui correspond à la normale. Au cours de l'enregistrement polygraphique de nuit, le sommeil se déroule sans interruption pendant une période de neuf heures et demie, au terme de laquelle il doit être réveillé.

Discussion

Chez la plupart des patients qui se plaignent essentiellement d'une somnolence excessive pendant la journée (hypersomnie) dont la sévérité est telle qu'ils finissent par être investigués dans un centre du sommeil, on peut retrouver un facteur organique permettant de rendre compte de l'affection. Ce cas est donc assez exceptionnel, car il n'existe aucun facteur organique et aucun trouble mental associé (comme par exemple une Dépression majeure). Il s'agit donc véritablement d'une Hypersomnie primaire caractéristique, avec enregistrements polysomnographiques et latences d'endormissement normaux.

Diagnostic selon le DSM-III-R

Axe I : 780.54 Hypersomnie primaire (p. 344)

Suivi

Le traitement à la pémoline, un stimulant d'action prolongée, eut pour effet de provoquer des céphalées importantes. Les amphétamines et les boissons contenant de la caféine n'ont eu aucun résultat, une somnolence accrue succédant à la stimulation initiale. L'administration de doses modérées de protriptyline, un antidépresseur psychostimulant, a permis d'améliorer la somnolence du soir, mais le produit a été mal toléré et n'a pas permis de supprimer les siestes de la journée.

Le patient a ensuite entrepris une psychothérapie à raison de deux séances par semaine, espérant ainsi éviter les effets secondaires des médicaments et mettre à jour les difficultés qui, pensait-il, étaient à l'origine de son hypersomnie. Malheureusement, ce traitement n'eut aucun effet sur les troubles du sommeil.

Le reporter

Michael Dodge, vingt-neuf ans, reporter d'un journal, boit depuis dix ans. Un soir après le travail, son article terminé un article, il se mit à boire avec des amis pour ne s'arrêter que pour dormir, en fin de nuit. Au réveil, il ressentit un énorme besoin d'alcool et décida de ne pas aller travailler. Il n'avait pas faim et, au lieu de manger, il ingurgita plusieurs Bloody Mary. Un peu plus tard, il se rendit dans une taverne du quartier et but de la bière tout l'après-midi. Là, il rencontra quelques amis en compagnie desquels il but encore toute la soirée.

Pendant sept jours, le patient continua selon le même rythme. Au matin du huitième jour, en se levant pour aller prendre un café, il se rendit compte que ses mains tremblaient au point qu'il ne pouvait porter la tasse à ses lèvres. Il réussit pourtant à se verser un whisky et en but autant qu'il put. Le tremblement de ses mains s'était estompé, mais il était désormais dans un état nauséeux avec des haut le coeur et il lui était impossible de se soulager par des vomissements. Il essaya plusieurs fois de boire sans y parvenir. Puis il ressentit un grand malaise et une anxiété intense. Il se décida alors à appeler un médecin de ses amis qui lui conseilla l'hospitalisation.

Au moment de l'admission, Michael, dont l'état de conscience est intact, présente un important tremblement des extrémités, de la langue, des paupières, : il dit ressentir un tremblement "interne". Allongé sur son lit d'hôpital, il perçoit les bruits qui lui parviennent de l'extérieur avec une telle intensité qu'il ne peut les supporter. Il se met à avoir des visions d'animaux et, une fois, d'un parent décédé. Terrifié, il appelle une infirmière qui lui donne un tranquillisant qui finit par le calmer. Conscient à tout moment que ses visions sont imaginaires, il sait où il se trouve et n'a pas perdu ses repères. Sa mémoire semble intacte. Après quelques jours, les tremblements disparaissent, ainsi que les hallucinations. Michael avoue avoir encore des difficultés à trouver le sommeil, mais, pour le reste, il se sent normal. Il jure de ne plus toucher à l'alcool.

Quand on l'interroge plus à fond sur son rapport à la boisson, Michael prétend que les scotches qu'il prend tous jours depuis dix ans ne l'ont jamais empêché ni de travailler, ni de voir ses collègues ou amis. Il prétend ne pas avoir ressenti d'autres effets désagréables que d'occasionnelles "gueules de bois" et ne jamais avoir autant bu que cette fois. Il nie aussi avoir besoin de boire chaque jour pour se sentir bien tout en reconnaissant ne jamais avoir essayé d'arrêter.

Discussion

Ce buveur invétéré a donc, une semaine durant, considérablement augmenté sa consommation d'alcool, jusqu'à ce qu'il soit pris de nausées sans pouvoir vomir. Il s'arrête alors de boire et présente très rapidement des hallucinations visuelles, un tremblement des extrémités, de la langue, des paupières, une anxiété. Il est intéressant de noter que le malade a conservé toute sa vigilance, qu'il n'est pas désorienté et que ses fonctions mnésiques sont restées intactes, qu'il prend ses distances par rapport à ses hallucinations qu'il attribue spontanément à son imagination. L'arrêt brutal d'ingestions massives d'alcool associé à ce type de symptomatologie évoque un Sevrage alcoolique non compliqué.

La présence d'hallucinations visuelles aurait pu correspondre à un Delirium du sevrage alcoolique (Delirium tremens). Mais ce diagnostic ne peut être porté que dans les cas où existent une diminution de l'attention aux stimulations externes, une désorganisation de la pensée, ainsi que d'autres symptômes tels qu'une désorientation, des troubles de la mémoire ainsi que, éventuellement, d'autres troubles perceptifs. Indépendamment de cela, les hallucinations visuelles qui s'accompagnent d'un jugement de réalité conservé, sont toujours évocatrices d'un Sevrage alcoolique non compliqué.

La question de savoir si le diagnostic de Sevrage alcoolique implique nécessairement celui d'une Dépendance à l'alcool, n'est pas actuellement tranchée. Lors de l'élaboration des critères du DSM-III-R de la Dépendance à l'alcool, il a été décidé de ne porter ce diagnostic que lorsqu'existent d'autres symptômes cognitifs et comportementaux témoignant d'un manque de contrôle de l'utilisation de la drogue. On a en effet constaté que certains abus d'alcool dans un but récréatif peuvent avoir pour conséquence une tolérance ou un syndrome de sevrage, sans pour autant être associés à un défaut de contrôle de l'utilisation de l'alcool. Dans le cas qui nous intéresse, le patient nie avoir perdu le contrôle de la boisson et prétend même que sa consommation d'alcool intempestive n'a pas eu de répercussion sur son travail et ses relation sociales. Si cela était réellement vrai (nous sommes loin d'en être persuadés), le diagnostic additionnel de Dépendance à l'alcool (ou même d'Abus) serait par là-même éliminé. Nous devons donc enregistrer la nécessité d'éliminer ce diagnostic, tout en avouant être septique quant à la capacité de Michael de s'arrêter de boire, comme il a juré de le faire.

Diagnostic selon le DSM-III-R

Axe I : 291.80 Sevrage alcoolique non compliqué (p. 146)
          Dépendance à l'alcool, à éliminer

Antitussif

Un cadre de quarante-deux ans travaillant dans une agence de relations publiques se rend à une consultation psychiatrique à la demande de son chirurgien qui l'a surpris à l'hôpital en train de dérober des boîtes d'un médicament pour la toux contenant de la codéine. Il vient d'être opéré d'une hernie et chaque fois qu'il tousse, la cicatrice de l'intervention lui fait horriblement mal (il s'agit d'une toux sèche, provoquée par un tabagisme de vingt ans).

C'est après une précédente opération au niveau du rachis qu'un médecin lui a prescrit pour la première fois de la codéine. Pendant les cinq années qui ont suivi, le patient a continué à prendre de plus en plus de médicaments contenant de la codéine jusqu'à arriver à une consommation journalière à 60 à 90 tablettes de 5 mg. "Souvent, dit-il, c'est plus rapide d'en prendre une poignée. Ce n'est pas que je me sente vraiment mieux après, mais ça m'aide bien". Il a tout fait pour se créer un réseau d'amis médecins ou pharmaciens chez qui il se rend environ trois fois par semaine pour renouveler son stock de comprimés. Plusieurs fois, il a essayé de cesser de prendre de la codéine, mais sans succès. Deux fois licencié, parce qu'il ne donnait pas satisfaction, il a divorcé après onze ans de mariage.

Discussion

Le temps considérable passé à faire le nécessaire pour se procurer de la drogue ; les efforts répétés et infructueux pour arrêter son utilisation ; la tolérance marquée (besoin de quantités nettement majorées pour obtenir l'effet désiré : les 60 à 90 tablettes quotidiennes), l'utilisation du toxique dans le but d'éviter les symptômes de sevrage, la poursuite de la consommation en dépit de multiples problèmes qu'elle occasionne, tels sont les éléments de l'observation qui permettent de penser qu'il s'agit d'une Dépendance à une substance Psycho-active, dont il faudra préciser, dans la formulation diagnostique définitive, qu'il s'agit d'un type d'opiacé bien particulier, la codéine. La Dépendance de ce patient est sévère, car d'une part il existe de nombreux symptômes en sus de ceux requis pour en faire le diagnostic, d'autre part parce qu'ils interfèrent de façon marquée sur son fonctionnement et ses relations avec autrui.

On peut également retrouver dans cette observation les critères diagnostiques correspondant à l'Abus de substance Psycho-active (poursuite de l'intoxication, en dépit des conséquences sociales et professionnelles connues du sujet). C'est pourtant le diagnostic de la Dépendance qui doit avoir la préférence.

Diagnostic selon le DSM-III-R

Axe I : 304.00 Dépendance à la Codéine, sévère (p. 188)

"Sur les nerfs"

Un électricien de vingt-sept ans, marié, se plaint d'avoir depuis huit mois des vertiges, une moiteur des extrémités, des palpitations cardiaques et, dit-il, "comme un sifflement dans les oreilles". Parfois sa bouche et sa gorge deviennent sèches, à d'autre moments ce sont des tremblements incontrôlables avec une sensation d'être constamment "sur les nerfs" et en état d'alerte au point de ne pas pouvoir se concentrer. Ces sensations, il les a surtout éprouvées ces deux dernières années sans aucune véritable période de rémission.

Il est donc aller consulter successivement son médecin de famille, un neurologue, puis un neuro-chirurgien, un chiropracteur, enfin un oto-rhino-laryngologue. Mis au régime sans sucre, puis traité par kinésithérapie pour une sciatique, on lui a finalement assuré qu'il pouvait s'agir d'un "problème au niveau de l'oreille interne".

Le patient a également d'autres soucis qui le préoccupent. Il est constamment inquiet pour la santé de ses parents (il faut dire que son père, qui maintenant se porte bien, a fait il y a deux ans un infarctus du myocarde) et ne cesse de se demander s'il est un "bon père", si sa femme ne veut pas le quitter (en réalité, celle-ci ne se plaint pas du tout de leur mariage), si ses collègues de bureau l'apprécient.

Ces deux dernières années, à cause de sa maladie, il a vécu replié sur lui-même. Parfois, il est même obligé de quitter le travail lorsque ses symptômes deviennent intolérables. Il continue cependant à travailler pour la même entreprise, celle où il a fait son apprentissage juste après le collège. Se voulant sans faille vis-à-vis de ses proches, il essaye de cacher ses symptômes à sa femme et à ses enfants pour n'aborder que les problèmes liés directement à son état de tension permanent.

Discussion

Le diagnostic d'Hypocondrie, que le nombre important de médecins que le malade est allé consulter ne peut pas manquer de nous faire évoquer, doit-être cependant éliminé, car il n'existe pas de crainte d'avoir une maladie physique sévère. Par contre, on enregistre des symptômes évocateurs d'une tension motrice (tremblement incontrôlable), d'une hyperactivité neurovégétative (vertiges, moiteur des extrémités, palpitations cardiaques, sècheresse de la bouche), d'une exploration hypervigilante de l'environnement (sensation d'être "sur les nerfs", en état d'alerte permanent). Par ailleurs, le malade ne cesse de s'inquiéter au sujet de l'état de santé de son père, de son mariage, se demande perpétuellement si il est un bon père. Or des soucis excessifs concernant deux ou plusieurs évènements de vie, associés à des symptômes somatiques ne sont pas sans évoquer un Trouble anxiété généralisée. Cette observation répond aux conditions requises pour le diagnostic car les symptômes existent depuis au moins six mois ; l'anxiété et les soucis sont indépendants d'un éventuel autre trouble de l'Axe I (par exemple, la crainte d'avoir une attaque de panique, comme dans le Trouble panique, ou d'apparaître en public, comme dans la Phobie sociale) ; enfin, les symptômes ne surviennent pas uniquement au cours de l'évolution dun Trouble de l'humeur ou d'un Trouble psychotique.

Diagnostic selon le DSM-III-R

Axe I : 300.02 Trouble : Anxiété généralisée (p. 285)

Alice

Alice est une jeune étudiante de première année, âgée de vingt ans. Elle se rend au dispensaire de l'université car elle sent comme un "flottement" dans son existence. Elle a, dit-elle, une vague sensation d'anxiété, de dépression et n'arrête pas de se faire du souci concernant son avenir. Elle se sent un peu perdue et sans véritable but, au point de ne plus pouvoir se concentrer dans ses études.

Alice a beaucoup attendu de son entrée à l'université et, au début, elle était passionnée par la diversité des gens qu'elle pouvait rencontrer. Parfois, elle aimait être avec des amis plutôt "bohèmes, originaux et un peu extrémistes", et à d'autres moments elle appréciait ses amis "plus traditionnels, plus modérés et travailleurs". Au cours de cette année pourtant, elle eut de plus en plus le sentiment qu'elle ne parvenait plus à s'adapter à l'un ou l'autre groupe et finit par se demander qui elle était vraiment. De même, en ce qui concerne ses études, elle ne savait toujours pas clairement au second trimestre quelle serait sa spécialité, ni ce qu'elle voulait faire après la fac. A la fin de sa seconde année, elle se décida pour la chimie, puis changea pour la sociologie. Plus récemment, elle s'est intéressée à l'histoire de l'art ; pourtant son choix ne la satisfait pas entièrement : "C'est comme si je voulais tout faire sans vouloir vraiment faire quelque chose de particulier".

Discussion

Beaucoup d'adolescents ou d'adultes jeunes ont souvent de nombreuses difficultés à se déterminer pour choisir leur futur métier, leur style de vie, leur système de valeurs et, d'une manière générale tout ce qui concerne leur identité. Mais les incertitudes d'Alice sont telles qu'elle présente un véritable état de détresse psychologique avec, en conséquence, des difficultés dans son travail scolaire. Le diagnostic de Trouble de l'identité doit-être posé, en raison de la durée supérieure à trois mois de ces difficultés, en l'absence d'un autre trouble mental tel qu'un Trouble de l'humeur ou des traits psychotiques.

La pertinence du diagnostic de Trouble de l'identité est contestée par ceux qui estiment qu'ils recouvrent des problèmes de développement non spécifiques, propres à un grand nombre d'adolescents ou de jeunes adultes de notre société.

On pourrait également penser qu'il s'agit d'un Trouble limite de la personnalité, dans la mesure où la patiente a dépassé les 18 ans. Mais il n'existe pas d'instabilité affective, d'impulsivité, de relations interpersonnelles intenses et instables.

Diagnostic selon le DSM-III-R

Axe I : 313.82 Trouble de l'identité (p. 101)

Brûlée

Un psychiatre est appelé pour examiner une femme de vingt-huit ans, une semaine après son admission dans le service des grands brûlés. Elle est brûlée à environ 25 %, par suite de l'incendie de sa maison . Au cours du sinistre, son mari est décédé et ses enfants, trois et cinq ans, ont été blessés. Les circonstances du drame ont été particulièrement traumatisantes : longtemps prisonnière des flammes, c'est à grand peine et au péril de sa vie qu'elle est arrivée à s'en extraire avec ses enfants.

Au moment de l'examen, la patiente a un état de conscience normal, est bien orientée, mais semble particulièrement angoissée. Les infirmières ont remarqué qu'elle se réveillait souvent dans la nuit. La malade se plaint de faire toujours le même cauchemar, dans lequel elle revit le moment où il lui avait fallu s'échapper de la maison. Pendant la journée, elle est d'une humeur labile parfois, apparemment gaie mais de façon inadaptée étant donné le drame récent qu'elle a vécu, réagissant souvent avec frayeur au moindre bruit, comme celui des voitures dans la rue. La consultation a été demandée par les infirmières, qui se sont étonnées de ce que la malade ne parle jamais de la mort de son mari. Jamais elle ne prononce son nom, et c'est sans émotion qu'elle parle de l'état de ses enfants ; le récit de l'accident est tronqué car elle semble en avoir oublié de nombreux détails. Les infirmières en ont conclu que le "travail de deuil" ne se faisait pas normalement.

Discussion

Après un évènement particulièrement stressant, la malade revit sans arrêt le traumatisme (à travers ses cauchemars à répétition), développe une hyperactivité neurovégétative (réaction de sursaut exagérée et troubles du sommeil), évite les stimuli associés au traumatisme (la mort de son mari, dont elle ne veut jamais parler) et présente un émoussement de la réactivité générale (amnésie partielle du traumatisme, manque d'émotion à l'évocation de ses enfants).

Tels sont les éléments cliniques du classique Trouble : Etat de stress post-traumatique. Ce diagnostic doit être posé de préférence à celui du Trouble de l'adaptation, catégorie résiduelle correspondant à des perturbations dont la gravité est moindre.

Diagnostic selon le DSM-III-R

Axe I : 309.39 Trouble : Etat de stress post-traumatique (p. 282)

Présentation de malade

Dans le cadre d'un diplôme de spécialisation en psychiatrie, une jeune malade d'un service de neurologie est examinée par un étudiant. Il s'agit d'une femme mariée de vingt-neuf ans qui, six mois auparavant, a été victime d'un accident de voiture, alors qu'elle se trouvait à côté de son mari qui conduisait. Elle a été projetée en avant, mais grâce à la ceinture de sécurité elle n'a heurté ni le pare-brise ni le tableau de bord. Trois jours après, elle commence à se plaindre d'une raideur de la nuque et de douleurs aiguës irradiant vers les mains, la colonne vertébrale et les deux jambes. La consultation orthopédique n'ayant pas permis de découvrir l'origine de ces douleurs, elle est alors envoyée dans un service de neurologie.

La patiente est une femme séduisante, aux formes harmonieuses. Son désarroi est évident, alors qu'elle décrit ses symptômes avec minutie et qu'elle montre du doigt le trajet de la douleur. Elle sourit par moment au jeune psychiatre qui l'interroge et aux deux examinateurs qui l'observent ; elle suit scrupuleusement les consignes lors de l'examen neurologique qui, par ailleurs, s'est révélé être absolument normal.

L'étude des antécédents ne permet pas de retrouver de problème psychiatrique antérieur. Mariée depuis quatre ans, sans enfant, la malade exerce la profession de programmeur en informatique. Jusqu'à une date récente, elle était heureuse en ménage, si l'on fait abstraction de leur "mésentente sur le plan sexuel" dont parle son mari. Dans leurs relations intimes, il est plutôt "imaginatif", alors qu'elle semble se satisfaire d'un rapport sexuel par semaine sans trop varier les positions érotiques.

Quinze jours avant l'accident, la malade avait découvert le numéro de téléphone d'une femme dans le portefeuille de son mari. Lorsqu'elle lui en a parlé, il lui a avoué avoir eu "par mesure d'hygiène" plusieurs maîtresses dans les mois précédents.

Après quelques jours de tristesse et d'abattement, elle finit par le prendre à parti pour lui reprocher sa trahison. Au moment de l'accident, le couple était en train de se disputer alors qu'il se rendait chez des amis pour dîner. Après l'accident, ils prirent la résolution de faire des efforts pour que leur mariage réussisse, même sur le plan sexuel ; mais les douleurs éprouvées par la patiente lui rendent impossible tout rapport sexuel. Le jeune psychiatre a finalement réussi son examen.

Discussion

La négativité de l'examen physique et l'apparente authenticité des symptômes permettent d'éliminer une affection somatique, une Simulation et un Trouble factice. Il reste donc à envisager la possibilité, une fois écartée une douleur légitime non diagnostiquée, un Trouble somatoforme douloureux. Ce diagnostic s'applique à deux types de situation : soit il n'y a pas de signe de pathologie organique (comme ici) ou de mécanisme physiopathologique pouvant expliquer la douleur, soit le phénomène douloureux correspondant à une pathologie organique avérée est d'une telle intensité que l'incapacité qui en résulte est bien supérieure à ce qu'il est raisonnable d'attendre.

On ne peut pas s'empêcher de penser que la douleur présentée par cette femme lui permet de se soustraire aux demandes sexuelles insistantes et renouvellées de son mari, compte tenu de l'apparente incompatibilité du couple. La coïncidence dans le temps entre le début de la symptomatologie et la découverte de l'infidélité du mari constitue une preuve de plus quant à l'existence de facteurs psychologiques. Le DSM-III-R a opté pour le terme générique de Trouble somatoforme douloureux au lieu de Trouble : douleur psychogène du DSM-III, car le lien entre les facteurs psychologiques et le phénomène douloureux n'est pas toujours évident.

Diagnostic selon le DSM-III-R

Axe I : 307.80 Trouble somatoforme douloureux (p. 300)

Le marcheur

A l'âge de soixante et un an, le chef du département scientifique d'un collège, jusque là marcheur et campeur invétéré, se met subitement à éprouver une peur intense au cours d'une randonnée dans les montagnes. Puis, en quelques mois, il perd tout intérêt pour son ancienne passion. De même, alors qu'il a été jusqu'à maintenant un lecteur insatiable, il cesse de lire. Pire, il commence à avoir des difficultés à faire des calculs et fait des erreurs grossières dans le budget domestique.

A plusieurs occasions, alors qu'il conduit sa voiture dans des quartiers qu'il connait pourtant bien, il ne peut se retrouver. Il se met donc alors à prendre des notes afin de ne pas oublier de faire les courses. Contrairement à son habitude de consulter sa femme, il décide du jour au lendemain de se mettre à la retraite. Sa détérioration intellectuelle ne cesse de s'accentuer. Il passe la majeure partie de ses journées à empiler divers objets, puis à les transporter à un autre endroit de la maison. Il devient obstiné, bougon et finit par ne plus savoir se raser, ni s'habiller tout seul.

Lors de l'examen, six ans après l'apparition des premiers symptômes, le patient a un bon état de vigilance et tente de se montrer coopérant, mais il est désorienté dans le temps et dans l'espace. Après un intervalle de cinq minutes, il ne lui est pas possible de redonner le nom de quatre des cinq objets qu'on lui a déjà montré. Il ne se rappelle pas les noms de son université et de l'école qu'il avait fréquentées, ni sa matière de prédilection. Sa profession, il ne peut la définir qu'en donnant sa fonction de chef du département. Il pense que c'est en 1978 que Kennedy a été Président des Etats Unis et ignore la nationalité de Staline.

En ce qui concerne son discours, le patient n'a pas de problème d'articulation, mais de grosses difficultés à trouver ses mots. Aussi a-t-il recours à de longues phrases, sans grande signification. Une "tasse", il l'appelle un "vase", et pour identifier les montures de ses lunettes, il utilise le mot "support". Incapable d'effectuer des calculs, mêmes les plus simples, il ne lui est pas possible de dessiner une maison ou de recopier un cube. Quand on lui présente un proverbe, il le prend au sens propre. Enfin, il n'a aucune conscience de ses troubles.

L' examen neurologique sommaire n'a rien montré d'anormal, et les habituels examens de laboratoire se sont révélés également négatifs. Quant au scanner, il a permis de mettre en évidence une atrophie corticale.

Discussion

Le cas clinique de ce malade n'est pas bien différent, sur le plan du diagnostic, de celui d'un autre patient, "le dessinateur". Le marcheur a lui aussi des troubles de mémoire, une altération de la pensée abstraite (incapacité à interpréter les proverbes), d'autres perturbations des fonctions supérieures (aphasie) ainsi qu'une modification de la personnalité (le malade est devenu "obstiné et bougon"). Il s'agit d'une démence, car les signes d'altération cognitive globale sont suffisamment sévères pour interférer de façon significative avec les activités professionnelles ou sociales et parce qu'ils ne surviennent pas de façon exclusive au cours de l'évolution d'un Delirium. On note également un mode de début insidieux, avant l'âge de 65 ans, selon une évolution progressive vers une détérioration sans que l'on puisse trouver de cause spécifique. Il s'agit donc d'une Démence dégénératrice primaire de type Alzheimer, débutant dans le présénium. Du fait qu'une certaine surveillance s'impose, la sévérité de la Démence doit être considérée comme étant modérée. Nous devons également mentionner sur l'Axe III l'existence d'une maladie neurologique, la maladie d'Alzheimer.

Diagnostic selon le DSM-III-R

Axe I : **290.10 Démence dégénérative primaire de type Alzheimer, débutant dans le présénium, non compliquée, modérée (p. 135)**
Axe III : Maladie d'Alzheimer

La fin des temps

Monsieur P., 25 ans, natif de l'Arkansas et accusé du meurtre d'une fillette de huit ans, a subi une expertise psychiatrique à la demande du tribunal, afin de déterminer son état mental au moment des faits. En voici un extrait du compte-rendu.

Le jour du crime, l'accusé affirme avoir fumé sa dose quotidienne de marijuana, de six à sept pipes. Ce jour là, il n'absorbe aucun autre toxique : ni drogue, ni alcool. Toute la journée, il regarde la télévision se sent comme d'habitude. Son amie est restée avec lui toute la journée et ne le quitte que pour la soirée d'anniversaire de son père vers 18h30 ou 19h ; elle en revient vers 21h30.

Après que son amie soit allée chez ses parents, Monsieur P. va s'asseoir sur le perron. Environ une demie heure plus tard, il aperçoit un groupe d'enfants du voisinage qui jouent près de la maison. Trois d'entre eux, dont la victime, lui demandent de leur montrer la tarentule qu'il élève chez lui. Il leur demande d'entrer l'un après l'autre. Le petit frère de la victime et un autre garçon entrent les premiers. Une fois partis, après avoir vu l'animal, c'est au tour de la petite fille de rentrer pour voir l'araignée. Il la lui montre. Au moment de sortir, l'agresseur la saisit par la taille. Il affirmera plus tard s'être décidé à faire "cette chose là", parce que c'était l'occasion d'avoir un corps humain à sa disposition.

L'accusé, selon son témoignage, entraîne la victime jusqu'à la salle de bains, puis ouvre grand les robinets de la baignoire. "Elle restait là, dira-t-il, immobile, sans comprendre ce qui allait se passer". Une fois que la baignoire est suffisamment remplie, il la saisit et lui plonge la tête sous l'eau. Elle se débat, réussit à pousser un cri. Il serre alors les dents, sans prononcer un mot. "Je n'avais pas conscience de ce que je faisais". Après avoir maintenu la tête trois ou quatre minutes sous l'eau, il la relève. La fillette essaye de reprendre son souffle; il comprend qu'il a "mal fait le boulot". Craignant que son frère ne revienne pour la chercher, il l'entraine vers une vaste remise qui se trouve sous les marches de l'escalier qui monte au premier étage. Il a peur que son frère ne les trouve, qu'il aille tout dire aux parents et qu'il soit pris avant d'avoir eu le temps d'assouvir le désir qu'il avait de forniquer avec un cadavre.

Dans la remise, il la frappe au visage avec une brique trouvée là. Elle perd connaissance dès le premier coup. Il la frappe de nombreuses autres fois avec la brique. Il affirmera qu'il était alors en larmes et que "c'était bien plus difficile comme ça que dans la salle de bains". Il recouvre ensuite le corps d'un sac en plastique, referme le placard, range les objets qui avaient été renversés, puis allume la télévision.

Peu de temps après, le frère de la victime, âgé de cinq ans, entre dans la maison et demande si sa soeur est encore là. Monsieur P. répond que non et dit au garçon de déguerpir. Une demi-heure plus tard, la police arrive et demande à inspecter les lieux. Monsieur P. est visiblement nerveux, mais les policiers n'ont pas l'idée de fouiller la remise sous l'escalier.

Le lendemain matin, après que son amie soit partie au travail, la police est de retour. Cette fois, ils inspectent la remise mais, dans l'obscurité, ils ne remarquent pas le corps. Pensant qu'ils ne reviendraient pas pour fouiller la maison une troisième fois, il retourne dans la remise plus tard dans la matinée, il enlève les vêtements du cadavre de la victime enduit l'anus de vaseline où il fait pénétrer son sexe, en même temps qu'il introduit un doigt dans le vagin. Il est tellement effrayé qu'il n'a qu'une érection partielle, mais il réussit à éjaculer. Il a le sentiment qu'il doit aller jusqu'au bout de son acte, parce que, sinon, "tout cela n'aurait servi à rien". Il enveloppe le corps dans la feuille de plastique et le dissimule dans un coin au fond de la remise en le recouvrant de poussière. Il espère pouvoir ainsi y retourner plus tard pour abuser à nouveau du cadavre, mais il est maintenant avant tout préoccupé par le souci de ne pas être découvert.

La police revient à nouveau le lendemain, et cette fois fouille méticuleusement la remise et trouve le cadavre. Monsieur P. les a accompagnés. Il est terrorisé et transpire abondamment. "J'étais plus ou moins sous le choc" dira-t-il plus tard. Il reconnait que le corps est bien celui de la victime. Il prend alors conscience que "tout est terminé" et qu'il n'y a pas moyen de nier que c'est lui qui a tué l'enfant.

En réponse à mes questions, Monsieur P. avoue que lorsqu'il avait retenu l'enfant chez lui, c'était bien dans le but de réaliser ses fantasmes sexuels. Il était prêt à prendre un risque "raisonnable" s'il avait peu de chances d'être pris. "Une fois que j'avais commencé, je ne pouvais plus m'arrêter. Je ne pensais plus qu'à en finir". Il reconnait que son action est "criminelle aux yeux de la loi", pour ajouter, en guise de justification : "tout cela faisait partie de mon destin. Il fallait que je connaisse tout du sexe". Lorsque je lui demande ce qu'il entend exactement par son "destin", il répond qu'il consiste à "forniquer avec un cadavre, mais pas forcément de tuer". Il a, dit-il, décidé de tuer plutôt que de se procurer un cadavre, parce que c'était la seule façon de réaliser son fantasme.

Interrogé sur son enfance, il apparait que Monsieur P. était énurétique jusqu'à l'âge de six ans et que son sadisme s'est d'abord exercé sur les animaux. Adolescent, il arrachait les pattes des grenouilles et plaçait des pétards dans leurs gueules. Un jour, il fit tomber un chiot du haut d'une armoire.

A l'âge de quatre ans, un adulte l'a forcé à se masturber. Entre douze et quatorze ans, il a eu des relations homosexuelles avec deux garçons de son âge. Bien que Monsieur P. ait eu des liaisons suivies depuis l'âge de seize ans, il a fréquemment eu recours à des prostituées. En se masturbant, il s'imaginait en train de sodomiser une femme. Le sexe, dit-il, est pratiquement la seule chose qui l'intéresse dans la vie.

C'est à l'âge de dix-huit ans qu'il a commencé à rechercher à des objets de sexuels moins courants. Parmi eux, figuraient des sous-vêtements féminins, un godemichet, un vagin en caoutchouc, une poupée gonflable avec laquelle il essayait toutes sortes de positions. Il fit une fellation à un chien et le dressa à insérer son sexe dans son anus. Il tua un autre chien et abusa du cadavre. Il commença à fantasmer sur les excréments et l'urine de femmes. Puis lui vint le désir d'avoir des relations sexuelles avec le cadavre d'une femme. Dans la période qui précéda son arrestation, le fantasme de coïter avec un cadavre revenait sans cesse dès qu'il se masturbait.

Ses rêves de nécrophilie se sont précisés au cours du temps. Le scénario de son fantasme était de noyer une femme, de la porter jusqu'au réduit dans sa maison; il la déshabillait, et exerçait sur elle "toutes sortes de perversions". Il parlait de "manger ses excréments, boire son urine, mordre son oreille, la sodomiser et déchirer son dos avec les ongles", ou encore de "sucer ses globes oculaires, lui ouvrir l'abdomen" pour y mettre sa main. Il arracherait alors l'utérus et se l'introduirait dans l'anus. Il voulait "mordre une oreille, le nez ou la langue tout en violant le cadavre", manger différentes parties du corps, tels que les seins, le nez, la vulve et la langue, et il se demandait s'il mangerait le clitoris et les lèvres du vagin "cru ou bien cuit". Ses fantasmes ressemblaient donc davantage plus à un "amas hétéroclite" qu'à des plans méthodiques. La seule pensée que tout cela était réalisable lui procurait un plaisir certain et chacun de ces fantasmes l'excitait sexuellement, en particulier ceux se rapportant à l'anus du cadavre. Il imaginait qu'il faisait pénétrer son poing dans l'anus, parfois même qu'il le mangeait.

Pendant son adolescence, Monsieur P. portait un culte à Satan. Souvent il lisait les deux testaments, en particulier les livres des Prophètes et de la

Révélation. Il avait le sentiment qu'il pouvait faire correspondre certains passages de la Bible à des événements de l'actualité et en concluait que nous vivions à "la fin des temps". Il affirme que, lorsqu'il était adolescent, il lui semblait parfois qu'il était l'Antéchrist. Il croyait qu'il pourrait accéder au pouvoir et dominer le monde avant l'anéantissement. Il était persuadé qu'il savait des choses qui demeuraient ignorées du commun des mortels. En se référant à des passages de la Bible, il disait qu'il avait compris le sens d'événements présents et futurs, et qu'il était capable de convaincre les foules qu'elles vivaient dans la Fin des Temps et que Armageddon viendrait en l'an 2000.

Monsieur P. dit avoir prévu des passages de comètes, l'invasion du Liban par les armées israéliennes et certaines catastrophes naturelles. Persuadé d'avoir un don de divination, il faisait reposer ses prédictions sur les écrits de Nostradamus.

A l'âge de quinze ans, Monsieur P. hésitait à se croire le prophète Elie ou l'Antéchrist. Il se regardait dans un miroir et trouvait son regard étrange, en particulier lorsqu'il était sous l'emprise de la drogue. Il lui semblait être sur le point d'acquérir par une sorte de révélation de nouveaux savoirs. Jusqu'au moment du crime, il n'a cessé de se demander qui, du Prophète ou de l'Antéchrist, était sa véritable personnalité. Prophète, il avait le pouvoir de prédire les choses. S'il était l'Antéchrist, il lui fallait accroître son pouvoir pour être un jour capable de régner sur le monde. Il hésitait entre ces deux rôles, préférant tantôt l'un, tantôt l'autre. Lorsqu'il était en compagnie de ses proches, il voulait faire le bien ; seul, il se sentait attiré par le mal et la perversité.

Lorsque l'on demande à Monsieur P. de préciser s'il est lui-même convaincu lorsqu'il se dit être l'Antéchrist, il répond que depuis que l'idée lui est venue à l'âge de quinze ans, il lui semble tantôt être l'Antéchrist, tantôt le prophète Elie. Il est de toute façon certain d'être quelqu'un "d'important pour la religion". Lorsqu'il se livre à ses perversions sexuelles, il tient le rôle de l'Antéchrist ; lorsqu'il annonce la fin des temps à ses amis, c'est le prophète qui parle. Depuis son arrestation, il a abandonné l'idée de "devenir quelqu'un" puis que l'affaire judiciaire a totalement ruiné ses chances de réussite. Lorsqu'on lui fait remarquer que ses faibles résultats scolaires ne lui laissaient que peu de chances de devenir un prophète, il répond que Hitler et Einstein étaient eux aussi des cancres à l'école. Il avoue cependant ne pas s'être préparé à l'exercice du pouvoir suprême par une réflexion sur les moyens d'y accéder.

Discussion

Lorsqu'on essaie de résumer ce que nous avons appris des antécédents personnels de Monsieur P., on ne peut qu'être frappé par ses impulsions sexuelles incontrôlables et extrêmement intenses, ses fantasmes de violence, la relation extrêmement ténue qu'il entretient avec la réalité. Ses impulsions sexuelles sont de type paraphilique : objets non humains et déchets de l'organisme (sous-vêtements féminins, jouets sexuels, chiens, urine, fèces), avec une focalisation plus tardive sur le coït anal avec un cadavre. Enfant, il torturait les animaux ; à l'adolescence, ses violentes impulsions se sont mises au service d'une sexualité excessive. Depuis l'adolescence, Monsieur P. développe deux fantasmagories mégalomaniaques ; tantôt il est l'Antéchrist (le mal, la violence, le sexe), tantôt le prophète Elie (le meneur d'hommes). Cette mégalomanie ne semble jamais avoir été suffisamment intense pour être délirante : le patient ne faisait qu'imaginer un devenir mythique.

Le diagnostic de la conduite sexuelle déviante ne pose pas problème. Comme la plupart de ceux qui ont des troubles paraphiliques, le choix des objets sexuels de Monsieur P. s'est modifié avec le temps. Il a des antécédents de Fétichisme (objets non-humains), mais son diagnostic actuel est celui d'une Nécrophilie (affection rare caractérisée par une attirance sexuelle pour les cadavres), qui appartient à la catégorie des Paraphilies non spécifiées.

Les difficultés au long cours de Monsieur P. concernant la manière dont il se situe par rapport à son environnement et à lui-même sont d'un diagnostic moins aisé. L'étrange conception qu'il a de lui-même, son mode de pensée magique (il peut prévoir l'avenir) évoquent un diagnostic de Trouble de la personnalité schizotypique, mais il n'y a pas suffisamment d'éléments pour pouvoir l'affirmer. Il en est de même des diagnostics de Trouble de la personnalité antisociale ou de celui, non officiel, de Trouble de la personnalité sociale, que la cruauté de Monsieur P. envers les animaux alors qu'il était enfant permet d'évoquer. Mais puisque cette personnalité nous paraît à l'évidence pathologique, nous opterons pour le diagnostic résiduel imprecis de Trouble de la personnalité non spécifié.

Diagnostic selon le DSM-III-R

Axe I : 302.90 Paraphilie non spécifiée, sévère (Nécrophilie) (p. 326)

Axe II : 301.90 Trouble de la personnalité non spécifié avec traits schizotypiques (p. 403)

Suivi

Les avocats de la défense ont décidé de plaider non coupable par suite du témoignage de leur expert psychiatre qui affirmait le diagnostic de Trouble schizotypique de la personnalité et concluait à l'incapacité de Monsieur P. à résister à ses impulsions homicides. L'expert de la partie adverse a confirmé le diagnostic, sans pour autant considérer Monsieur P. comme irresponsable. Il a donc évité de justesse la peine de mort et se trouve actuellement en prison à vie.

La classification du DSM III-R : catégories et codes des axes I et II

Tous les codes et termes officiels du DSM III-R sont inclus dans la CIM-9-MC. Les codes suivis d'un * sont utilisés pour plus d'un diagnostic – ou d'un sous-type – du DSM III-R pour maintenir la compatibilité avec la CIM-9-MC.

Les numéros entre parenthèses sont les numéros de page.

Un long tiret suivant un terme diagnostic indique la nécessité d'un cinquième chiffre pour désigner un sous-type ou un qualificatif supplémentaire.

Le terme *spécifier* figurant après le nom de certaines catégories diagnostiques concerne des caractéristiques que les cliniciens peuvent souhaiter ajouter, entre parenthèses, après le nom du trouble.

NS = Non Spécifié*

La sévérité actuelle d'un trouble peut-être spécifiée après le diagnostic de la façon suivante :

léger ⎤ répond
moyen ⎥ actuellement aux critères
sévère (grave) ⎦ diagnostiques

en rémission partielle (ou état résiduel)
en rémission complète

TROUBLES APPARAISSANT HABITUELLEMENT DURANT LA PREMIERE ET LA DEUXIEME ENFANCE, OU A L'ADOLESCENCE

TROUBLES DU DEVELOPPEMENT
N.B. : ceux-ci sont codés sur l'axe II

Retard mental (30)
317.00   Retard mental léger
318.00   Retard mental moyen
318.10   Retard mental grave
318.20   Retard mental profond
319.00   Retard mental non spécifié

Troubles envahissants du développement (36)
299.00   Trouble autistique (40)
          Spécifier si survenue au cours de la première enfance
299.80   Trouble envahissant du développement non spécifié

Troubles spécifiques du développement (43)
Troubles des acquisitions scolaires
315.10 Trouble de l'acquisition de l'arithmétique (44)
315.80 Trouble de l'acquisition de l'expression écrite (45)
315.00 Trouble de l'acquisition de la lecture (46)
Troubles du langage et de la parole
315.39 Trouble de l'acquisition de l'articulation (48)
315.31* Trouble de l'acquisition du langage (versant expressif) (49)
315.31* Trouble de l'acquisition du langage (versant réceptif) (51)
Trouble des aptitudes motrices
315.40 Trouble de l'acquisition de la coordination (52)

315.90* Trouble spécifique du développement NS

Autres troubles du développement (54)
315.90* Trouble du développement NS

Comportements perturbateurs (Troubles) (54)
314.01 Hyperactivité avec déficit de l'attention (54)

Trouble des conduites (58)
312.20 type : en groupe
312.00 type solitaire-agressif
312.90 type indifférencié
313.81 Trouble oppositionnel avec provocation (62)

Troubles anxieux de l'enfance ou de l'adolescence (64)
309.21 Trouble : Angoisse de séparation (64)

313.21 Trouble : Evitement de l'enfance ou de l'adolescence (68)
313.00 Trouble : Hyperanxiété (69)

Troubles de l'alimentation (72)
307.10 Anorexie mentale (72)
307.51 Boulimie (bulimia nervosa) (74)
307.52 Pica (76)
307.53 Mérycisme de l'enfance (77)
307.50 Trouble de l'alimentation NS

Trouble de l'identité sexuelle (78)
302.60 Trouble de l'identité sexuelle de l'enfance (79)
302.50 Transsexualisme (82)
spécifier la tendance sexuelle antérieure : asexuelle, homosexuelle, hétérosexuelle, non spécifiée
302.85* Trouble de l'identité sexuelle de l'adolescence ou de l'âge adulte de type non transsexuel (84)
spécifier la tendance sexuelle antérieure : asexuelle, homosexuelle, hétérosexuelle, non spécifiée
302.85* Trouble de l'identité sexuelle NS

Tics (Troubles) (86)
307.23 Maladie de Gilles de la Tourette (88)
307.22 Tic moteur ou vocal chronique (90)
307.21 Tic transitoire (90)
spécifier : épisode isolé ou récurrent
307.20 Tic NS

Troubles des conduites excrémentielles (92)
307.70 Encoprésie fonctionnelle (92)
spécifier : type primaire ou secondaire (92)

307.60 Enurésie fonctionnelle (94)
spécifier : type primaire ou secondaire
spécifier : exclusivement nocturne, exclusivement diurne, ou nocturne et diurne

Troubles de la parole non classés ailleurs (95)
307.00* Langage précipité (95)
307.00* Bégaiement (96)

Autres troubles de la première et de la deuxième enfance ou de l'adolescence (98)
313.23 Mutisme électif (98)
313.82 Trouble de l'identité (99)
313.89 Trouble réactionnel de l'attachement de la première ou de la deuxième enfance (101)
307.30 Stéréotypies/Comportements répétitifs (Trouble) (104)
314.00 Trouble déficitaire de l'attention, indifférencié (106)

TROUBLES MENTAUX ORGANIQUES (107)

Démences débutant dans la sénescence et le présenium (133)
Démence dégénérative primaire de type Alzheimer débutant dans la sénescence (135)
290.30 avec delirium
290.20 avec idées délirantes
290.21 avec dépression
290.00* non compliquée
(N.B. : coder 331.00 la maladie d'Alzheimer sur l'axe III)

Coder au 5e chiffre :
1 = avec delirium ; 2 = avec idées délirantes ; 3 = avec dépression ; O* = non compliquée
290.1x Démence dégénérative primaire de type Alzheimer débutant dans le présenium — (136)

(N.B. : coder 331.00 la Maladie d'Alzheimer sur l'axe III)
290.4x Démence par infarctus multiples ————— (136)
290.00* Démence sénile NS
spécifier : l'étiologie sur l'Axe III si elle est connue
290.10* Démence présénile NS
spécifier : l'étiologie sur l'Axe III si elle est connue
(p. ex. Maladie de Pick, Maladie de Jakob-Creutzfeldt)

Troubles mentaux organiques induits par des substances psycho-actives (138)

Alcool
303.00 Intoxication (142)
291.40 Intoxication idiosyncrasique (144)
291.80 Sevrage alcoolique non compliqué (145)
291.00 Delirium du sevrage (146)
291.30 Etat hallucinatoire (147)
291.10 Trouble amnésique (148)
291.20 Démence associée à un alcoolisme (149)

Amphétamine ou sympathomimétiques d'action similaire
305.70* Intoxication (150)
292.00 Syndrome de sevrage (152)
292.81* Delirium (153)
292.11* Trouble délirant (154)

Caféine
305.90* Intoxication (155)

Cannabis
305.20* Intoxication (156)
292.11* Trouble délirant (157)

Cocaïne
305.60* Intoxication (158)
292.00* Syndrome de sevrage (160)
292.81* Delirium (160)
292.11* Trouble délirant (161)

Hallucinogènes

305.30*	Etat hallucinatoire (162)
292.11*	Trouble délirant (163)
292.84*	Trouble de l'humeur (164)
292.89*	Trouble des perceptions post-hallucinogènes (165)

Inhalation d'une substance psycho-active

305.90*	Intoxication (166)
	Nicotine
292.00*	Syndrome de sevrage (169)

Opiacés

305.50*	Intoxication (170)
292.00*	Syndrome de sevrage (171)

Phencyclidine (PCP) ou aryl-cyclohexylamine d'action similaire

305.90*	Intoxication (173)
292.81*	Delirium (175)
292.11*	Trouble délirant (175)
292.84*	Trouble de l'humeur (176)
292.90*	Trouble mental organique NS (177)

Sédatifs, hypnotiques ou anxiolytiques

305.40*	Intoxication (177)
292.00*	Syndrome de sevrage aux sédatifs, hypnotiques ou anxiolytiques, non compliqué (179)
292.00*	Delirium du sevrage (180)
292.83*	Trouble amnésique (181)

Substances psycho-actives autres ou non spécifiées (182)

305.90*	Intoxication
292.00*	Syndrome de sevrage
292.81*	Delirium
292.82*	Démence
292.83*	Trouble amnésique
292.11*	Trouble délirant
292.12	Etat hallucinatoire
292.84*	Trouble de l'humeur
292.89*	Trouble anxieux
292.89*	Psycho-syndrome organique
292.90*	Trouble mental organique NS

Troubles mentaux organiques associés à des affections ou à des troubles physiques de l'Axe III ou d'étiologie inconnue. (183)

293.00	Delirium (110)
294.10	Démence (114)
294.00	Trouble amnésique (120)
293.81	Trouble délirant organique (121)
293.82	Etat hallucinatoire organique (123)
293.83	Trouble thymique organique (124)
	Spécifier : maniaque, déprimé, mixte
294.80*	Trouble anxieux organique (125)
310.10	Psycho-syndrome organique (127)
	Spécifier : si type explosif
294.80*	Trouble mental organique NS

TROUBLES LIES A L'UTILISATION DE SUBSTANCES PSYCHO-ACTIVES (185)

	Alcool (194)
303.90	Dépendance
305.00	Abus
	Amphétamine ou sympatho-mimétiques d'action similaire (197)
304.40	Dépendance
305.70*	Abus
	Cannabis (198)
304.30	Dépendance
305.20*	Abus
	Cocaïne (200)
304.20	Dépendance
305.60*	Abus
	Hallucinogènes (202)
304.50*	Dépendance
305.30*	Abus
	Inhalation de substances psycho-actives (202)
304.60	Dépendance
305.90*	Abus
	Nicotine (204)
305.10	Dépendance
	Opiacés (205)

304.00	Dépendance
305.50*	Abus
	Phencyclidine (PCP) ou aryl-cyclohexylamine d'action similaire (207)
304.50*	Dépendance
305.90*	Abus
	Sédatifs, hypnotiques ou anxiolytiques (208)
304.10	Dépendance
305.40*	Abus
304.90*	Dépendance à plusieurs substances (209)
304.90*	Dépendance à une substance psycho-active NS
305.90*	Abus d'une substance psycho-active NS

SCHIZOPHRENIE (211)

Coder au 5e chiffre : 1 = subchronique ; 2 = chronique ; 3 = subchronique avec exacerbation aiguë ; 4 = chronique avec exacerbation aiguë ; 5 = en rémission ; O = non spécifiée

	Schizophrénie
295.2x	catatonique ———————
295.1x	désorganisé ———————
295.3x	paranoïde ———————
	spécifier si type stable
295.9x	indifférencié ———————
295.6x	résiduelle ———————
	spécifier si début tardif

TROUBLE DELIRANT (PARANOIAQUE) (225)

297.10	Trouble délirant (paranoïaque)
	spécifier le type : érotomaniaque mégalomaniaque à type de jalousie à type de persécution somatique non spécifié

TROUBLES PSYCHOTIQUES NON CLASSÉS AILLEURS (231)

298.80	Psychose réactionnelle brève (231)

295.40	Trouble schizophréniforme (233)
	spécifier : sans caractéristiques de bon pronostic ou avec caractéristiques de bon pronostic
295.70	Trouble schizo-affectif (235)
	spécifier : type bipolaire ou type dépressif
297.30	Trouble psychotique induit (236)
298.90	Trouble psychotique NS (Psychose atypique) (238)

TROUBLES DE L'HUMEUR (239)

Coder au 5e chiffre l'état actuel de la Dépression majeure et du Trouble bipolaire :

1 = léger
2 = moyen
3 = sévère, sans caractéristiques psychotiques
4 = avec caractéristiques psychotiques (*spécifier* : congruentes ou non congruentes à l'humeur)
5 = en rémission partielle
6 = en rémission complète
0 = non spécifié

Pour les épisodes dépressifs majeurs, *spécifier* s'ils sont chroniques, et *spécifier* s'ils sont de type mélancolique.

Pour le Trouble bipolaire, le Trouble bipolaire NS, la Dépression majeure récurrente et le Trouble dépressif NS, *spécifier* s'il existe un caractère saisonnier.

Troubles bipolaires

	Trouble bipolaire (253)
296.6x	mixte ——
296.4x	maniaque ——
296.5x	dépressif ——
301.13	Cyclothymie (255)
296.70	Trouble bipolaire NS

Troubles dépressifs

	Dépression majeure (257)
296.2x	épisode isolé ——
296.3x	récurrente ——

300.40	Dysthymie (ou Névrose dépressive) (259)
	spécifier : type primaire ou type secondaire
	spécifier : à début précoce ou à début tardif
311.00	Trouble dépressif NS

TROUBLES ANXIEUX (Etats névrotiques anxieux et phobiques) (265)

	Trouble panique (265)
300.21	avec agoraphobie
	spécifier l'intensité actuelle de l'évitement phobique
	spécifier l'intensité actuelle des attaques de panique
300.01	sans agoraphobie
	spécifier l'intensité actuelle des attaques de panique
300.22	Agoraphobie sans antécédents de Trouble panique (270)
	spécifier : avec ou sans attaques paucisymptomatiques
300.23	Phobie sociale (272)
	spécifier si type généralisé
300.29	Phobie simple (275)
300.30	Trouble obsessionnel-compulsif (ou Névrose obsessionnelle-compulsive) (276)
309.89	Etat de stress post-traumatique (Trouble) (279)
	spécifier si le début est différé
300.02	Anxiété généralisée (Trouble) (283)
300.00	Trouble anxieux NS

TROUBLES SOMATOFORMES (287)

300.70*	Trouble : peur d'une dysmorphie corporelle (288)
300.11	Trouble de conversion (ou névrose hystérique de type conversif) (289)
	spécifier : épisode isolé ou récurrent
300.70*	Hypocondrie (ou névrose hypocondriaque) (292)
300.81	Somatisation (Trouble) (294)
307.80	Trouble somatoforme douloureux (298)
300.70*	Trouble somatoforme indifférencié (300)
300.70*	Trouble somatoforme NS (301)

TROUBLES DISSOCIATIFS (ou Névroses hystériques de type dissociatif) (303)

300.14	Personnalité multiple (303)
300.13	Fugue psychogène (307)
300.12	Amnésie psychogène (308)
300.60	Dépersonnalisation (Trouble) (ou Névrose de dépersonnalisation) (310)
300.15	Trouble dissociatif NS (312)

TROUBLES SEXUELS (313)

Paraphilies (313)

302.40	Exhibitionnisme (316)
302.81	Fétichisme (317)
302.89	Frotteurisme (318)
302.20	Pédophilie (319)
	spécifier : même sexe, sexe opposé, même sexe et sexe opposé
	spécifier : type exclusif ou non exclusif
302.83	Masochisme sexuel (321)
302.84	Sadisme sexuel (322)
302.30	Tranvestisme fétichiste (324)
302.82	Voyeurisme (326)
302.90*	Paraphilie NS (326)

Dysfonctions sexuelles (327)

spécifier : exclusivement psychogène ou psychogène et biogène (N.B : si exclusivement biogène, coder sur l'axe III)
spécifier : de tout temps ou acquise
spécifier : généralisée ou situationnelle

	Troubles du désir sexuel (330)
302.71	Baisse du désir sexuel (Trouble)
302.79	Aversion sexuelle (Trouble)
	Troubles de l'excitation sexuelle (331)

302.72* Trouble de l'excitation
         sexuelle chez la femme
302.72* Trouble de l'érection chez
         l'homme

         Troubles de l'orgasme (331)
302.73   Inhibition de l'orgasme chez
         la femme
302.74   Inhibition de l'orgasme chez
         l'homme
302.75   Ejaculation précoce

         Troubles sexuels douloureux
         (332)
302.76   Dyspareunie
306.51   Vaginisme
302.70   Dysfonction sexuelle NS

Autres troubles sexuels
302.90* Trouble sexuel NS

TROUBLES DU SOMMEIL (335)
Dyssomnies (336)
         Insomnie (Trouble)
307.42* liée à un autre trouble mental
         (non-organique) (338)
780.50* liée à un facteur organique
         connu (338)
307.42* Insomnie primaire (339)
         Hypersomnie (Trouble)
307.44   liée à un autre trouble mental
         (non organique) (341)
780.50* Liée à un facteur organique
         connu (342)
780.54   Hypersomnie primaire (343)
307.45   Trouble du rythme veille-
         sommeil (344)
         spécifier le type : avec
         avance ou retard de phase.
         Type désorganisé. Type
         avec changements répétés
         Autres dyssomnies
307.40* Dyssomnie NS

Parasomnies (347)
307.47   Rêves d'angoisse (cauche-
         mars) (347)
307.46* Terreurs nocturnes (Trouble)
         (349)
307.46* Somnambulisme (Trouble)
         (351)
307.40* Parasomnie NS (353)

TROUBLES FACTICES (355)
         Trouble factice
301.51   avec symptômes physiques
         (356)
300.16   avec symptômes psychologi-
         ques (358)
300.19   Trouble factice NS (360)

TROUBLES DU CONTROLE DES IMPULSIONS NON CLASSES AILLEURS (361)
312.34   Trouble explosif intermittent
         (361)
312.32   Kleptomanie (363)
312.31   Jeu pathologique (364)
312.33   Pyromanie (366)
312.39* Trichotillomanie (367)
312.39* Trouble du contrôle des im-
         pulsions NS

TROUBLE DE L'ADAPTATION (371)
         Trouble de l'adaptation
309.24   avec humeur anxieuse
309.00   avec humeur dépressive
309.30   avec perturbation des con-
         duites
309.40   avec perturbation mixte des
         émotions et des conduites
309.28   avec caractéristiques émo-
         tionnelles mixtes
309.82   avec plaintes somatiques
309.83   avec retrait social
309.23   avec inhibition au travail (ou
         dans les études)
309.90   Trouble de l'adaptation NS

FACTEURS PSYCHOLOGIQUES INFLUENCANT UNE AFFECTION PHYSIQUE (375)
316.00   Facteurs psychologiques in-
         fluençant une affection phy-
         sique (375)
         spécifier l'affection phy-
         sique sur l'axe III

**TROUBLES DE LA PERSONNALITE (377)
(PERSONNALITES PATHOLOGIQUES)
N.B = A coder sur l'axe II
Cluster A**
301.00   Paranoïaque (379)

301.20   Schizoïde (382)
301.22   Schizotypique (383)
Cluster B
301.70   Antisociale (385)
301.83   Limite (borderline) (389)
301.50   Histrionique (391)
301.81   Narcissique (393)
Cluster C
301.82   Evitante (396)
301.60   Dépendante (397)
301.40   Obsessionnelle-
          compulsive (399)
301.84   Passive-agressive (401)
301.90   Trouble de la person-
          nalité NS

CODES V POUR LES SITUATIONS NON ATTRIBUABLES A UN TROUBLE MENTAL, MOTIVANT EXAMEN OU TRAITEMENT (405)

V62.30   Problème scolaire ou univer-
          sitaire
V71.01   Comportement antisocial de
          l'adulte

V40.00   Fonctionnement intellec-
          tuel limite (Borderline)
          (N.B : A coder sur l'axe II)

V71.02   Comportement antisocial de
          l'enfant ou de l'adolescent
V65.20   Simulation
V61.10   Problème conjugal
V15.81   Non-observance du traite-
          ment médical
V62.20   Problème professionnel
V61.20   Problème parent-enfant
V62.81   Autre problème interper-
          sonnel
V61.80   Autres situations familiales
          spécifiées
V62.89   Problème en rapport avec
          une étape de la vie ou autre
          problème situationnel
V62.82   Deuil non compliqué

CODES ADDITIONNELS (409)
300.90   Trouble mental non spécifié
          (non psychotique)
V71.09*   Absence de diagnostic ou
          d'affection sur l'Axe I
799.90*   Affection ou diagnostic
          différé sur l'axe I

V71.09*   Absence de diagnostic
          ou d'affection sur
          l'Axe II
799.90*   Affection ou diagnos-
          tic différé sur l'Axe II

SYSTEME MULTIAXIAL

Axe I   Syndromes cliniques
          Codes V
Axe II   Troubles du dévelop-
          pement. Troubles de
          la personnalité
Axe III   Affections et Troubles
          physiques
Axe IV   Sévérité des facteurs
          de stress
          psychosociaux
Axe V   Evaluation globale du
          fonctionnement

INDEX DES CAS PAR DIAGNOSTIC

Abus
  Alcool
    Cher docteur 31
    Accès de fureur 270
    Cocaïne 135
    Twisted sister 8
    Inhalation de substances psycho-actives
      Mieux vaut vivre avec la drogue 244
Adaptation (Trouble de l')
  Avec caractéristiques émotionnelles
    mixtes
    Le journaliste mal informé 4
  Avec humeur dépressive
    Le meilleur ami de l'homme 267
  Avec rêves d'angoisse
    Cauchemars 153
Agoraphobie
  Avec Trouble panique
    Je vais y passer 71
    L'acheteur récalcitrant 228
  Sans antécédents de Trouble panique
  (sans attaques paucisymptomatiques)
    Pas de boisson 41
  (avec attaques paucisymptomatiques)
    Trop loin de chez moi 142
Alcool (Troubles liés à la consommation d')
  Abus
    Cher docteur 31
    Accès de fureur 270
  Amnésique (Trouble)
    Le peintre en bâtiment 117
  Démence associée à l'alcoolisme
    Mémoires de guerre 252
  Dépendance
    Mémoires de guerre 252
    Le peintre en bâtiment 117
    Des voix menaçantes 90
    Tristesse 240
  Etat hallucinatoire
    Des voix menaçantes 90
  Intoxication
    L'étudiant 43
  Sevrage (Délirium de)
    Tristesse 240
  Sevrage, non compliqué
    Le reporter 280
Alimentation (Troubles de l')
  Anorexie mentale
    La peau et les os 24
  Boulimie
    La peau et les os 24
  Non spécifié
    Mince et soignée 266
Alzheimer (Maladie d')
  Démence dégénérative primaire
  débutant dans le présénium

    Le marcheur 288
  Démence dégénérative primaire
  débutant dans la sénescence
    Le dessinateur 138
Amnésie psychogène
    Le navigateur 61
Amnésique (Trouble)
  Alcoolique
    Le peintre en bâtiment 117
Amphétamine ou sympathomimétiques d'action similaire (Troubles liés à)
  Dépendance
    Un garçon sur le pont 108
Amphétamine ou sympathomimétiques d'action similaire (Troubles mentaux organiques induits par)
  Délirant (Trouble)
    Un homme d'affaires perturbé 70
  Delirium
    Un garçon sur le pont 108
Anorexie mentale
    La peau et les os 24
Antisocial
  Comportement, adulte
    Préposé au ravitaillement 88
  Trouble de la personnalité
    Twisted sister 8
Anxieux (Trouble)
  Agoraphobie sans antécédent de
  Trouble panique
    Pas de boissons 41 (sans attaques
      paucisymptomatiques)
    Trop loin de chez moi 142 (avec
      attaques paucisymptomatiques)
  Anxiété généralisée (Trouble)
    Sur les nerfs 283
  Etat de stress post-traumatique
    Brûlée 286
    Bribes de souvenirs 189
    Superstition 73
    La cassure 93 (début différé)
  Non spécifié
    L'ancien pilote 201
  Obsessionnel-compulsif (Trouble)
    Que tout soit parfait 181
    Le procrastinateur 1
    Superstitions 73
  Panique
    Je vais y passer 71
    L'acheteur récalcitrant 228
  Panique sans agoraphobie (Trouble)
    Faire face 164
  Phobie simple
    Ne tombez surtout pas malade 218
    Les orages 213
  Phobie sociale
    Sur son nuage 56 (Type généralisé)
    Le préposé au tri 132 (Type généralisé)
    Sur une scène 109

Aversion (sexuelle, Trouble de l')
  Masters et Johnson 271
  Les leçons de musique 175
  Absolument répugnant 197
Bipolaire (Trouble)
  Maniaque
    Les prières de l'athlète 172(psychotique)
    Messages radar 48 (psychotique)
    Une veuve fortunée 54 (non psychotique)
  Non spécifié
    Trois fois divorcée 277
Borderline ou Limite (Trouble de la personnalité)
  La coquille vide 206
  Au bout du rouleau 249
Boulimie
  La peau et les os 24
Caféine (Intoxication à la)
  Pause café 99
Cannabis (Intoxication au)
  La défonce 167
Cocaïne
  Abus
    Twisted sister 8
  Dépendance
    Cocaïne 135
  Intoxication
    Twisted sister 8
Codéine
  Dépendance
    Antitussif 282
Coercitif (Trouble paraphilique)
  L'entente parfaite 123
Comportements perturbateurs (Trouble avec)
  Hyperactivité avec déficit de l'attention
    Elle ne tient pas en place 242
Compulsif (Trouble obsessionnel-)
  Que tout soit parfait 181
  Le procrastinateur 1
  Superstitions 73
Compulsive (Trouble de la Personnalité obsessionnelle-)
  Le procrastinateur 1
  Le bourreau de travail 84
Conduite d'échec (Trouble de la personnalité non spécifié à)
  Sage comme une image 187
  L'homme au foyer 207
Conjugal (Problème)
  L'héritière 195
  Monsieur et Madame Albert 245
  Piégé 111
Contrôle des impulsions (Trouble du)
  Jeu pathologique
    Dettes de jeu 176
  Kleptomanie
    L'héritière 195
  Trichotillomanie
    La fille du coiffeur 83
Conversion (Trouble de)
  Vertiges 217
Cyclothymie

  Le vendeur de voitures 101
Délirant (Trouble)
  A type de jalousie
    Guerre froide 239
    L'épouse infidèle 103
  A type de persécution
    Tueurs à gage 129
  Type érotomaniaque
    Cher Docteur 31
  Typen non spécifié
    L'incendiaire 193
  Type somatique
    Les puces 91
Délirant (Trouble), Amphétamine ou sympathomimétiques d'action similaire
  Un homme d'affaires perturbé 70
Délirium
  Amphétamine ou sympathomimétiques d'action similaire
    Un garçon sur le pont 108
  Associé à des affections ou à des troubles physiques de l'Axe III ou d'étiologie inconnue
    L'antiquaire 157
    Le charpentier accidenté 199
  Sevrage alcoolique
    Tristesse 240
Démence
  Associée à des affections ou à des troubles physiques de l'Axe III ou d'étiologie inconnue
    L'homme d'affaires latino-américain 119
  Associée à l'alcoolisme
    Mémoires de guerre 252
  Dégénérative primaire de type Alzheimer, débutant dans le présénium
    Le marcheur 288
  Dégénérative primaire de type Alzheimer, débutant dans la sénescence
    Le dessinateur 138
Dépendance
  Alcool
    Mémoires de guerre 252
    Le peintre en bâtiment 117
    Constamment malade 96
    Des voix menaçantes 90
    Tristesse 240
  Amphétamine ou sympathomimétiques d'action similaire
    Un garçon sur le pont 108
  Cocaïne
    Cocaïne 135
  Nicotine
    Ronds de fumée 155
  Opiacés
    Antitussif 282
    Analgésiques 227
  Phencyclidine (PCP) ou arylcyclohexylamine d'action similaire
    L'homme pacifique 51
  Plusieurs substances

Twisted sister 8
Dépendante (Trouble de la personnalité)
    Les liens du sang 131
Dépersonnalisation (Trouble)
    Un étudiant dans la brume 250
Dépressifs (Troubles)
    Dépression majeure
      Episode isolé
        Mémoires de guerre 252 (non psychotique)
        Inhibée 143 (non psychotique)
        L'épouse indigne 214 (non psychotique)
      Récurrent
        Une vie de sommeil 62 (non psychotique)
        Prescription : La Floride 19 (non psychotique
        avec caractère saisonnier)
        Constamment malade 96 (non psychotique)
        Les trois voix 236 (psychotique)
    Dysthymie
      Sur son nuage 56
      Jeune Cadre 39
    Trouble dépressif non spécifié
      La nourrice 274
      Pas de boissons 41
Désir sexuel (Baisse du)
    Le devoir conjugal 223
Dissociatifs (Troubles)
    Amnésie psychogène
      Le navigateur 61
    Dépersonnalisation
      Un étudiant dans la brume 250
    Fugue psychogène
      Burt Tate 231
    Personnalité multiple
      Frieda 121
      Cauchemars 153
      Le dormeur 279
    Rêves d'angoisse
      Cauchemars 153
Douloureux (Trouble somatoforme)
    Présentation de malade 287
    Mauvaise rencontre 151
Dysmorphie corporelle (peur d'une)
    Trouble
      Les rides 140
Dyssomnies
    Hypersomnie
      Associée à un autre trouble mental
      (non organique)
        Une vie de sommeil 62
      Associée à un facteur organique
      connu
        Petits sommes 170
        De la nourriture pour la
        pensée 204
      Primaire
        Cauchemars 153
        Le dormeur 279
    Insomnie
      Associée à un autre trouble mental
      (non organique)
        Je vais y passer 71
      Associée à un facteur organique
      connu

    La clé du mystère 125
Primaire
    Sous pression 45
Rythme veille-sommeil (Trouble du)
    Encore au lit ! 80
    Le réalisateur 58
    Roulement d'après midi 148
Ejaculation précoce
    Monsieur et Madame Albert 245
Erection chez l'homme (Trouble de l')
    Paul et Pétula 158
Etat de stress post-traumatique
    Brûlée 286
    Bribes de souvenirs 189
    Réminiscence 6
    La cassure 93 (début différé)
Evitante (Trouble de la Personnalité)
    Sur son nuage 56
Exhibitionnisme
    Plein de honte 46
Facteurs psychologiques influençant une affection physique
    Dettes de jeu 176
    Ulcères 77
Factice (Trouble)
    avec symptômes physiques
      Fraulein Von Willebrand 105
    avec symptômes psychologiques
      La brute 160
      L'éternelle malade 65
Fétichisme
    Toilettes pour hommes 258
    Les collants 220
Frotteurisme
    Sexe dans le métro 112
Fugue psychogène
    Burt Tate 231
Hallucinatoire (Etat)
    alcoolique
      Des voix menaçantes 90
Histrionique (Trouble de la Personnalité)
    Mon fan club 11
Humeur (Trouble de l')
    Bipolaire
      Les prières de l'athlète 172
      (psychotique)
      Messages radar 48 (psychotique)
      Une veuve fortunée 54 (non psychotique)
    Bipolaire non spécifié
      Trois fois divorcée 277
    Cyclothymie
      Le vendeur de voitures 101
    Dépressif non spécifié (Trouble)
      La nourrice 274
      Pas de boissons 41
    Dysthymie
      Sur son nuage 56
      Encore au lit ! 80
    Dépression majeure
      Episode isolé
        Mémoires de guerre 253 (non psychotique
        Inhibée 268 (non psychotique)

L'épouse indigne 215 (non psychotique)
Récurrente
   Une vie de sommeil 62 (non psychotique)
   Prescription : la Floride 19 (non psychotique
   avec caractère saisonnier)
   Constamment malade 96 (non psychotique)
   Les trois voix 236 (psychotique)

Hyperactivité avec déficit de l'attention (Trouble)
   Elle ne tient pas en place 242

Hypersomnie
  Associée à un autre trouble mental
    Une vie de sommeil 62
  Associée à un facteur organique connu
    Petits sommes 170
    De la nourriture pour la
      pensée 203
  Primaire
    Cauchemars 153
    Le dormeur 279

Hypocondrie
  Le radiologue 15

Hypoxyphilie (Paraphilie non spécifiée)
  Pas de blague 13

Identité (Trouble de l')
  Alice 285

Identité sexuelle (Trouble de l')
  Transsexualisme
    Charles 168

Inhalation de substances psycho-actives
  Abus
    Mieux vaut vivre avec la drogue 244
  Intoxication
    Mieux vaut vivre avec la drogue 244

Inhibition de l'orgasme
  chez la femme
    La peur du septième ciel 209
  chez l'homme
    Le professeur 134

Insomnie
  Associée à un autre Trouble mental
    (non organique)
    Je vais y passer 71
  Associée à un facteur organique
    La clé du mystère 125
  Primaire
    Sous pression 45

Intoxication
  Alcoolique
    L'étudiant 43
  Caféine
    Pause café 99
  Cannabis
    La défonce 167
  Cocaïne
    Twisted sister 8
  par inhalation de substances psycho-
    actives
      Mieux vaut vivre avec la
        drogue 244
  Phencyclidine (PCP)
    L'homme pacifique 51

Jeu pathologique

Dettes de jeu 176

Kleptomanie
  L'héritière 195

Masochisme sexuel
  Meurtrie 92

Phase lutéale tardive (Trouble dysphorique de la)
  Docteur Jekyll et Madame Hyde 1
  Une dangereuse paranoïaque 100

Simulation
  Sam Shaefer 21
  Quelque chose de bizarre 74

Multiple (Trouble de la Personnalité)
  Freida 121

Narcissique (Trouble de la personnali
  Fausses rumeurs 210
  Mon fan club 11

Nécrophilie (Paraphilie non spécifiée)
  La fin des temps 290

Nicotine (Dépendance à la)
  Ronds de fumée 155

Non-observance du traitement médical
  Le joueur de football 276

Obsessionnnel-compulsif (Trouble)
  Que tout soit parfait 181
  Le procrastinateur 1
  Superstitions 73

Obsessionnelle-compulsive (Trouble de la Personnalité)
  Le bourreau de travail 84

Opiacés
  Dépendance
    Antitussif 282
    Analgésiques 227
  Sevrage
    Analgésiques 227

Organiques Troubles mentaux, associé desaffections ou à des troubles physi de l'Axe III ou d'étiologie inconnue
  Trouble anxieux organique
    Sortir de la maison 86

Organiques (Troubles de l'humeur)
  La fièvre du samedi soir 192 (type
    maniaque, étiologie sur l'Axe III
  Le fabriquant de jouets 165 (type
    dépressif, étiologie sur l'Axe III)

Orgasme (Troubles de l')
  Ejaculation précoce
    Monsieur et Madame Albert 245
  Inhibition de l'orgasme chez la femme
    La peur du septième ciel 209
  Inhibition de l'orgasme chez l'homme
    Le professeur 134

Panique (Trouble)
  Avec agoraphobie
    Je vais y passer 71
    L'acheteur récalcitrant 228
  Sans agoraphobie
    Faire face 164

Paranoïaque (Trouble de la Personnali
  Travail utile 174

Paraphilie
  Exhibitionnisme

Plein de honte 46
Fétichisme
    Toilettes pour hommes 258
    Les collants 220
Frotteurisme
    Sexe dans le métro 112
Paraphilie non spécifiée
    Bestialité 229 (zoophilie)
    La fin des temps 290 (nécrophilie)
    Pas de blague 13 (hypoxgphilie)
    L'entente parfaite 123 (trouble
    (paraphilique de contrainte)
Pédophilie
    Bestialité 229 (sexe opposé, type
    exclusif)
    Psychiatre d'enfants 143 (même
    sexe, type exclusif)
Masochisme sexuel
    Meurtrie 92
Sadisme sexuel
    Bardé de cuir 179
    Monsieur Macho 33
Transvestisme fétichiste
    La gravure de mode 234
Voyeurisme
    Les jumelles 127
Parasomnie
    Trouble Rêves d'angoisse
    Cauchemars 153
Passive-agressive (Trouble de la Personnalité)
    Un psychiatre têtu 113
Pédophilie
    Bestialité 229 (sexe opposé, type
    exclusif)
    Psychiatre d'enfants 143 (même
    sexe, type exclusif)
Personnalité (Troubles de la)
    A conduite d'échec (Trouble de la
    Personnalité non spécifié)
        Sage comme une image 187
        L'homme au foyer 207
    Antisociale
        Monsieur Macho 33
        Twisted sister 8
    Evitante
        Sur son nuage 56
    Limite (ou Borderline)
        La coquille vide 205
        Au bout du rouleau 249
    Dépendante
        Les liens du sang 131
    Histrionique
        Mon fan club 11
    Multiple
        Frieda 121
    Narcissique
        Fausses rumeurs 210
        Mon fan club 11
    Non spécifié
        La fin des temps 290
        Sage comme une image 187 (à conduite
        d'échec) La fille du pasteur 79

La vision céleste 261
L'homme au foyer 207 (à conduite d'éche
Arts martiaux 106 (sadique)
Toilettes pour hommes 258
Monsieur Macho 33 (sadique)
Droits parentaux 115 (sadique)
L'éternelle malade 65

Obsessionnelle-compulsive
    Le procrastinateur 1
    Le bourreau de travail 84
Paranoïde
    Travail utile 174
Passive-agressive
    Un psychiatre têtu 113
Sadique (Trouble de la personnalité
non spécifié)
    Arts martiaux 106
    Monsieur Macho 33
    Droits parentaux 115
Schizoïde
    Le meilleur ami de l'homme 267
Schizotypique
    Clairvoyante 185
    Assis auprès du feu 221
    Laver avant usage 272
Phase lutéale
Phencyclidine (PCP) ou arylcyclohexylamine d'action similaire
    Dépendance
        L'homme pacifique 51
    Intoxication
        L'homme pacifique 51
Phobie
    Simple
        Ne tombez surtout pas malade 218
        Les orages 213
    Sociale
        Sur son nuage 56 (type généralisé)
        Le préposé au tri 132 (type généralisé)
        Sur une scène 109
Post-hallucinogènes (Trouble des perspectiv
    L'homme qui voyait l'air 178
Présénium (Démence dégénérative primaire de type Alzheimer débutant dans le)
    Le marcheur 288
Primaire Démence dégénérative de type Alzh
    Débutant dans le présénium
        Le marcheur 288
    Débutant dans la sénescence
        Le dessinateur 138
Primaire (Hypersomnie)
    Sous pression 45
Psychogène
    Amnésie
        Le navigateur 61
    Fugue
        Burt Tate 231
Psychologiques (Facteurs) affectant une affection physique
    Dettes de jeu 176

Ulcères 77
Psychotique (Trouble)
  Bipolaire avec caractéristiques
  psychotiques
    Les prières de l'athlète 172
    Messages radar 48
  Délirant
    A type de persécution
      Tueurs à gages 129
    Erotomaniaque
      Cher docteur 31
    A type de jalousie
      Guerre froide 239
      L'épouse infidèle 103
    Non spécifié
      L'incendiaire 193
    Somatique
      Les puces 91
  Délirant organique
    Un homme d'affaires perturbé 70
    (lié à l'amphétamine)
  Dépression majeure avec caractéristiques
  psychotiques
    Les trois voix 236
  Etat hallucinatoire organique
    Des voix menaçantes 90 (alcoolique)
  Induit
    Problème sexuel 259
  Non spécifié
    Premier enfant 52
    La nourrice 274
    La vision céleste 261
    La célébrité 150
    Les vers 147
  Schizo-affectif
    La nourrice 274 (type dépressif)
    La chanteuse d'opéra hongroise 225
    (type bipolaire)
    Je suis Vichnou 67 (type bipolaire)
  Schizophrénie
  Type I désorganisé
    Emilio 145
  Type I paranoïde
    Miriam et Esther 254
    Sous surveillance 29
  Type indifférencié
    Que tout soit parfait 181
  Schizophréniforme
    Un problème de gonades 232
    Gloria 161
Rythme veille-sommeil (Trouble du)
    Encore au lit ! 80 (type désorganisé)
    Le réalisateur 58 (type avec retard
    de phase)
    Roulement d'après midi 148 (type
    avec changements répétés)
**Sadique (Trouble de la Personnalité),
  non spécifié**
    Arts martiaux 106
    Monsieur Macho 33
    Droits parentaux 115
Sadisme
Saisonnier (Dépression majeure

récurrente, à caractère)
    Prescription : la Floride 19
Schizo-affectif (Trouble)
    La nourrice 274 (type dépressif)
    La chanteuse d'opéra hongroise 22
    (type bipolaire)
    Je suis Vichnou 67 (type bipolaire)
Schizoide (Trouble de la Personnalité)
    Le meilleur ami de l'homme 267
Schizophrénie
  Désorganisée
    Emilio 145
  Indifférenciée
    Que tout soit parfait 181
  Paranoïde
    Miriam et Esther 254
    Sous surveillance 29
Schizophréniforme (Trouble)
    Un problème de gonades 232
    Gloria 161
**Schizotypique (Trouble de la
  Personnalité)**
    Clairvoyante 185
    Assis auprès du feu 221
    Laver avant usage 272
**Sénescence (Démence dégénérative
  primaire de type Alzheimer débutant
  dans la)**
    Le dessinateur 138
Sevrage
Sexuelles dysfonctions
  Orgasme (Trouble de l')
    La peur du septième ciel 209
    Monsieur et Madame Albert 245
    Le professeur 134
  Excitation sexuelle (Trouble de l')
    Paul et Pétula 158
  Désir sexuel (Trouble du)
    Masters et Johnson 271
    Le devoir conjugal 223
    Les leçons de musique 175
    Absolument répugnant 197
  Douloureux (Trouble sexuel)
    Les leçons de musique 175
    Absolument répugnant 197
  Masochisme sexuel
    Meurtrie 92
Sexuel douloureux (Trouble)
  Vaginisme
    Les leçons de musique 175
    Absolument répugnant 197
Sadisme sexuel
    Bardé de cuir 179
    Monsieur Macho 33
Sociale (Phobie)
    Sur son nuage 56 (type généralisé)
    Le préposé au tri 132 (type
    généralisé)
    Sur une scène 109
Somatisation (Trouble)
    La vision céleste 261
    Constamment malade 96
Somatoforme (Trouble douloureux)

Présentation de malade 287
Mauvaise rencontre 151
Somatoformes (Troubles)
Conversion (Trouble)
Vertiges 217
Dysmorphie corporelle (peur d'une)
Les rides 140
Hypocondrie
Le radiologue 15
Somatisation (Trouble)
La vision céleste 261
Constamment malade 96
Stress post-traumatique (Etat de)
Brûlée 286
Bribes de souvenirs 189
Réminiscence 6
La cassure 93
Troubles : Tics
Maladie de Gilles de la Tourette
Gêné 247
Transsexualisme
Charles 168 (avec homosexualité
antérieure)
Transvestisme fétichiste
La gravure de mode 234
Trichotillomanie
La fille du coiffeur 83
Vaginisme
Les leçons de musique 175
Absolument répugnant 198
Veille-sommeil (Trouble du rythme)
Encore au lit ! 80 (type désorganisé)
Le réalisateur 58 (type avec retard
de phase)
Roulement d'après midi 148 (type
avec changements répétés)
Voyeurisme
Les jumelles 127
Sevrage
Alcoolique, non compliqué
Le reporter 280
Opiacés
Analgésique 237
Sevrage (Délirium de)
Alcoolique
Tristesse 240
Zoophilie (Paraphilie non spécifiée)
Bestialité 229

Masson Editeur
120, bd Saint-Germain
75280 Paris Cedex 06
Dépôt légal : février 1991

Imprimerie Laballery
58500 Clamecy
Dépôt légal : janvier 1991
Numéro d'imprimeur : 010094